D0481088

PRÉCIS
DE LINGUISTIQUE
GÉNÉRALE

DU MÊME AUTEUR

ANALYSE GRAMMATICALE. Gembloux, Duculot, 1986.
TERMINOLOGIE GRAMMATICALE, *Essai de clarification et d'harmonisation*. Bruxelles, De Boeck, 1984 (avec J. Klein).
TEXTE, COMMUNICATION ET COGNITION. Louvain-la-Neuve, Faculté de philosophie et lettres, 1992 (avec Chr. Thijs).

JACQUES LEROT

PRÉCIS
DE LINGUISTIQUE
GÉNÉRALE

☆m

LES ÉDITIONS DE MINUIT

© 1993 by LES ÉDITIONS DE MINUIT
7, rue Bernard-Palissy, 75006 Paris

ISBN 2-7073-1458-7

AVANT-PROPOS

Cet ouvrage s'adresse aux étudiants et chercheurs qui ne peuvent se satisfaire d'une introduction sommaire à la linguistique et cherchent un guide qui leur permette d'aborder avec succès l'étude approfondie des langues ou des théories linguistiques françaises ou internationales. Il propose un cadre conceptuel mettant en lumière l'organisation générale et la cohérence interne des disciplines qui constituent le noyau central de la linguistique et débouche ainsi sur une prise de conscience du fonctionnement des langues naturelles. Il offre de nombreuses définitions claires et précises ainsi que des méthodes d'analyse et de représentation.

Les progrès réalisés par la linguistique au cours des dernières années, l'émergence de nouvelles disciplines comme la sémantique conceptuelle, la grammaire du texte et la pragmatique linguistique, l'intérêt croissant pour la langue parlée, les développements spectaculaires des grammaires génératives, catégorielles, unificationnelles, etc., ainsi que les résultats significatifs des recherches en Intelligence Artificielle, ont nécessité une remise à jour fondamentale de la linguistique générale intégrant les apports des uns et des autres en une synthèse utilisable par tous.

Bien que rédigée en français et citant des exemples issus pour la plupart du français, cette synthèse est applicable à toute langue naturelle. Conçu à la fois comme manuel et instrument de référence pour les débutants en linguistique, cet ouvrage sera utilisé avec profit par les informaticiens, les grammairiens, les créateurs d'ouvrages scolaires, les logopèdes et tous ceux qui s'interrogent sur cette mystérieuse mécanique qu'est le langage humain et qui cherchent l'explication de ses manifestations.

Afin de faciliter la consultation par des non-linguistes et l'utilisation dans le cadre de séminaires ou de recherches individuelles, nous avons organisé la matière en chapitres aux intitulés simples pouvant être lus séparément dans un ordre quelconque. Les quatre premiers chapitres ont un caractère introductif.

Le présent ouvrage s'inscrit dans la lignée des nombreuses théories qui ont dominé ce vingtième siècle, à commencer par le structuralisme saussurien qui, tout en affranchissant la linguistique de la diachronie alors omniprésente, affirmait avec force le caractère systématique de la langue. Ma réflexion linguistique trouve son origine dans la volonté affirmée par le structuralisme américain de constituer la linguistique en véritable science. Plusieurs acquis scientifiques du structuralisme trouveront ici un écho, entre autres la rigueur mathématique de la glossématique, le dynamisme communicatif de l'école de Prague et le structuralisme dépendantiel de Lucien Tesnière. Les incomplétudes du structuralisme et les déceptions qu'elles ont engendrées m'ont encouragé à suivre d'autres voies. Deux modèles nouveaux, l'un d'inspiration logique et l'autre d'inspiration mathématique, la grammaire

catégorielle et la grammaire générative et transforma-
tionnelle de version standard ont déclenché une véritable révolution dans le domaine de la linguistique et
suscité un enthousiasme jamais connu auparavant à la
fois en raison de leur rigueur scientifique, de leur
envergure et de leur pouvoir explicatif. Tandis que la
grammaire catégorielle jetait les bases d'une grammaire universelle, la grammaire générative et transfor-
mationnelle, introduisant pour la première fois une
distinction entre une structure de surface et une structure profonde, ouvrait la voie vers la reconnaissance
de niveaux de description plus abstraits et plus généraux. La grande aventure de la linguistique ne faisait
que commencer. En même temps qu'on soulignait,
d'une part, l'incapacité du modèle standard à traiter
de façon satisfaisante les identités sémantiques non
répercutées par des identités morphosyntaxiques,
incapacités qui furent mises en évidence par la sémantique générative, et, d'autre part, la difficulté à maîtriser l'organisation communicative de la phrase, illustrée entre autres par le domaine des quantificateurs, se
dessinait dans : « Remarks on Nominalization »
[CHOMSKY 1970] l'amorce d'une syntaxe à vocation
universelle qui se concrétisera dans « Lectures on
Government and Binding » [CHOMSKY 1991]. L'affirmation implicite de la primauté de la syntaxe et du
caractère nécessairement systématique de la grammaire a heureusement suscité un regain d'intérêt pour les
secteurs qu'on avait oubliés. C'est ainsi que la pragmatique a pu s'affirmer comme la représentante d'une
linguistique non systématique. La pragmatique repla-
çait ainsi la richesse et la diversité de la communication humaine au centre des préoccupations. De la

concurrence entre les approches systématiques et non systématiques de la langue naquit un esprit d'incompréhension et d'incommunication qui allait contribuer au discrédit de la linguistique chez ses principaux utilisateurs. Il m'est apparu avec une évidence de plus en plus forte que la pragmatique constitue une discipline à la fois cohérente et systématisable.

Répondant aux vœux des divers utilisateurs de la linguistique, je me suis donné pour tâche d'entreprendre la construction d'un système cohérent intégrant les acquis significatifs de la linguistique actuelle. Ma tâche s'est donc limitée à organiser les disciplines de façon à les rendre compatibles entre elles, ce qui m'amena tout naturellement à opérer certains choix et surtout à devoir combler les lacunes partout où elles apparaissaient. J'ai dû résoudre l'épineux problème de la coexistence de trois articulations : linéarité, hiérarchie de constituants et dépendance. Je me suis penché sur les problèmes de vocabulaire (analyse des valences, construction des champs lexicaux, sémanticité des expressions lexicales), de la grammaire du texte (fonctions communicatives, topicalisation, focalisation) et surtout de la signification où il s'agissait de percer le mystère de la nébuleuse saussurienne : « (...) *abstraction faite de son expression, notre pensée n'est qu'une masse amorphe* (...). *La pensée est comme une nébuleuse où rien* (...) *n'est distinct avant l'apparition de la langue.* » (« Cours de linguistique générale », 2e partie, chapitre 4) et d'organiser une sémantique vraiment linguistique capable de rivaliser en rigueur et pouvoir explicatif avec les autres disciplines linguistiques.

Certains de mes lecteurs linguistes regretteront sans doute de ne pas trouver ici une présentation explicite de la théorie qui sous-tend cet ouvrage. J'espère répondre prochainement à leur attente. Toutefois, avant d'ajouter une théorie à celles qui nous sont actuellement proposées, j'ai pensé qu'il était urgent de donner aux non-linguistes une information large et une formation solide afin qu'ils puissent comprendre les modèles linguistiques qui leurs sont proposés, étudier avec succès l'évolution de la pensée linguistique au vingtième siècle et aborder de façon critique les diverses théories linguistiques.

Il m'est un devoir agréable de remercier ici les nombreuses personnes qui m'ont aidé par leurs encouragements, conseils, remarques ou critiques à réaliser cet ouvrage, et plus particulièrement mes collègues et amis Jean René Klein, Marius Lavency, Jean-Marie Pierret ainsi que Hugo Marquant, professeur à l'Institut libre Marie Haps, Guy Everaert et Thierry van Steenberghe, chercheurs du groupe « Genèse ». Je remercie tout particulièrement Monique Breckx qui a accepté de lire le manuscrit et qui, par ses remarques judicieuses, m'a fait bénéficier de sa profonde expérience de la langue française. A toutes ces personnes et à tous ceux qui, à des titres divers, ont contribué de manière discrète mais décisive à la clarification de l'appareil conceptuel de la linguistique générale, je tiens à exprimer ma profonde reconnaissance.

J.L.
Louvain-la-Neuve, juin 1993

CHAPITRE I

LA MÉTHODE

Plan

1. La linguistique

1.1. Science empirique

Les locuteurs ne possèdent pas de connaissance explicite du code linguistique qu'ils utilisent quotidiennement. Ils parlent une langue sans être capables de formuler les règles qu'ils appliquent. Les linguistes ne peuvent accéder à la connaissance du code linguistique qu'en observant attentivement les manifestations matérielles du langage. La linguistique est donc une science **empirique**, c'est-à-dire fondée sur l'observation. L'observation du linguiste porte sur des faits de langue, c'est-à-dire sur des énoncés. Comme ceux-ci associent des signaux à une information, le linguiste doit non seulement disposer des signaux, mais également avoir accès au sens des messages.

1.2. Science théorique

Le linguiste entame une réflexion théorique sur les données de l'observation. Par voie d'**induction,** il construit un système de règles destiné à expliquer la compétence linguistique des locuteurs. Ce système de règles est valide s'il permet d'obtenir par voie de **déduction** des comportements linguistiques corrects.

La grammaire d'une langue est une construction intellectuelle (une théorie) destinée à fonctionner de façon analogue à la compétence linguistique, car elle doit permettre d'encoder et décoder correctement des messages. On ne peut toutefois pas affirmer que la grammaire « décrit » la compétence linguistique,

car la compétence n'est pas une donnée observable. La grammaire « simule » seulement cette
compétence. La linguistique est donc non seulement
une science empirique, mais également une science
théorique.

L'analyse linguistique est adéquate lorsqu'elle (a)
observe, (b) décrit, (c) explique correctement les faits
de langue et (d) les organise de façon cohérente.

2. L'observation

Sauf dans le cas de langues mortes, il est matériellement impossible d'accéder à la totalité des messages produits dans une langue donnée. C'est pourquoi on procède à un échantillonnage qui constituera
le **corpus** des données soumises à l'analyse.

L'observation sera adéquate si le choix effectué est
représentatif de l'ensemble des faits de langue, c'est-
à-dire s'il possède les mêmes propriétés dominantes.
En pratique, on arrête la collecte des observations
lorsque celles-ci semblent ne plus apporter d'éléments nouveaux.

> Il est évidemment hasardeux d'affirmer que « tous »
> les châteaux forts ont un donjon alors qu'on a visité
> dix châteaux effectivement pourvus d'un donjon.
> Rien ne prouve que le onzième château ait également
> un donjon. Nous ne savons donc pas si ces dix châ-
> teaux sont représentatifs de leur classe.

La qualité d'une grammaire dépend donc du corpus utilisé. On jugera différemment une grammaire
utilisant des témoignages appartenant à différentes

époques, des témoignages exclusivement écrits ou exclusivement littéraires, etc.

3. La description

3.1. Les identités

Les faits de langue soumis à l'observation sont des faits individuels matériellement **distincts** les uns des autres. Chaque énoncé possède des caractères propres qui le distinguent d'autres énoncés. Cependant, l'observateur scientifique ne peut se satisfaire de cette diversité. En fonction de l'objectif qu'il poursuit, il concentre son attention sur la **récurrence** (répétition) de certains caractères. Il observe les régularités, les analogies. De ce fait, il néglige les caractères divergents. Les phénomènes qui possèdent les mêmes caractères sont désormais interprétés comme **identiques.** Les faits de langue, qui primitivement apparaissent comme des événements individuels et distincts, sont intégrés dans un ensemble de faits identiques. Ils apparaissent comme des actualisations d'une même **unité.**

> Supposons que deux personnes portent la « même » robe. Ces robes sont matériellement distinctes. Elles possèdent chacune des caractéristiques propres : modèle, taille, couleur, propreté, vétusté, etc. Ce qui nous permet d'affirmer que ces robes sont les « mêmes », c'est sans doute que le modèle et la couleur sont identiques. Les autres caractéristiques (taille, propreté, vétusté) ne sont pas pertinentes.

3.2. Explicitation des intuitions

La reconnaissance des caractères récurrents est une opération fondamentalement **intuitive.** Elle fait partie de la compétence linguistique. Comme l'intuition est par nature subjective et intransmissible, les mécanismes de reconnaissance des identités doivent être **explicités** afin que soit garantie la reproductibilité de l'analyse. On explicite cette intuition au moyen d'**opérations** ou de **tests** qui mettent en évidence les propriétés récurrentes qui sous-tendent la reconnaissance des identités.

> Nous savons intuitivement ce qu'est un « verbe d'action ». Les verbes *donner, acheter, réparer* appartiennent à cette catégorie. Mais le verbe *attendre* est-il également un verbe d'action ? La réponse est aisée si nous disposons de tests nous permettant de reconnaître les verbes d'action, par exemple : (a) seuls les verbes d'action peuvent être introduits par les verbes *persuader, menacer, promettre*, (b) seuls les verbes d'action peuvent s'accompagner d'adverbes comme *intentionnellement, consciencieusement*.

3.3. La vérification

Une description linguistique est adéquate lorsqu'elle est (a) conforme à l'intuition des locuteurs de cette langue et (b) vérifiable par des tests.

Il est souvent nécessaire de faire appel à des **informants.** Ces personnes, dont la langue maternelle est la langue analysée, sont invitées à se prononcer sur l'admissibilité des expressions obtenues au terme des tests ou des opérations. L'appel aux informants est également indispensable lorsque le linguiste analyse sa propre langue maternelle, car il ne peut prouver que son opinion personnelle est représentative de l'ensemble d'une communauté linguistique.

La description linguistique consiste donc à identifier les unités de la langue au moyen de **procédés vérifiables et reproductibles.** Les unités ainsi obtenues constituent le matériau avec lequel le système linguistique sera construit.

3.4. Les unités

Une **unité** est un faisceau de caractères distinctifs. Un caractère est **distinctif** ou **pertinent** lorsqu'il sert à distinguer une unité d'une autre. Une unité est en outre un ensemble non divisible en éléments plus petits de même nature. Elle est par nature **minimale.** Enfin, la reconnaissance d'une unité doit correspondre à un besoin dans le cadre de l'objectif poursuivi par le chercheur. En d'autres termes, une unité doit posséder un **pouvoir explicatif** et servir à formuler les lois et règles constitutives du système linguistique.

Les unités serviront à classer les données observées. La **taxinomie** ou classification d'éléments est un préalable à l'élaboration du langage scientifique. Le degré d'avancement d'une science est fonction des progrès taxinomiques réalisés.

> On reproche à certains courants linguistiques de voir dans la taxinomie le but ultime de la recherche tandis qu'on reproche à d'autres leur insuffisance taxinomique.

4. *L'explication*

4.1. La formulation d'une hypothèse

La reconnaissance d'un problème entraîne la recherche d'une explication. Le chercheur qui constate la répétition d'un même phénomène formule une **hypothèse** selon laquelle les faits observés sont l'expression d'une **loi générale.** Cette règle générale, que le chercheur infère de faits particuliers, est toujours susceptible d'être infirmée par d'autres observations. Comme une hypothèse est une conjecture, elle repose sur l'intuition et l'expérience du chercheur. Il n'existe pas de règles directrices préalables à sa formulation. Cependant, dès qu'elle a été conçue, elle doit satisfaire à des conditions de validité strictes. Une règle ne sera considérée comme valide que lorsqu'elle aura subi avec succès l'épreuve de l'infirmation.

4.2. L'épreuve de l'infirmation

L'épreuve de l'infirmation consiste à tirer un maximum de conséquences de la règle. Le chercheur, en appliquant la règle, construit un grand nombre d'expressions par voie de **déduction.** Les expressions ainsi produites sont vérifiées par les informants, qui les déclarent **grammaticales** ou non, selon qu'elles font partie de leur langue maternelle ou, au contraire, qu'elles sont ressenties comme incorrectes.

Une règle qui, par déduction, fournit des expressions non grammaticales est **infirmée.** Le chercheur doit alors la reformuler en tenant compte de ses nouvelles observations ou rechercher l'explication des exceptions en formulant des règles supplémentaires. Bien entendu, une règle modifiée ou complétée doit à nouveau subir l'épreuve de l'infirmation.

> Admettons la règle : « On fait la liaison devant les semi-voyelles » illustrée par : *les yeux*. Appliquant la règle à un autre cas : *les yaourts*, nous devons constater que la liaison ne se fait pas. La règle doit être reformulée ou complétée.

Si par contre les expressions déduites de la règle sont toutes grammaticales, alors la validité de la règle se trouve renforcée. Celle-ci reste néanmoins toujours une hypothèse susceptible de révision.

4.3. Critères de scientificité

Une règle est considérée comme **scientifiquement valide** si elle a subi avec succès l'épreuve de l'infirmation. Tout en restant fondamentalement hypothétique, elle possède alors un haut degré de probabilité et peut être utilisée.

On entend par **force prédictive** d'une règle son aptitude à fournir par déduction des expressions grammaticales. La règle peut produire des séquences originales dont la grammaticalité est ainsi prédite.

> D'une règle qui dit que les adjectifs attributs s'accordent « généralement » avec le sujet, nous ne pouvons rien déduire avec certitude. Comment savoir si la règle s'applique ou s'il s'agit d'une exception ?

Le chercheur doit veiller à formuler des règles qui soient non seulement valides, mais également les meilleures possibles. Il donne la préférence aux règles **générales,** qui possèdent un pouvoir explicatif plus étendu. D'un point de vue scientifique, une règle générale est également plus **simple.** Les règles moins générales sont forcément plus nombreuses.

> On peut évidemment affirmer qu'à la fin de la syllabe allemande les consonnes b, d, g, v, z se prononcent respectivement p, t, k, f, s, mais on peut tout aussi bien dire que les consonnes sonores s'assourdissent en fin de syllabe. Cette dernière formulation est scientifiquement plus simple.
>
> Il ne faut pas confondre simplicité scientifique et lisibilité. L'exemple précédent montre que la formulation « simple » utilise une terminologie spécialisée : consonnes « sonores », « assourdissement » des consonnes, tandis que la première formulation est plus longue mais directement compréhensible par tous.

Les règles doivent également être **naturelles,** c'est-à-dire conformes aux caractères fondamentaux des langues. Elles doivent respecter la physiologie des organes articulatoires, le mode de fonctionnement du cerveau et se conformer aux principes d'efficacité de la communication : économie et précision des moyens d'expression.

> Les règles phonétiques d'assimilation permettent une articulation aisée et sont conformes au principe d'économie.
>
> Les règles d'accord engendrent la répétition de catégories grammaticales (genre, nombre, cas, etc.) qui permettent aux unités de se déplacer dans la phrase sans en altérer le contenu sémantique. L'accord exprimant leur appartenance syntaxique, ces unités

peuvent alors assumer une fonction d'ordre communicatif.

5. Théories et modèles

5.1. Théories

Les lois générales expliquant les phénomènes particuliers doivent être organisées entre elles. On appelle **théorie** un ensemble organisé de lois scientifiques. Comme ces dernières ont un caractère hypothétique, la théorie qui les réunit est elle-même une hypothèse.

La condition primordiale à laquelle toute construction scientifique doit satisfaire est la **cohérence interne.** On entend par là l'absence totale de contradictions.

> Le découpage de la grammaire en chapitres et paragraphes plus ou moins autonomes rend la détection des contradictions très difficile.

Si nous voulons construire une grammaire capable d'encoder et de décoder correctement les messages, nous devons intégrer les règles en un système explicatif unique appelé **système intégré.** Portant sur la totalité du code, un système intégré poursuit un objectif d'exhaustivité.

La théorie dont nous avons besoin pour construire une grammaire scientifique doit (a) être cohérente, (b) être la plus **exhaustive** possible, (c) être capable des **généralisations** les plus puissantes, c'est-à-dire être scientifiquement simple, (d) posséder une **force**

prédictive, c'est-à-dire permettre de décider si une expression nouvellement créée et donc non attestée est correcte ou non, et (e) être **dynamique,** c'est-à-dire capable de s'améliorer à la suite de confrontations systématiques avec la réalité.

5.2. Modèles

Une théorie possédant non seulement toutes ces qualités, mais dont en outre on peut tirer des conclusions vérifiables, est un **modèle.**

> On s'interroge toujours sur la disparition des dinosaures et plusieurs théories ont été proposées. Ces théories ne seront jamais des modèles, car on ne peut les vérifier.
> Les grammaires qui n'utilisent aucune théorie de référence et dont les règles ne sont pas ordonnées entre elles ne sont donc pas organisées en système et ne sont évidemment pas des modèles au sens qui vient d'être défini.

Un modèle est une relation unissant quatre termes : (1) l'original modélique ou portion de réalité que le modèle vise à expliquer, (2) l'objectif à atteindre et en fonction duquel les phénomènes pertinents ont été isolés, (3) le modèle lui-même en relation d'analogie avec l'original modélique et (4) l'homme par qui et pour qui le modèle est construit.

C'est l'homme qui a défini au préalable l'original modélique ainsi que les objectifs à atteindre. C'est lui également qui, ayant observé et décrit l'original modélique, émet et organise les hypothèses qui constitueront le modèle. Enfin, c'est lui qui l'utilisera dans un but tantôt intellectuel pour comprendre ses rapports avec l'univers, tantôt pratique pour contrôler et maîtriser ses rapports avec cet univers.

6. *Le métalangage*

6.1. Définitions

Faire de la linguistique, c'est avant tout utiliser un langage scientifique pour parler du langage. Le discours scientifique utilisé pour décrire la structure et le fonctionnement d'une langue naturelle est un **métalangage.** Les règles de grammaire et la terminologie grammaticale constituent donc des métalangages.

Il faut établir une distinction nette entre le langage dont on parle et la langue qu'on utilise pour en parler. La confusion de ces deux types de langage est une source de malentendus. On appelle **langage objet** le langage décrit et expliqué par un métalangage.

> Dans une grammaire de l'anglais rédigée en français, le langage objet est l'anglais et le métalangage est français.
> On ne peut écrire : *Aimer se conjugue comme chanter* de la même façon que : *Chanter n'est pas crier* sans utiliser un procédé de mise en évidence : soulignement, guillemets, etc., pour distinguer le langage objet du métalangage : **Aimer** *se conjugue comme* **chanter** ou : « *Aimer* » *se conjugue comme* « *chanter* ».

6.2. Les types de métalangage

(1) Les langues naturelles ont le pouvoir de parler d'elles-mêmes. On les utilise donc à des fins métalangagières. Elles ont sur les langages formels l'avantage d'être accessibles à tous, mais ont l'inconvénient d'utiliser un vocabulaire souvent imprécis et équivoque. Il est indispensable de compenser cet inconvénient par une hygiène scientifique très stricte.

> Dans les phrases suivantes, le mot « contraire » est utilisé dans trois acceptions différentes. 1. *« Petit » est le* **contraire** *de « grand ».* 2. *Pierre aime Marguerite. Non ! C'est le* **contraire**. *C'est Marguerite qui aime Pierre.* 3. *Véronique aime les chats. Non ! Au* **contraire**, *elle ne les aime pas, elle les déteste.*

(2) On utilise également des tableaux, des diagrammes arborescents ou autres, des parenthèses, etc., qui permettent d'expliciter certains contenus avec plus de concision et de rigueur que ne le peut une langue naturelle.

(3) Les langages formels présentent l'avantage d'une très grande précision, mais ne sont pas lisibles par tous. En outre, ils doivent être eux-mêmes décrits par un métalangage naturel.

> Si nous utilisons la technique des emboîtements pour représenter la séquence : *a trouvé,* nous obtenons cinq boîtes. Comment s'appelle chacune de ces boîtes ? Quelle boîte contient ce que nous appelons un « verbe » ? Un métalangage de haute précision contribue à la clarification des notions grammaticales.

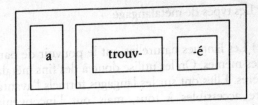

7. *Les définitions*

7.1. Caractéristiques générales des définitions

Le métalangage fait souvent appel aux mots du vocabulaire général dont la signification est souvent équivoque. La polysémie du vocabulaire général est une source de contradictions. Pour y remédier, on utilise un vocabulaire spécialisé. On peut toutefois conserver l'usage de termes issus du vocabulaire général. Dans un cas comme dans l'autre, il est indispensable de définir soigneusement ces termes et de ne les utiliser que dans le sens préalablement défini.

Une **définition** est un énoncé tel qu'un mot ou groupe de mots nouvellement introduit, le **definiendum,** signifie la même chose qu'un ou plusieurs autres mots dont le sens est présupposé connu et qui est appelé le **definiens.** Le definiendum et le definiens sont donc unis par une relation de synonymie.

Comme une définition consiste à expliquer un mot par d'autres, il en résulte qu'il existe des mots qu'on ne peut pas définir par des termes plus simples. Il faut donc admettre l'existence de **notions primitives** connues de tous parce qu'elles font partie de l'expérience et qu'on ne définit donc pas, comme le temps, la cause, etc.

L'ensemble des termes rigoureusement définis et spécifiques d'un domaine de l'activité scientifique constitue une **terminologie.** Un ouvrage scientifique est soumis à une double exigence terminologique. Il doit non seulement définir tous les termes spécialisés qu'il introduit, mais également signaler comme tels les termes primitifs non définis et qui représentent des notions supposées connues.

7.2. Types de définitions

La **définition ostensive** consiste à montrer un objet quelconque auquel s'applique le terme à définir. Elle n'indique pas comment le terme peut s'appliquer à d'autres cas et est donc dénuée de pouvoir de généralisation. Très pratique dans la vie courante, elle ne présente aucune valeur scientifique. Par contre, la **définition par prototype,** qui consiste à présenter un objet qui incarne les propriétés typiques de la classe à définir, fournit une bonne approximation.

La **définition métaphorique** fait appel à une comparaison implicite. Elle possède d'incontestables qualités littéraires. C'est alors au lecteur ou à l'auditeur qu'incombe la tâche de deviner la propriété qui justifie la comparaison. L'interprétation de telles définitions est nécessairement imprécise et divergente.

> Le verbe est l'âme de la phrase, la ponctuation en est la respiration.

La **définition par extension** consiste à énumérer les éléments appartenant à l'ensemble à définir. Elle présuppose qu'on dispose d'une liste limitative de ces éléments.

La façon la moins problématique de définir les déterminants, les pronoms et les verbes auxiliaires est de les énumérer.

La **définition par compréhension** nomme les propriétés distinctives de l'ensemble à définir.

Un carré est un quadrilatère équilatéral.
L'adjectif est un mot lexical qui varie à la fois en genre et en nombre.

La **définition opérationnelle** identifie un ensemble au moyen d'un test établissant les conditions auxquelles les éléments de l'ensemble doivent satisfaire.

Un phonème est un son dont la substitution a une incidence sémantique. Ainsi, « p » est un phonème dans *pont* parce que la substitution par « s », « t », « d », etc., fournit d'autres mots : *son, ton, don, ...*

CHAPITRE II

LA COMMUNICATION

Plan

1. *La communication verbale*

1.1. Le message

La **communication** est un événement par lequel un message est transmis par un émetteur à un récepteur.

L'**émetteur** est en général toute entité qui se trouve à l'origine de la communication. Il peut être non seulement l'homme qui parle, le **locuteur,** ou l'homme qui écrit, le **scripteur,** mais également un appareil créé pour émettre une information : sirène, feu de signalisation, panneau routier, etc. Le **récepteur** est toute personne qui reçoit un message, c'est-à-dire un **auditeur** ou un **lecteur** ainsi que tout appareillage destiné à capter un message.

La communication n'est pas nécessairement orale ou écrite, elle peut être gestuelle, utiliser des ondes lumineuses, etc. Elle peut s'effectuer entre les animaux ou entre l'animal et l'homme. Les périphériques d'un ordinateur (clavier, écran, imprimante) servent à la communication entre l'homme et la machine.

Le message est constitué d'un support matériel, le **signal,** associé à une **information.**

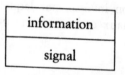

Le support matériel de la communication verbale est constitué par les ondes acoustiques, tandis que la communication écrite utilise des signes graphiques imprimés ou affichés sur un écran.
La simple émission et réception d'ondes acoustiques ne suffit pas à créer un message. Le ronflement d'un dormeur n'est pas un acte de communication. Un carton rouge ou jaune n'est un message que si on lui a associé conventionnellement une signification.

1.2. Le code

Lors de l'acte de communication, les signaux sont associés à l'information par un ensemble de conventions qui forment un **code.**

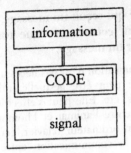

L'**encodage** est l'opération par laquelle un émetteur sélectionne les signaux porteurs d'information et les matérialise afin qu'ils soient transmis au récepteur. L'opération inverse, par laquelle le récepteur perçoit les signaux et leur associe une information, est le **décodage**.

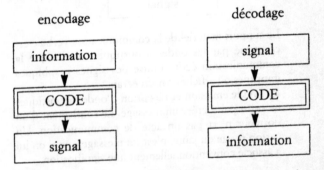

Les signaux encodés sont transmis à un ou plusieurs récepteurs qui les décodent. La transmission du signal peut être perturbée par différents facteurs comme le bruit ambiant, la qualité de l'écriture ou du ruban de la machine à écrire, le brouillard, etc., selon la nature du signal.

La transmission d'informations nécessite souvent des encodages et décodages successifs. La dictée et la dactylographie d'une lettre pourraient se décomposer de la façon suivante. (1) Le directeur encode verbalement le message. (2) Celui-ci est entendu et compris par une secrétaire (décodage) qui (3) en fait une transcription sténographique (encodage). (4) Quelque temps après, la secrétaire relit ses notes (décodage) et (5) dactylographie le texte (encodage). Des erreurs peuvent se glisser lors de chaque opération d'encodage, de transmission ou de décodage. La multiplication de ces opérations augmente la probabilité d'erreurs.

1.3. La langue

La **langue** est un code, car elle établit un lien entre des signaux et des informations. Elle se définit comme un système complexe d'unités régies par des règles. Ce système associe conventionnellement des formes d'expression (signaux) à des contenus d'information. Elle permet la transformation des informations en signaux (encodage) et les signaux en information (décodage). Les langues particulières et les différents dialectes sont régis par un ensemble de conventions grammaticales et lexicales propres. Chaque langue, chaque dialecte, constitue donc un code.

C'est par une convention tacite plongeant ses racines dans la longue histoire de l'humanité que l'animal que nous appelons cheval est appelé dans d'autres langues *horse*, *Pferd*, *equus*, ἵππος, etc.

1.4. La parole et l'écriture

Lorsque le message est transmis verbalement, le signal est matérialisé par des ondes acoustiques qui constituent une **substance phonique.** S'il est transmis par écrit au moyen de dessins (pictogrammes) ou de caractères d'écriture (lettres, graphes), il est matérialisé par une **substance graphique.**

La parole peut exister sans l'écriture. L'usage de la parole est donc indépendant de l'écriture. L'inverse n'est pas vrai.

> On peut situer vers 3500 avant J.-C. en Mésopotamie l'apparition de la première écriture organisée (écriture cunéiforme) alors que l'homme serait apparu il y a au moins deux millions d'années. L'écriture chinoise apparaît vers 2500 av. J.-C. L'écriture est donc une invention relativement récente par rapport aux origines lointaines de l'humanité.

L'apprentissage de l'écriture présuppose l'apprentissage de la parole. L'écriture est donc un **code secondaire** par rapport à la parole qui constitue le **code primaire.** L'usage de l'écriture met en œuvre une double compétence : il faut (1) connaître la langue et (2) savoir lire et écrire.

Les rapports entre parole et écriture sont régis par les **règles de prononciation** décrivant comment les séquences de lettres doivent être lues et les **règles d'orthographe** décrivant comment les séquences de sons doivent être transcrites en fonction des normes en vigueur.

Le terme **langue écrite** ne désigne pas une simple transcription d'énoncés oraux, mais un style de langue typique utilisé par l'écriture. De même, la **langue parlée** est le style de langue typique de la parole et non simplement la réalisation orale d'un énoncé quelconque.

> Un article de journal relève de la langue écrite, même s'il est lu à haute voix. Une conversation spontanée relève de la langue parlée, même si elle fait l'objet d'une transcription.

La grande stabilité de l'écriture et la diffusion aisée des messages écrits confère à la langue écrite un haut prestige. Elle constitue un puissant facteur de culture et d'unification et est de ce fait à la base de la constitution des langues nationales de culture.

Les **grammaires** ont été généralement rédigées pour répondre aux besoins de ceux qui désirent s'exprimer correctement par écrit. C'est pourquoi elles décrivent presque exclusivement la langue écrite. Ceci est en évidente contradiction avec la nature essentiellement orale de la langue. Seules les grammaires fondées sur la langue parlée peuvent prétendre décrire et expliquer scientifiquement une langue particulière.

1.5. Le canal

La transmission d'informations nécessite un support matériel, le **canal,** au moyen duquel le signal atteint son destinataire.

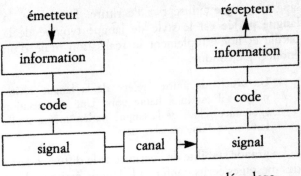

Le face-à-face, l'usage du téléphone, du mégaphone, de cassettes, la correspondance épistolaire, le télex, la télévision, les journaux, sont des canaux de communication.

Les **médias** sont un ensemble de procédés de transmission massive d'information : presse, radio, télévision, etc. L'usage d'un canal impose des contraintes spécifiques dont les interlocuteurs doivent tenir compte.

Le commentaire d'un match de football est très différent selon qu'il est retransmis par la radio ou par la télévision. La tâche du commentateur est plus lourde à la radio, car il doit décrire les mouvements des joueurs.

L'usage du téléphone est extrêmement contraignant : le nombre d'interlocuteurs se limite à deux, l'espace de perception de l'un n'est pas accessible à l'autre, le temps disponible est limité par le coût de la communication, le bruit ambiant peut gêner la communication. Les interlocuteurs, ne se voyant pas, doivent s'identifier mutuellement. Ignorant si l'autre est seul, ils doivent faire preuve de prudence dans la transmission d'informations confidentielles, etc.

2. L'acte de parole

2.1. Définition

L'acte de communication utilisant le langage est appelé **énonciation**. Le produit de l'énonciation est un **énoncé**. Celui-ci constitue une réalité directement observable et se définit comme un message délimité dans le temps. Un énoncé est tout ce qui se dit ou s'écrit à un certain moment par un émetteur s'adressant à un récepteur.

> Les activités humaines sont individuelles ou sociales. Les actes de communication font partie de ces dernières. La communication est verbale lorsqu'elle fait usage du langage ; sinon, elle est non verbale. L'énonciation est un acte verbal de communication.

Comme l'énonciation est un acte, elle en possède également les propriétés. Nous appelons **acte** tout ce que l'homme fait, c'est-à-dire un événement voulu et causé par l'homme.

(a) Un acte résulte d'une **motivation** ou vise à atteindre un certain **objectif**.
(b) Un acte est un **événement** matériel.
(c) Ce dernier produit un **effet**.

> L'absorption d'un liquide rafraîchissant est un acte ayant la soif comme stimulus et l'étanchement de la soif comme effet.

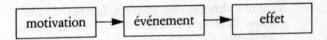

Un **acte de parole** se distingue des autres actes par le moyen utilisé : le **langage.** Il se matérialise par un signal de nature linguistique. En outre, l'acte de parole permet **l'interaction,** c'est-à-dire la coopération dans l'exécution de tâches diverses. Tandis que de nombreux actes peuvent être exécutés simultanément par plusieurs personnes, l'acte de parole est une production essentiellement **individuelle.** Enfin, l'acte de parole produit un **effet immatériel.**

> C'est la raison pour laquelle on oppose souvent les « gens d'action » aux « gens de parole ». Les uns et les autres « agissent », mais l'action des premiers produit un effet tangible tandis que celle des « parleurs » est immatérielle.

2.2. Composantes

L'acte de parole comporte plusieurs aspects : locutif, illocutif, référentiel et perlocutif [AUSTIN 1962, 1970, SEARLE 1969].

(1) L'**acte locutif** est l'acte qu'effectue le locuteur par le fait même qu'il dit quelque chose. Il est directement lié au caractère physique de la parole. Il comprend :

(a) un **acte phonétique,** appelé **phonation,** consistant en la production de sons,

(b) un **acte grammatical** consistant à produire des unités significatives appartenant à un vocabulaire et placées dans un ordre significatif conformément à une grammaire,

(c) un **acte sémantique** par lequel ces unités et constructions sont utilisées dans un sens déterminé et constituent ainsi un ensemble doté de signification.

(2) On appelle **acte illocutif** ou **illocution** l'acte par lequel le locuteur manifeste son **intention communicative** envers son interlocuteur.

> La reconnaissance de l'intention communicative est fondamentale dans les échanges langagiers. L'énoncé : *Est-ce que tu as besoin de ton dictionnaire anglais ?* se présente comme une question, mais l'intention sous-jacente est sans doute une requête équivalant à : *Prête-moi ton dictionnaire anglais, s'il te plaît.* Généralement, le récepteur réagit à l'intention du locuteur plutôt qu'au contenu sémantique de ses paroles.

(3) L'**ancrage référentiel** est la mise en relation du message avec des objets ou états de faits extérieurs au langage. Ces derniers peuvent être aussi bien réels que mythiques. L'ancrage référentiel comprend :
(a) l'**identification** des personnes, objets, qualités, relations ou états et
(b) l'appréciation de la **valeur de vérité** des propositions contenues dans le message par l'application de celles-ci à l'univers extra-linguistique.

(4) L'**effet perlocutif** est l'effet produit sur les récepteurs par un acte de parole. L'énonciation peut déclencher des réactions émotives, suggérer des associations d'idées, susciter l'opposition ou l'approbation, etc.

De nombreux énoncés sont produits en vue d'un effet déterminé. C'est le cas de la publicité qui vise à promouvoir l'achat, des discours électoraux qui visent à influencer les électeurs. C'est également l'effet qui compte lorsqu'on désire consoler, encourager, convaincre, etc.

De nombreux énoncés produits dans le cadre de l'apprentissage d'une langue, par exemple les exercices de grammaire ou de vocabulaire, sont dépourvus d'aspect illocutif et d'ancrage référentiel. De tels énoncés sont à considérer comme des **actes incomplets.** Certains actes de parole, comme les salutations et les interjections, ne comportent pas d'aspect référentiel : *bonjour, aïe,* etc.

3. *La force illocutive*

3.1. Définitions

La **force illocutive** d'un énoncé est la partie de la signification d'un énoncé qui correspond à l'intention communicative du locuteur [SEARLE 1977].

(1) Lorsque le locuteur vise à communiquer des renseignements, à faire savoir un certain nombre de choses qu'il estime vraies, la force illocutive est dite **représentative.** C'est le cas de récits, de reportages, d'informations de presse, de rapports, de prévisions, etc.

(2) Lorsque le locuteur veut diriger l'interlocuteur, l'inciter à l'action, l'influencer, le convaincre, la force illocutive est dite **directive.** C'est le cas des requêtes,

des souhaits, de la publicité, de la propagande électo-
rale, des modes d'emploi, des pétitions, etc.

(3) Lorsque le locuteur veut amener son interlocuteur à lui fournir des informations, la force illocutive
est **interrogative.** Le questionnement, les interroga-
toires, les formulaires de renseignements, etc., appartiennent à ce type.

(4) La force illocutive est **promissive** lorsque le
locuteur s'engage à exécuter une action. C'est le cas
de promesses, d'offres, de contrats, de certificats de
garantie, etc.

(5) La force illocutive est **expressive** lorsque
l'énoncé n'a d'autre but que d'exprimer les senti-
ments ou états d'âme du locuteur. Les exclamations
de joie, de surprise, de colère, etc., ainsi que les
injures ou les témoignages d'affection, appartiennent
au type expressif.

(6) La force illocutive est appelée **déclarative**
lorsque l'énonciation constitue un fait ayant des
répercussions personnelles et sociales. Les diplômes,
les lettres de nomination, les procurations et les testa-
ments appartiennent au type déclaratif.

(7) Il faut noter que les **actes du rituel social**
(remerciements, excuses, félicitations, souhaits de
bienvenue, condoléances, etc.) n'ont pas de véritable
force illocutive. En effet, ces actes visent essentiellement à l'établissement ou au maintien des relations
sociales. Ils sont davantage déclenchés par des événements que par la motivation communicative des locuteurs. Ils sont davantage régis par les règles du savoir-
vivre que par les conditions de sincérité.

3.2. Valeurs de vérité

La force illocutive affecte la valeur de vérité des propositions.

> L'assertion : *Il pleut* comporte l'affirmation de la vérité de la proposition. Elle équivaut à : *Je dis qu'il est vrai qu'il pleut.*
>
> La question : *Est-ce qu'il pleut ?* porte sur la valeur de vérité à attribuer à la proposition. Elle équivaut à : *Je te demande s'il est vrai qu'il pleut.*
>
> La requête : *Tais-toi !* adressée à Pierre vise à faire en sorte que la proposition : *Pierre se tait* soit vraie. Elle équivaut à : *Je te prie de faire en sorte qu'il soit vrai que tu te taises.*

3.3. Présomptions de sincérité

Chaque intention communicative est associée à une **présomption de sincérité** qui lui est propre.

> Le locuteur qui affirme la vérité d'un quelconque état de fait doit croire lui-même que cet état de fait est vrai. Sinon, il pourrait à juste titre être traité de menteur. Le locuteur qui formule une requête doit en souhaiter la réalisation. Le locuteur qui demande une information doit ignorer lui-même cette information. Le locuteur qui donne un conseil à son partenaire doit penser que ce conseil est profitable à son partenaire. Le locuteur qui exprime une mise en garde doit penser que le comportement de son partenaire l'expose à des conséquences fâcheuses pour lui.

4. *L'ancrage référentiel*

4.1. La référence

La **référence** est la relation de désignation qui unit des expressions linguistiques et des objets (personnes, choses, événements, temps et lieu) du monde. Les objets désignés sont appelés **référents** et les expressions qui les désignent sont des **référenciateurs.**

La référence est liée au contexte d'énonciation. Elle peut donc changer dans le temps.

> Actuellement, l'expression *mon voisin* désigne une autre personne que l'an dernier.

Les noms propres (noms de personnes, noms de lieux, les dates) ont pour propriété de conserver la même référence : *Napoléon Bonaparte, Lausanne, la Volga, le 14 juillet 1789.* Par contre, les noms communs n'ont pas de référence directe, mais seulement un **potentiel de référence.** Les déterminants avec lesquels ils s'emploient ont pour fonction de leur conférer un pouvoir référenciateur.

4.2. La vérité

La vérité et la fausseté sont des fonctions référentielles unissant le contenu d'un énoncé aux états de faits désignés. Un énoncé contient un certain nombre de conditions de vérité. L'énoncé est vrai lorsqu'il existe un état de fait qui remplit les conditions de vérité. Il est faux dans le cas contraire.

L'énoncé : *Pierre dort* est vrai s'il existe un individu nommé Pierre et que cet individu dort au moment de l'énonciation.

La vérité et la fausseté sont généralement liées au contexte d'énonciation. Dans ce cas, elles varient au gré des circonstances.

L'énoncé : *Il pleut* peut être vrai ici et faux ailleurs, vrai maintenant et faux hier.

La vérité de certaines propositions peut être obtenue indépendamment du contexte d'énonciation. Ce sont les **tautologies,** qui sont toujours vraies. Les énoncés tautologiques expriment des connaissances universelles. Les propositions toujours fausses sont appelées **contradictions.**

Un célibataire est quelqu'un qui n'a pas été marié (tautologie).
Je t'aime et je ne t'aime pas (contradiction).

L'énonciation de propositions manifestement fausses, c'est-à-dire qui ne trompent pas le destinataire, déclenche un effet de style (métaphore, ironie, litote, etc.). Il ne faut pas confondre de tels énoncés avec les erreurs ou les mensonges dont la fausseté n'est pas présumée reconnaissable.

Tu es une mère (métaphore pour : Tu es vraiment très gentil).
Tu es un chic type (ironie pour : Tu m'as fait un sale coup).
Il s'est un peu énervé (litote pour : Il a tout cassé).

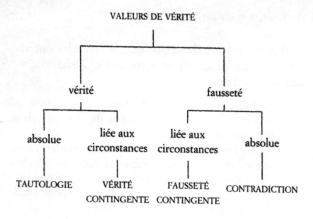

Il est important de noter que, généralement, les tautologies ou les contradictions n'apportent aucune information nouvelle. Comme on s'attend à ce qu'un énoncé fasse progresser le savoir, les tautologies et les contradictions sont souvent réinterprétées et investies d'un sens nouveau.

> *Un cadeau est un cadeau* (= Tu ne peux pas refuser).
> *Il la tutoie et il ne la tutoie pas* (= Cela dépend des circonstances).

Dans une **fiction,** le locuteur énonce des faits imaginaires et les signale comme tels. La fonction référentielle de vérité est alors neutralisée. De nombreux genres littéraires : l'allégorie, le conte, la fable, etc., sont caractérisés par des créations imaginaires.

Lorsque l'énoncé est inintelligible ou absurde, la valeur de vérité est non décidable.

5. L'univers du discours

Il serait erroné de croire que le sens des énoncés est construit uniquement à partir de la signification des mots utilisés.

> Si Julien dit à Julie : *Je t'aime* et que Julie lui répond : *Je t'aime,* ils n'ont pas dit la même chose bien que les mots soient les mêmes.
>
> La phrase : *J'ai mal au pied* dite à un médecin dans son cabinet de consultation ne signifie pas la même chose que la même phrase prononcée par une personne qui ne désire pas participer à une promenade et cependant les mots sont les mêmes.

Le succès ou l'insuccès de la communication est déterminé non seulement par la maîtrise du code linguistique par les interlocuteurs, c'est-à-dire par leur connaissance de la langue, mais également par le contexte général dans lequel se déroulent l'énonciation et l'interprétation. En effet, la communication est optimale lorsque les interlocuteurs partagent le même champ de perception, la même culture et le même savoir.

> Dans un métro ou dans un train bondé, il nous arrive d'entendre malgré nous une conversation qui ne nous est pas destinée. Même si la langue nous est familière, nous comprenons en général très mal parce que nous ne savons pas de quoi il s'agit et que nous ne partageons pas le savoir des interlocuteurs.
>
> Les textes anciens sont très difficiles à interpréter, car nous vivons dans un univers totalement différent. Le mythe de l'Atlantide trouve sans doute son origine dans une mauvaise lecture du dialogue de Platon.

On appelle **univers du discours** l'environnement matériel et cognitif qui détermine le sens et la compréhension des énoncés. Il comprend (a) des données matérielles formant le **contexte d'énonciation** ou **de réception** d'une part et (b) des données cognitives formant une **base de connaissance** d'autre part. L'émetteur et le récepteur participent de façon distincte à l'univers du discours.

L'univers du discours n'est pas constant pour une énonciation donnée. Le temps d'énonciation progresse au même rythme que le temps. Par le fait même qu'il contient des informations, le discours crée de la connaissance et enrichit le savoir de l'interlocuteur relatif aux topiques activés. Par le fait même qu'il aborde divers topiques, le discours active la partie de connaissance relative à ces topiques.

6. *Le contexte d'énonciation et de réception*

6.1. Le contexte d'énonciation

Par **contexte d'énonciation,** on désigne le cadre dans lequel l'énonciation se déroule. Cet environnement comprend les paramètres suivants dont la valeur varie selon les actes d'énonciation :

(a) l'émetteur locuteur ou scripteur : le « moi »,
(b) le(s) récepteur(s) auditeur(s) ou lecteur(s) : le « toi »,
(c) le temps d'énonciation : le « maintenant »,
(d) la lieu d'énonciation : le « ici »,
(e) les objets situés dans le champ de perception des interlocuteurs : « ceci », « cela », « ici », « là-bas »,

(f) les moyens matériels servant de support à l'énonciation : le canal, la présentation matérielle du signal, sa qualité sonore, etc.

(g) le cadre institutionnel, informel ou autre dans lequel se déroule l'énonciation, etc.

Le contexte d'énonciation englobe également les relations personnelles entre interlocuteurs :

(a) les relations d'intimité (intime, connu, inconnu),

(b) les relations de hiérarchie les unissant, relations fondées sur l'expérience, le rang social, la puissance d'argent, l'autorité publique, etc. (égalitaire, supérieure, inférieure).

> L'adulte s'adressant tantôt à un enfant, tantôt à un inconnu, utilisera des formes d'expression totalement différentes : *Ferme la fenêtre ! Pourriez-vous, s'il vous plaît, fermer la fenêtre ?*

6.2. Le contexte de réception

Par **contexte de réception** on entend l'environnement dans lequel se déroule la réception d'un énoncé. Il comprend les mêmes paramètres que le contexte d'énonciation, mais leur valeur peut être différente.

> Le contexte de réception est différent du contexte d'énonciation lorsque le récepteur n'est pas celui auquel le texte était destiné. C'est le cas pour tous les textes anciens. Lorsque les interlocuteurs ne se trouvent pas face à face, leur champ de perception est différent.

6.3. La deixis

La **deixis** est une fonction référentielle liée au contexte d'énonciation. Les formes déictiques désignent des objets qui ne sont identifiables qu'en fonction des interlocuteurs et des circonstances spatio-temporelles de l'énonciation.

(1) La **deixis personnelle** désigne les partenaires directs de la communication : le locuteur et les destinataires. Elle s'exprime par des formes grammaticales de la première et de la deuxième personne.

(2) La **deixis locale** désigne le lieu d'énonciation, c'est-à-dire le lieu où se trouve le locuteur lorsqu'il produit l'énoncé ainsi que l'endroit où se trouve le destinataire. Elle s'exprime par les pronoms et déterminants démonstratifs ainsi que certains adverbes : *ici, là-bas,* etc.

(3) La **deixis temporelle** désigne le moment de l'énonciation. Elle est généralement exprimée par le temps du présent ainsi que par certains adverbes : *maintenant, aujourd'hui,* etc.

7. Les bases de connaissance

L'environnement cognitif de l'énonciation comprend tout le savoir des interlocuteurs. On distingue deux grands types de connaissance : les connaissances particulières et les connaissances générales.

7.1. Les connaissances particulières

Les **connaissances particulières** portent sur des propriétés individuelles, non permanentes ou non typiques des objets. On les appelle également **connaissances épisodiques.**

> *Le canari de Pierre est bleu.*
> *Le chat de Nathalie mange des pommes de terre.*
> *Un jeune oiseau est tombé de son nid.*
> *La source est tarie.*

Plus particulièrement, les connaissances particulières englobent la connaissance des événements auxquels les interlocuteurs viennent d'assister ainsi que le contenu des énoncés que les interlocuteurs viennent d'émettre ou de recevoir,

> De nombreux énoncés ne sont compréhensibles qu'à la lumière de telles connaissances. L'énoncé : *C'est épouvantable* fait référence à un événement auquel on vient d'assister ou à la relation d'un événement.

7.2. Les connaissances générales

(1) Les **connaissances structurelles.** Les connaissances générales sont appelées structurelles lorsqu'elles nomment des propriétés inhérentes des objets, c'est-à-dire inaliénables ou nécessaires et sans lesquelles on ne pourrait parler de ces objets. Ces connaissances définissent les conditions de vérité et sont représentables sous forme de lois ou de règles. Elles permettent en outre de définir et de classer les

objets ; c'est pourquoi on les appelle également **défi-nitoires** ou **classificatoires.**

> *Un célibataire est une personne qui n'est pas mariée.*
> *La tulipe est une fleur.*

(2) Le **bon sens commun.** Les connaissances qui reflètent l'expérience que nous avons des objets du monde et qui sont de ce fait liées aux représentations mentales que nous en avons relèvent du bon sens commun. Elles définissent des **propriétés typiques** mais non nécessaires des objets. Des exceptions sont donc possibles.

Scientifiquement, les connaissances relevant du bon sens commun définissent des virtualités et non des certitudes. Elles sont **valides par défaut,** c'est-à-dire qu'elles ne valent que si elles ne sont pas contre-dites par un autre fait d'expérience.

> *L'oiseau vole.* La faculté de voler est typique de l'oiseau, mais il y a des exceptions (autruches, pin-gouins, etc.).
> *L'eau est insipide, inodore et incolore.* De l'eau nau-séabonde et sale est toujours de l'eau. Ces propriétés (absence de goût, d'odeur et de couleur) sont typiques, mais non nécessaires pour qu'on puisse parler d'eau de façon sensée.

Les connaissances relevant du bon sens commun varient selon les groupes sociaux et sont de ce fait représentatives de la **culture** d'un groupe ou d'un individu.

> Dans la culture occidentale, la vache est un animal lourdaud et lymphatique qu'on trouve à la cam-pagne dans les prairies et les fermes. La vache donne

du lait avec lequel on peut faire du fromage, etc.
Dans certaines cultures africaines, la vache est un
signe extérieur de richesse, un symbole de beauté et
de poésie. On ne fait pas de fromage avec leur lait.
Elles font partie de la dot des jeunes filles, etc.

7.3. Les domaines de connaissance

On appelle **domaine de connaissance** un ensemble
de connaissances générales relatives à un domaine du
savoir ou de l'activité de l'homme : droit, économie,
électricité, jardinage, journalisme, médecine, mu-
sique, sport, etc. La reconnaissance du domaine de
connaissance a pour effet remarquable de faciliter la
neutralisation des ambiguïtés lexicales.

> Si un texte traite de musique, le nom *note* sera com-
> pris comme désignant une note de musique. S'il
> s'agit d'examens présentés par un étudiant, *note*
> aura un autre sens, etc.
> Une *feuille* peut désigner une feuille d'arbre ou de
> papier. L'orientation du discours suffit généralement
> à lever l'ambiguïté.

Les dictionnaires utilisent dans leurs définitions
des rubriques désignant les différents domaines de
connaissance. On en trouve généralement la liste
dans leur partie introductive.

7.4. Gestion interactive des connaissances

La compréhension d'un énoncé est optimale
lorsque les interlocuteurs partagent le même univers
cognitif. S'il veut être compris, le locuteur ou le scripteur doit adopter diverses attitudes langagières ayant

pour but d'instaurer un univers cognitif commun appelé communément le **savoir partagé**. S'il connaît bien son interlocuteur, le locuteur veillera à lui donner au préalable toutes les informations utiles. Éventuellement, le locuteur s'assurera que son partenaire dispose des informations nécessaires à la bonne compréhension.

> Vous désirez raconter un souvenir du collège où vous avez étudié. Vous n'éprouvez aucune difficulté à le raconter à un ancien condisciple. Par contre, vous devez décrire le cadre général si vous le racontez à une autre personne.
>
> Vous avez envie de raconter votre séjour à Rome. Il est prudent de faire précéder le récit par : *As-tu déjà été à Rome ?* afin de vous éviter des descriptions superflues.

Le locuteur se doit d'indiquer clairement ce dont il parle, c'est-à-dire de faire connaître l'orientation topicale de son discours, afin que son interlocuteur puisse mettre en éveil les connaissances qu'il possède concernant les topiques abordés. Ces topiques activeront en outre le domaine du savoir auquel ils appartiennent. Enfin, les topiques serviront à stocker les nouvelles informations transmises par l'acte d'énonciation.

8. *Le processus d'interprétation*

8.1. Décodage des énoncés

Toute énonciation produit un certain effet sur l'interlocuteur. Toutefois, une réaction adéquate suppose que l'auditeur ou le lecteur ait correctement interprété le message. La première étape du processus d'interprétation consiste à décoder la séquence de sons ou de lettres, ce qui revient à (a) reconnaître les phonèmes (unités phoniques distinctives), (b) reconnaître les mots et groupes de mots (unités lexicales et syntaxiques), (c) reconnaître la signification conventionnelle ou « littérale » des phrases, c'est-à-dire son contenu sémantique. Toutefois, la reconnaissance du **contenu sémantique** suffit rarement à déclencher une réaction adaptée.

> L'énoncé : *Je n'ai pas de dictionnaire anglais* est littéralement une assertion qui devrait théoriquement déclencher des réactions comme : *Ah bon !*, alors que le locuteur cherche sans doute un dictionnaire. Les réactions appropriées comme : *Je peux te prêter le mien* ou : *Il y en a un au secrétariat* interprètent l'énoncé non comme une assertion mais comme une demande.
>
> L'énoncé : *Veux-tu m'ouvrir la porte ?* n'est qu'apparemment une question, en fait c'est une requête.

Le sens de l'énoncé n'est donc pas identique au contenu sémantique des phrases. Il est fonction de son utilisation par le locuteur dans un contexte déterminé. Il comporte la reconnaissance de l'intention communicative du locuteur, l'identification des référents, la connaissance du contexte d'énonciation, la quantité de savoir partagé, etc.

Aux trois étapes précédentes il faut donc en ajouter une quatrième qui donnera à l'énoncé son sens définitif. Le récepteur doit (d) reconnaître le **sens de l'énoncé,** c'est-à-dire ce que le locuteur a voulu dire.

La dernière étape du processus de décodage consiste donc à transformer un contenu sémantique, c'est-à-dire une signification linguistique convention-nelle et littérale en un sens réel correspondant à ce que le locuteur a voulu dire. En d'autres termes, le récepteur doit inférer un sens réel à partir d'une signification linguistique.

8.2. Processus d'inférence

L'**inférence** est une forme de raisonnement qui se base d'une part sur le contenu d'un énoncé (A) et d'autre part sur une proposition implicite relevant du présavoir individuel (B) et qui conclut à la vérité une nouvelle proposition (C).

> A. Prémisse explicite
> B. Prémisse implicite
> C. Conséquent

Les inférences ne sont pas les mêmes pour tous, car l'expérience et la connaissance du monde varient selon les individus. L'inférence n'offre donc aucune garantie absolue de la vérité du conséquent.

Je vais sortir. Mon ami me dit : *Il va pleuvoir.*
(A. Prémisse explicite) Mon ami me signale qu'il va pleuvoir.
(B. Prémisse implicite) On se protège de la pluie au moyen d'un parapluie.
(C. Conséquent) Je vais prendre mon parapluie.

L'enfant qu'on vient de mettre au lit crie : *J'ai soif.*
(A. Prémisse explicite) L'enfant dit qu'il a soif.
(B. Prémisse implicite) Je sais que cet enfant est capricieux.
(C. Conséquent) L'enfant n'a sans doute pas soif.

Le locuteur doit dans la mesure du possible prévoir les inférences qu'il déclenchera chez l'auditeur. Il doit, le cas échéant, neutraliser les inférences indésirables, par exemple au moyen des conjonctions *mais* ou *bien que*.

Imaginons un partenaire commercial japonais (inférence possible : il ne parle pas français ou le parle très mal). Il est possible de neutraliser cette inférence : *Son partenaire commercial est japonais, **mais** il parle un français impeccable* ou : ***Bien qu****'il soit japonais, son partenaire commercial parle un français impeccable.*

Les inférences ne doivent pas être confondues avec les **implications**. Ces dernières font exclusivement appel au contenu explicité dans les propositions. Elles se déclenchent automatiquement et sont les mêmes pour tout le monde. Ainsi : *Thomas s'est endormi* implique : *Thomas dort.*

8.3. Inférence conversationnelle

L'**inférence conversationnelle** est un type particulier d'inférence faite par l'auditeur ou le lecteur. Celui-ci infère à partir de la signification linguistique des phrases et de la présomption que le locuteur ou l'auteur respecte certains principes.

(1) **Présomption de sincérité.** L'auditeur présume que le locuteur est sincère. L'auditeur présume que le locuteur croit lui-même ce qu'il dit, qu'il ne possède pas les informations qu'il demande, qu'il a le souhait de voir sa requête réalisée, etc.

(2) **Présomption de pertinence.** L'auditeur présume que ce que locuteur dit a un sens et que le sens de son message est en relation avec l'intention communicative ou avec l'orientation topicale du discours.

(3) **Présomption d'ordre.** L'auditeur présume que les propositions sont reliées entre elles en conformité avec le type structurel du texte. Dans une narration, les événements sont présumés se dérouler dans l'ordre exposé.

RÈGLE. Lorsque la signification linguistique de la phrase n'est pas conforme aux présomptions de l'auditeur, ce dernier cherche à attribuer au message un sens en conformité avec ses présomptions.

> Littéralement, les phrases : *Il a mangé des tomates. Il a eu mal à l'estomac* ne fournissent aucune indication sur la chronologie des événements ni sur un éventuel lien de cause à effet. Cependant, l'auditeur comprendra sans doute que le mal d'estomac a été causé par les tomates qu'il avait mangées auparavant. Cette interprétation s'explique par la présomption d'ordre et de pertinence : (1) l'ordre des phrases est censé représenter le déroulement chronologique, (2) la seconde phrase est présumée en relation avec l'orientation topicale définie par la première phrase.

La **métaphore vive** est d'abord perçue comme une incongruité sémantique qui en fait rejeter la lecture littérale. Sur la base de la présomption de pertinence et des connaissances générales l'auditeur construit un sens second.

> La phrase : *Tu es une mère* est littéralement fausse si elle s'adresse à une personne qui n'est pas une mère. La présomption de sincérité déclenche la recherche d'une autre lecture. Une inférence possible est que l'auditeur est qualifié de « mère » parce qu'il fait preuve de qualités de dévouement ou de gentillesse qui sont généralement attribuées aux mères.

9. *La convivialité des échanges*

9.1. Mesures protectives

L'énonciation étant par nature un type d'interaction, elle comporte toujours le risque de déclencher chez le récepteur une réaction défavorable susceptible de ternir l'image sociale de l'émetteur. Celui-ci risque en effet de se faire rabrouer, ignorer, mal juger, etc. On appelle **processus de figuration** le souci du locuteur de ne pas « perdre la face » lors de ses contacts langagiers.

Le processus de figuration amène souvent le locuteur à éviter les affirmations ou questions trop brutales. En utilisant à dessein des **actes indirects,** c'est-à-dire des actes de parole dont le sens réel, différent du contenu sémantique, ne s'obtient que par voie d'inférence, le locuteur laisse à son partenaire le choix de réagir au sens réel ou au contenu sémantique de son énoncé ; c'est pourquoi les processus de figuration favorisent l'ambiguïté du discours.

9.2. Marques d'égard

Le locuteur peut également mettre son interlocuteur dans une situation délicate en l'obligeant à réagir, à donner une information, à prononcer un jugement, etc. C'est pourquoi le locuteur doit protéger l'image sociale de son partenaire. Les **marques d'égard** couvrent un ensemble d'attitudes visant à établir ou à maintenir des rapports sociaux harmonieux.

> Le locuteur prend la précaution de s'assurer que le partenaire est en mesure d'accepter sa requête, car un refus placerait son partenaire dans une situation pénible. Le locuteur atténue les marques de sa volonté afin de la faire paraître moins agressive, plus souple, et d'amener ainsi le partenaire à réagir positivement. Par une formulation indirecte de son intention, le locuteur évite de contraindre son partenaire. Le partenaire pourra alors élégamment refuser d'accéder à la requête en ne réagissant qu'à l'interprétation littérale.
>
> Il y a de multiples façons de demander un service à quelqu'un : *Est-ce que tu as le temps de tondre la pelouse aujourd'hui ?* (on teste la disponibilité du partenaire), *Ce serait gentil si tu tondais la pelouse aujourd'hui* (requête fortement atténuée), *L'herbe est très haute* (acte indirect), *Le voisin a déjà tondu sa pelouse* (id.).

9.3. Humilité, autorité, agression

Certaines formes de discours se caractérisent par l'absence de figuration ou de marques d'égards. C'est le cas lorsque le locuteur veut délibérément s'abaisser ou au contraire se montrer autoritaire ou agressif envers son partenaire.

> Toute réaction est discréditée à l'avance dans : *Et c'est à cette heure-ci que tu rentres ?* Toute contradiction est malvenue après : *Il est évident que les femmes ont une meilleure mémoire que les hommes.*

10. *La diversité linguistique*

Pour communiquer efficacement, l'individu doit se conformer aux habitudes linguistiques du groupe social auquel il appartient. La diversité linguistique s'explique par l'absence de contact entre groupes sociaux (diversité géographique, professionnelle, sociale) et par l'existence de nécessités langagières différentes.

On distingue :

(a) des parlers régionaux,

(b) des langages spécialisés propres aux domaines des sciences et des techniques,

(c) des langues populaires, argotiques, précieuses, etc.

Un **dialecte** est une langue comme les autres puisqu'il est un code servant à la communication verbale entre individus. Les dialectes ne sont pas une déformation des langues de culture, mais sont en général plus anciens qu'elles.

Les **langues de culture** sont en fait des langues d'union possédant une grande aire de diffusion et qui sont dès lors investies d'une importance politique considérable. Elles sont donc soumises à des normes assez strictes visant à maintenir leur unité.

Une situation politique où deux langues, généralement intercompréhensibles, sont parlées sur le même territoire est qualifiée de **diglossie** lorsqu'une de ces deux langues possède un statut socio-politique inférieur (arabe populaire et arabe classique, créole et français aux Antilles). On parle de **bilinguisme** lorsqu'un individu parle deux langues, quel que soit le statut socio-politique de ces langues (français et anglais au Canada).

Les mouvements de personnes et de populations ont des répercussions sur la formation et l'évolution des langues. On appelle **substrat** l'ensemble des habitudes linguistiques d'une langue supplantée par une autre sur le même territoire et **superstrat** les caractères d'une langue importée sur le même territoire, mais qui ne s'est pas imposée. L'apport linguistique d'une langue parlée sur un autre territoire est appelé **emprunt**. Une langue d'appoint commune à des locuteurs d'origine différente est un **sabir** ou **pidgin**. Ceux-ci sont toujours des langues secondes. Le **créole** est une langue issue d'un sabir et acquise comme langue maternelle par les enfants.

11. *Formes d'écriture*

11.1. Pictogrammes

Les **pictogrammes** sont des inscriptions figuratives qui fixent le contenu d'un message entier sans se référer aux mots. Ils appartiennent à la classe des signes-phrases.

Parmi les témoignages le plus anciens, on trouve de nombreux signes magiques dont la signification est obscure, des récits en images, des signes d'appartenance, divers procédés mnémotechniques servant à la chronologie ou à la comptabilité, etc.

La société multilingue actuelle fait un usage abondant de pictogrammes signifiant par exemple « il est interdit de fumer », « cette voie est sans issue », « vous pouvez vous renseigner ici », etc.

11.2. Idéogrammes et logogrammes

Les **idéogrammes** ou **logogrammes** sont des caractères d'écriture qui représentent des mots (signes-mots). Ce type d'écriture n'existe pas à l'état pur (chinois, égyptien hiéroglyphique, glyphes mayas).

L'écriture hiéroglyphique monumentale utilisée en Egypte pendant l'antiquité est composée (a) d'idéogrammes qui notent les racines consonantiques, (b) de phonogrammes qui notent le squelette consonantique et (c) de déterminatifs spécifiant la classe sémantique (homme, femme, dieu, soldat, abstraction, etc.).

Le chinois utilise des agrégats d'idéogrammes représentant chacun un mot monosyllabique. En outre, il possède des caractères-clés qui ne sont pas lus. Ce sont des déterminatifs phonétiques ou sémantiques qui servent essentiellement à lever l'homophonie.

11.3. Phonogrammes

Les caractères qui représentent des sons ou suites de sons sont appelés **phonogrammes.** On distingue trois types d'écritures phonogrammiques :

(a) l'écriture **syllabique**,

(b) l'écriture **consonantique**, qui ne note que les consonnes, et

(c) l'écriture **alphabétique** qui note les consonnes et les voyelles.

> Les alphabets occidentaux et arabes dérivent de l'alphabet consonantique phénicien attesté vers 1100 av. J.-C. L'alphabet grec, dérivé de l'alphabet phénicien, réalise une innovation capitale en notant également les voyelles. L'alphabet latin est dérivé d'un alphabet grec régional. L'écriture arabe trouve son origine dans l'alphabet nabatéen dérivé de l'araméen, lui-même issu de l'alphabet phénicien.

La forme de l'écriture dépend de son support (pierre, bois, tablettes d'argile ou de cire, papyrus, parchemin, papier) et de l'instrument utilisé (roseau, pinceau, crayon, etc.).

> Les lettres de l'alphabet latin sont d'anciens idéogrammes. La lettre A représentait un tête de bœuf, la lettre B le plan d'une maison, la lettre D un battant de porte, le K figure la paume de la main, la lettre M provient d'une ligne ondulée représentant la surface de l'eau, la lettre O figure un œil, la lettre R le profil d'un homme avec barbe, le W représente des dents.

11.4. Discordances entre lettres et sons

Les écritures alphabétiques ne sont pas vraiment phonétiques. Une même lettre peut représenter des sons différents et des lettres différentes peuvent désigner un même son.

La lettre « x » représente la biconsonne [ks] ou [gz]. Les lettres « mm » dans *homme* ne représentent qu'une seule consonne [m]. En français, la lettre « h » ne représente aucun son. Les lettres « o », « au » et « eau » représentent le même son [o], etc.

Ces discordances s'expliquent par les contraintes de l'alphabet latin, souvent mal adapté, et surtout par la stabilité et le conservatisme de l'écriture. La graphie représente souvent un état de langue vieux de plusieurs siècles.

La graphie « oi » désignant la diphtongue [wa] représente une prononciation datant du XVIᵉ siècle.

En outre, l'orthographe a une fonction grammaticale. Les sons muets permettent d'identifier correctement les radicaux ou les terminaisons.

La présence de « d » à toutes les personnes du présent du verbe *fondre* permet de reconnaître facilement le radical : *je fonds, tu fonds, il fond, nous fondons, vous fondez, ils fondent.*

LES UNITÉS

Plan

1. Le mot

Le mot est une unité familière à tous. Les très nombreuses définitions qui en ont été proposées mettent en évidence ses différents aspects. Le mot peut être une **unité phonique** autant que **graphique**. Il est considéré tantôt comme un assemblage de sons susceptible d'être prononcé isolément et séparable des autres mots par une pause et tantôt comme une séquence de lettres séparée des autres par des espaces blancs. En tant qu'élément de la phrase à l'intérieur de laquelle il exerce une fonction, le mot constitue aussi une **unité grammaticale**. Il est également considéré comme une **unité lexicale**. S'il est défini comme entité porteuse de signification, il est alors assimilé à une **unité sémantique**.

> Les définitions suivantes mettent en évidence les différentes composantes de la notion de mot : « Un mot est délimité dans la phrase par les endroits successifs où une pause est possible. » [HOCKETT 1958 : 167]. « Un mot dans l'écriture est un segment séparé des autres par des espaces blancs. » [MARTINET 1969 : 225]. « On définit le mot comme une suite de sons (ou de lettres, si on envisage la langue écrite) qui a une fonction dans une phrase donnée. [GREVISSE/GOOSSE 1980 : 46]. « Le mot est la première unité significative de la langue. » [BONNARD 1983 : 82]. « Le mot est la plus petite unité qui corresponde à un sens » [CHEVALIER 1964 : 11].

Le mot est un terme issu du métalangage populaire correspondant à une notion intuitive. Sa fonction primordiale est d'unir une forme phonique ou graphique à une signification. En linguistique moderne, la notion de mot est évitée en raison de son manque de rigueur. En effet, ce terme englobe des notions différentes que nous devons soigneusement distinguer afin de satisfaire aux exigences élémentaires de la cohérence. C'est pourquoi, la linguistique utilise une terminologie très précise : signe linguistique, morphème, morphe, unité lexicale, etc., ne conservant le terme de mot que pour désigner une notion intuitive antérieure à l'analyse linguistique.

2. *Le signe linguistique*

On appelle **signe** en général tout objet ou tout événement qui a une signification, c'est-à-dire qui représente autre chose que lui-même. Il existe plusieurs types de signes [LYONS 1977 : 99-109].

(1) Un **indice** ou **signe naturel** est un phénomène associé à un autre en vertu d'une relation causale naturelle. Il n'émane pas d'une volonté de communication.

> Les nuages gris sont un « signe » de pluie.
> Le malade a faim, c'est bon « signe ».

(2) Un signe est une **image** ou **icône** lorsqu'il existe une similitude de fait entre l'objet et ce qu'il représente. Cette similitude n'exclut pas l'usage de conventions de représentation. Les **onomatopées** comme *tic-tac, cocorico, boum,* sont des imitations de bruits naturels. Elles appartiennent au groupe de signes iconiques.

> Une carte géographique représente une portion de territoire et utilise de nombreux signes convention-

nels. Elle est donc une « image » de ce territoire. La photo d'un personnage est également une « image ». En effet, elle constitue un objet bidimensionnel distinct du personnage qu'elle représente.

(3) Un signe est un **symbole** s'il est un objet ou un fait matériel utilisé conventionnellement pour représenter une entité abstraite en vertu d'une correspondance analogique.

La colombe de l'Arche, tenant dans son bec un rameau d'olivier, symbolise la paix. La balance est un symbole de la justice et de l'équité.

(4) Un **signe de communication** est un signe conventionnel destiné à véhiculer une information. Il n'est pas nécessairement de nature linguistique.

Les événements suivants sont des signes de communication : le feu rouge interdisant le passage, la cloche sonnant la fin des cours, un mouvement de la tête exprimant un refus.

(5) Un **signe linguistique** est un type particulier de signe de communication. Il émane d'une volonté communicative et est constitué par l'association conventionnelle et solidaire d'une **image conceptuelle** appelée **signifié** représentant l'archétype sémantique dont émanent ses sens particuliers et d'une **image acoustique** appelée **signifiant** représentant sa forme idéale et théorique [SAUSSURE 1962 : 97-103]. Le signifiant du signe linguistique est matérialisable par des formes linguistiques articulées par l'homme au moyen des organes de la parole. Il apparaît ainsi sous la forme de séquences de sons ou, lorsqu'il est écrit, de séquences de lettres. Il est projeté dans un

espace unidimensionnel, le temps, auquel correspond la ligne d'écriture. C'est pourquoi on dit que
le signifiant du signe linguistique est **linéaire.**

SIGNE LINGUISTIQUE

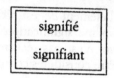

signifié
signifiant

3. *Le morphème*

L'unité de base utilisée dans la description d'une
langue tant du point de vue grammatical que lexical
est le **morphème.** Celui-ci réunit en lui toutes les propriétés du signe linguistique. Comme lui, il est issu de
la combinaison d'un signifiant et d'un signifié, mais il
possède deux autres caractéristiques fondamentales :
il est minimal et récurrent.

(1) Le morphème est une unité **minimale**
non décomposable en éléments plus petits de même
nature.

(2) Le morphème est **récurrent,** c'est-à-dire susceptible d'apparaître dans des contextes variés. On
teste la propriété de récurrence en pratiquant une
opération de substitution sur chacun des éléments
qu'on veut séparer. La récurrence est **unilatérale** lorsqu'un seul des deux éléments est récurrent.

Ainsi *désirable* est décomposé en deux segments
récurrents *désir-* et *-able* puisque *confortable* et *dési-*
reux sont possibles. Le premier est obtenu par la

substitution de *désir* par *confort* et le second par la
substitution de *-able* par *-eux*.

Dans *détruire*, l'élément *dé-* est récurrent puisqu'il
apparaît avec la même signification dans *démonter*,
mais comme *-truire* n'est pas récurrent, seuls *dé-* et
détruire peuvent être considérés comme morphèmes.

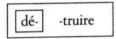

On se gardera d'opérer des substitutions purement formelles portant uniquement sur le signifiant,
**car le signifiant d'un morphème est indissociable du
signifié.**

> On ne peut isoler un élément *pro-* dans *professeur* ou
> *profession,* car on ne peut attribuer à *pro-* une signifi-
> cation constitutive du sens de *professeur* ou de *pro-
> fession.*
> On devra établir une distinction nette entre les verbes
> pronominaux du type *s'injurier* où le pronom réfléchi
> est un morphème distinct du verbe *injurier* d'une
> part, et les verbes du type *s'écrouler* où le pronom
> réfléchi fait partie du morphème verbal, d'autre part.
> Dans une locution phraséologique comme *mettre les
> pieds dans le plat* signifiant « gaffer », le signifié n'est
> pas égal à l'agencement du signifié de *mettre* avec le
> signifié des groupes *les pieds* et *dans le plat.* La locu-
> tion constitue donc un morphème unique.

(3) Le morphème ne se présente pas comme tel
dans la phrase, car il n'est pas directement obser-

vable. En effet, dans une phrase on ne rencontre que des formes et des significations particulières. En fait, le morphème est l'unité qui rend compte de l'association réciproque d'un même ensemble de formes à un même ensemble de significations. Il correspond très bien à la conscience que nous avons que des formes et des significations distinctes appartiennent à une même unité. Dès lors, le morphème constitue une entité théorique que nous ne pouvons appréhender qu'à travers ses manifestations phoniques et sémantiques, c'est-à-dire les formes et significations actualisées dans les phrases. Le signifiant et le signifié qui ensemble constituent le morphème sont donc des archétypes. C'est pourquoi on les appelle respectivement **image acoustique** et **image conceptuelle.**

(4) Nous devons distinguer soigneusement l'archétype de ses actualisations. La signification particulière que possède un morphème utilisé dans une phrase est appelée **acception lexicale** ou **sémème.** La contrepartie phonique de l'acception est le **morphe** qui désigne la forme particulière que revêt le morphème lorsqu'il s'actualise dans une phrase.

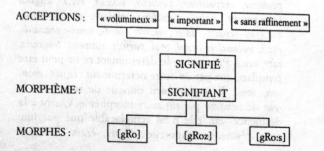

Exemples :
un gros livre (= volumineux)
un gros industriel (= important)
les gros travaux (= sans raffinement)
un gros livre [gRo]
un gros industriel [gRoz]
une grosse voiture [gRo:s]

Dans la phrase : *Il aperçoit un gros ballon*, le morphème *gros* est actualisé par le morphe [gRo] et l'acception « volumineux ».

4. *Les classes de morphèmes*

Les morphèmes sont les éléments de base de la langue. Ils sont remarquables à la fois par leur nombre et par leur diversité. Un simple test de substitution suffit pour reconnaître deux types fondamentaux de morphèmes. En effet, tandis que les uns admettent un nombre considérable de substituts, les autres épuisent rapidement leurs possibilités de substitution.

Nous découpons la phrase : *ce vendeur anglais riait volontiers* en morphèmes : *ce-vend-eur-anglais-ri-ait-volontiers*. Les morphèmes suivants sont substituables à l'infini :
vend- (*chanteur, coiffeur, joueur, marcheur, nageur, pêcheur, travailleur, veilleur, voleur, etc.*), **anglais** (*compétent, habile, insolent, malade, sympathique, etc.*), **ri-** (*chant-, dans-, march-, saut-, tomb-, travaill-, etc.*), **volontiers** (*bien, mal, parfois, souvent, toujours, vite, etc.*). Par contre, le déterminant *ce* ne peut être remplacé que par un autre déterminant : *le, un, mon, ton, son...* Il semble bien difficile de remplacer le *-eur* de *vendeur* par un autre morphème. Quant à la désinence *-ait*, elle n'est remplaçable que par une autre désinence temporelle : *-e, -era, -erait*.

Les morphèmes se répartissent en deux classes majeures : les lexèmes et les grammèmes.

Les **lexèmes** ou **morphèmes lexicaux** sont des morphèmes appartenant aux classes ouvertes, susceptibles d'accueillir les néologismes et virtuellement illimitées [MARTINET 1960 : 116]. Il n'est pratiquement pas possible d'en faire un inventaire exhaustif. Les lexèmes se divisent en quatre groupes appelés **classes lexicales** ou **catégories lexicales** : les verbes « pleins », c'est-à-dire les verbes à l'exception des auxiliaires et copules, les noms, les adjectifs et les adverbes. Les lexèmes et les unités lexicales qu'ils servent à former sont étudiés dans le cadre de la **lexicologie** (cf. chap. 10).

Les **grammèmes** ou **morphèmes grammaticaux** sont des morphèmes qui font partie de classes fermées [MARTINET 1960 : 116]. Celles-ci constituent des ensembles limités dont les éléments sont relativement peu nombreux. Ces classes n'admettent pas de néologismes. Les grammèmes contiennent trois groupes : les **affixes**, les **flexifs** et les **mots grammaticaux** appelés également **mots-outils**. Les flexifs et les mots grammaticaux constituent ensemble les **unités grammaticales**. Celles-ci sont étudiées dans le cadre de la **morphologie** (cf. chap. 9).

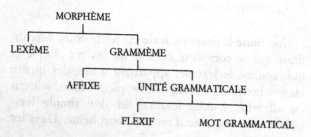

Un **affixe** est un grammème qui s'unit à une unité lexicale (verbe, nom, adjectif, adverbe) avec laquelle il constitue une unité lexicale plus complexe. Les affixes comprennent les **préfixes** et les **suffixes**. La partie du mot à laquelle s'ajoutent les affixes constitue la **racine** de ce mot.

Les **flexifs** sont, comme les affixes, des grammèmes qui ne peuvent à eux seuls constituer une forme de mot (à propos de ce terme cf. § 8.2.). Ils ont pour caractéristique essentielle de s'unir à un **radical**, c'est-à-dire à une unité lexicale pour constituer avec cette dernière une forme de mot.

RACINE + affixe = RADICAL
RADICAL + flexif = FORME DE MOT

Les **mots grammaticaux** ou **mots-outils** sont des grammèmes qui constituent à eux seuls des formes de mots : déterminants, pronoms, prépositions, conjonctions, verbes auxiliaires et verbes copules. Les uns sont composés d'un seul morphème : *je, nous, ce, avec,* d'autres possèdent un radical et une désinence : *un-e.*

5. *Les unités lexicales*

Une **unité lexicale** ou **lexie** est toute entité linguistique qui se comporte comme un lexème simple et qui, comme le lexème, appartient à une des quatre classes lexicales : verbe (verbe plein), nom, adjectif ou adverbe. L'unité lexicale est dite **simple** lorsqu'elle est composée d'un seul morphème. Dans les autres cas, elle est une **expression lexicale** représentée par un assemblage plus ou moins stéréotypé qui possède les mêmes propriétés qu'un lexème simple. Parmi les expressions lexicales on distingue : (a) les **dérivés** formés par adjonction ou substitution d'affixes : *natur-el, im-pur, sécur-ité/-iser,* (b) les **composés** formés à partir d'unités lexicales préexistantes : *nœud-papillon, autoroute, sourd-muet, pomme de terre,* (c) les **locutions,** qui se présentent sous les apparences d'un groupe figé de mots : *tout à coup, avoir le cafard, se mettre en colère.*

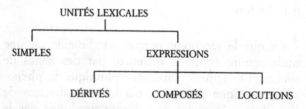

La notion populaire de **mot** est fondée sur la graphie. Elle correspond à une unité lexicale dans la mesure où celle-ci s'incarne en un bloc de lettres séparé par des blancs. Cependant, les composés et les locutions sont des unités lexicales à part entière même si la graphie ne fait pas apparaître leur statut d'unité.

Dans un dictionnaire, les informations sont rangées dans des rubriques introduites par des mots-clés appelés **entrées lexicales.** Cependant toutes les unités lexicales ne constituent pas de telles « entrées ». Les composés et les locutions sont généralement rangés sous une entrée correspondant à l'une ou l'autre de leurs composantes.

Ainsi le composé *pomme d'Adam* est rangé dans la même rubrique que *pomme* alors que le composé *pomme de terre* constitue une entrée séparée [PETIT LAROUSSE ILLUSTRÉ 1992, LE GRAND ROBERT 1985]. La locution *n'avoir pas froid aux yeux* se trouve à la fois sous la rubrique *froid* et *œil* [LE GRAND ROBERT 1985].

6. *Les unités phoniques*

6.1. Le son

Ce que le récepteur perçoit par l'oreille est une onde sonore continue délimitée par des zones de silence. On appelle **substance phonique** le phénomène physique caractérisé par les perturbations de l'air dues aux ondes acoustiques produites par la parole. A l'intérieur des séquences acoustiques nous sommes capables de reconnaître des segments similaires. On appelle **son** le plus petit segment récurrent de substance phonique. On veut dire par là que le son est n'est pas réductible en segments plus petits. Le son constitue l'unité de travail de la **phonétique.**

6.2. Le phonème

Tandis que certaines différences phonétiques sont déterminantes pour la bonne compréhension des messages, d'autres n'ont aucune incidence sur la communication. Une propriété articulatoire est **pertinente** lorsqu'elle est **distinctive,** c'est-à-dire lorsqu'elle sert à différencier les contenus. La distinctivité est un phénomène variable selon les langues.

> En français, la nasalisation des voyelles est distinctive : *bas* et *banc*. Par contre, les différentes articulations du « r » (roulé, ou grasseyé) ne permettent pas à elles seules de différencier les mots. Dans : *rat,* la prononciation du « r » est sans incidence sémantique.
>
> En anglais, la différence entre « th » [θ] et « s » [s] est distinctive puisqu'elle permet de différencier *to think* de *to sink.* Une telle opposition est inopérante en français.
>
> Certaines différences significatives du français sont absentes dans d'autres langues. Ainsi, l'opposition entre « i » [i] et « u » [y] dans : *pire* et *pure.* Mais de nombreuses langues comme l'anglais, l'italien et l'espagnol ne connaissent pas de telles oppositions.

L'unité phonique distinctive est appelée **phonème,** unité de base de la **phonologie.** A la différence du son, le phonème rend compte de la façon dont les séquences phoniques sont interprétées selon les langues. On établit la distinctivité des phonèmes au moyen d'un **test de substitution.** La distinctivité est établie si le remplacement d'un segment phonique par un autre entraîne une modification du contenu sémantique.

> Le test de substitution fournit des paires ou des séries de mots qui ne possèdent qu'une seule différence. On peut ainsi démontrer la distinctivité de consonnes française par des séries comme : *poule, boule, coule, roule, moule, soûle, foule, joule,* et des voyelles par : *dit, dé, dais, deux, doux, dos, dont, dans, daim.*

Le phonème est une unité minimale non décomposable en segments plus petits de même nature. Il est également récurrent, car il est susceptible d'apparaître dans des contextes variés. Le phonème n'est pas une unité directement observable, mais une unité théorique et fonctionnelle qui explique la distinctivité des sons dans les différentes langues. Les séquences de phonèmes se manifestent matériellement par les ondes acoustiques articulées par l'homme.

Les enchaînements significatifs de phonèmes constituent des **morphes.** Tandis que le morphe actualise un morphème qui par définition associe expression et contenu, le phonème n'est pas directement associé à une signification.

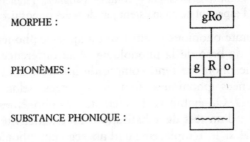

6.3. Les unités prosodiques

Les propriétés phoniques des textes sont décrites dans le cadre de la **prosodie.**

Une **période** est un segment de texte possédant des propriétés phoniques remarquables. Plus précisément, la période est caractérisée par une impression d'équilibre et d'unité. Elle peut être une phrase relativement complexe ou un paragraphe, c'est-à-dire un microtexte. La période constitue l'unité maximale de la prosodie.

Un **groupe rythmique** est une séquence de syllabes délimitée par des pauses et comprenant au moins un accent.

> Une phrase présente un ou plusieurs endroits où une brève interruption du débit est possible.
> *Il lui fallut lire deux fois le premier paragraphe / avant de se rendre compte qu'il pensait à autre chose.*
> *La tête appuyée contre le mur / il se laissa aller à évoquer le visage de Paméla.*

L'unité prosodique minimale est la **syllabe.** L'onde sonore présente de courtes périodes caractérisées par un sommet de sonorité. Ce sont les syllabes. La structure de la syllabe est décrite par des règles de bonne formation propres à chaque langue.

> Certaines langues, comme le japonais, ont une structure syllabique très simple interdisant les séquences de consonnes. D'autres langues admettent des accumulations plus ou moins lourdes de consonnes en tête ou en fin de syllabe.

7. *Les unités sémantiques*

7.1. Le sens des énoncés

L'information transmise par l'émetteur constitue le **sens de l'énoncé,** c'est-à-dire ce que l'émetteur « veut dire » ou ce que le récepteur « comprend ». Le sens de l'énoncé est déterminé non seulement par ce qui

est dit, mais également par le contexte d'énonciation
et de réception. Il comprend l'intention communicative réelle de l'émetteur ainsi que les référents, c'est-
à-dire les objets et faits réels ou imaginaires désignés
par l'énoncé.

> On constate que l'interprétation des énoncés est
> étroitement liée au contexte d'énonciation. Selon les
> circonstances, l'énoncé : *J'ai mal aux pieds* signifie :
> « Ces chaussures ne conviennent pas » (chez le
> chausseur), « Je voudrais me faire soigner » (chez le
> médecin), « Je ne peux pas vous accompagner »
> (avant la promenade avec des amis), etc.

La discipline linguistique qui étudie la relation des
énoncés avec les circonstances dans lesquelles ils sont
produits et perçus est la **pragmatique linguistique.**

7.2. Le contenu sémantique

Le **contenu sémantique** d'une phrase est la signification dont elle est investie par le code linguistique.
Elle représente en d'autres termes la signification
« littérale » ou « linguistique » de la phrase. Le
récepteur y accède à la lumière de sa seule compétence linguistique. Le contenu sémantique est exclusivement régi par la grammaire et le lexique d'une
langue. Il est donc le même pour tous les locuteurs.

Le contenu sémantique est (a) constant, car il est
indépendant du contexte d'énonciation, et (b) compositionnel, car il découle exclusivement de la signification et de l'agencement des expressions qui composent le texte. Il s'oppose ainsi au sens des énoncés
étroitement lié aux circonstances d'énonciation.

Nous sommes capables de comprendre un texte dont nous ignorons le contexte d'énonciation. Ainsi, quel que soit le contexte, la phrase : *J'ai mal aux pieds* signifie toujours que le locuteur déclare qu'au moment où il parle il éprouve une douleur localisée aux pieds.

La **sémantique conceptuelle** étudie le contenu sémantique des textes. Tandis que la pragmatique linguistique étudie ce qu'un émetteur « veut dire », la sémantique conceptuelle a pour objet ce que l'émetteur « dit ». L'opposition familière entre le « vouloir dire » et le « dire » reflète bien la différence entre les perspectives pragmatique et sémantique.

On peut étudier un texte en lui-même, indépendamment des circonstances de son élaboration (perspective sémantique), mais on peut également le mettre en relation avec son auteur et son temps (perspective pragmatique).

La double perspective de la signification est exploitée pour produire des jeux de mots ou de nombreux effets de style comme la métaphore et l'ironie. L'énoncé ironique : *Il est beau comme un dieu* alors que sa laideur est notoire possède une signification littérale (perspective sémantique) diamétralement opposée au sens de l'énoncé (perspective pragmatique).

7.3. Le concept

Le langage populaire appelle un contenu sémantique une « idée » ou une « pensée ».

*Je cherche des mots pour exprimer ma **pensée**.*
*Les phrases sont différentes, mais l'**idée** est la même.*

Nous utiliserons le terme **concept** pour désigner une unité de contenu sémantique, c'est-à-dire une unité qui représente une classe d'objets ou d'événements ou qui caractérise ou relie les diverses unités sémantiques. Comme la sémantique conceptuelle ne connaît que les unités appartenant au code linguistique d'une langue donnée, elle est fondamentalement idiosyncrasique, c'est-à-dire liée à une langue particulière.

> En latin, *avunculus* désigne l'oncle maternel et *patruus* l'oncle paternel, tandis que le mot français *oncle* et le mot anglais *uncle* désignent indifféremment l'oncle paternel ou maternel. Le latin possède deux unités sémantiques qui ne sont lexicalisées ni en français ni en anglais. Par contre, l'unité sémantique liée au français « oncle » n'est pas lexicalisée en latin.

Le fait que la traduction soit possible laisse supposer que les unités sémantiques sont très semblables dans les différentes langues. Les glissements de sens constatés lors de la traduction s'expliquent par l'absence d'équivalence parfaite entre les concepts issus de langues différentes, ce qui confirme le caractère fondamentalement idiosyncrasique de la sémantique. Ce principe doit cependant être fortement relativisé, car la plupart des concepts sont les mêmes ou approximativement les mêmes dans les différentes langues. Ceci s'explique par la constance des relations entre l'homme et son univers et par la similitude des besoins communicatifs.

En vertu de leur caractère compositionnel, les contenus sémantiques sont analysables en éléments sémantiques constitutifs (les concepts) agencés selon des règles de composition. Le plus petit élément sémantique conceptuel est le **sème.** Ce terme désigne un concept **primitif, irréductible** et **récurrent,** c'est-à-dire un concept qu'on ne peut réduire à un agencement de concepts constitutifs et qui peut se présenter dans des environnements différents. On démontre la récurrence au moyen d'un test de substitution appliqué à chacune des parties qu'on veut segmenter. La récurrence est unilatérale lorsqu'un seul des constituants est récurrent.

> Le contenu de l'unité lexicale *chat* (animal domestique) est un sème, car il n'est pas réductible à un assemblage de concepts constitutifs, à la différence de *matou,* analysable en *chat mâle.*
>
> Le contenu de l'unité lexicale *fils de* est analysable en deux sèmes récurrents : « de sexe masculin » et « enfant de ». La substitution du premier par « de sexe féminin » et du second par « conjoint de » fournit respectivement le contenu de *fille de* (enfant de sexe féminin) et de *mari de* (conjoint de sexe masculin).

Les concepts et les sèmes appartiennent exclusivement au plan du contenu.

> Que le concept « antériorité » soit exprimé par la préposition *avant,* le préfixe *ex-* ou le passé simple est sans importance d'un point de vue strictement conceptuel.

7.4. Les unités porteuses de signification

Nous devons établir une distinction nette entre (a) les unités porteuses de signification et (b) les unités sémantiques. Les unités porteuses de signification possèdent la double nature du signe linguistique. Elles associent une forme d'expression, le signifiant, à un contenu, le signifié. Dans la phrase, signifiant et signifié s'actualisent respectivement en morphes et acceptions. Les unités porteuses de signification sont donc par définition des formes d'expression significatives, tandis que les unités sémantiques (les concepts) ne sont pas des formes d'expression.

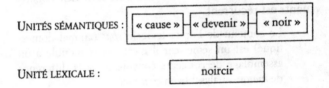

UNITÉS SÉMANTIQUES : « cause » — « devenir » — « noir »

UNITÉ LEXICALE : noircir

8. *Les unités de la phrase*

8.1. La phrase

La **phrase** est caractérisée d'une part par son autonomie vis-à-vis des autres phrases et d'autre part par la cohésion interne de ses constituants. Elle est considérée indépendamment du contexte d'énonciation et s'oppose ainsi à l'énoncé, qui désigne un acte de parole produit dans un contexte donné.

> Si Pierre dit un jour à sa femme Véronique : *Le voisin a tondu sa pelouse* et que quelques jours plus tard Jean dit à sa mère : *Le voisin a tondu sa pelouse,* ils ont produit des énoncés distincts puisque les contextes d'énonciation sont différents, bien qu'ils aient utilisé la même phrase.

8.2. La forme de mot

L'unité syntaxique minimale constitutive de la phrase est la **forme de mot** définie comme une séquence indissociable de morphes et d'acceptions.

> Dans les phrases : (1) *Nous chanterons ce soir* et (2) *Mon père chantait très bien,* l'unité lexicale *chanter* apparaît sous deux formes distinctes (deux formes de mots) : *chanterons* et *chantait.*
>
> Les formes de mots peuvent être séparées par l'insertion d'autres formes de mots. Dans la phrase : *Le facteur fut mordu par un chien,* chaque frontière de forme de mot admet une insertion : *Le [nouveau] facteur [alors qu'il était lourdement chargé] fut [cruellement] mordu [à la jambe] par [Bobby] un [ignoble petit] chien.*

8.3. Le syntagme

La phrase est une suite ordonnée et cohérente de formes de mots. Dans la phrase, les formes de mots se groupent et constituent des sous-ensembles appelés **syntagmes** ou **groupes syntaxiques** : groupe nominal, groupe verbal, groupe prépositionnel, etc.

> Dans la phrase : *Le facteur apporte le courrier chaque matin,* on reconnaît sans peine les assemblages de formes de mots : [*Le facteur*] [*apporte*] [*le courrier*] [*chaque matin*].

8.4. La structure syntaxique

L'agencement des diverses unités syntaxiques, c'est-à-dire des formes de mots et des syntagmes, constitue la **structure syntaxique** de la phrase. Une structure syntaxique se présente sous un double aspect : hiérarchique et linéaire. Une unité syntaxique A se construisant avec une unité B forme avec cette dernière une entité C hiérarchiquement supérieure. Lors de l'énonciation, les unités s'articulent successivement selon le déroulement naturel du temps et sont donc naturellement projetées sur un axe linéaire.

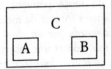

Dans : *la porte de la cuisine,* nous reconnaissons deux syntagmes : (A) *la porte* et (B) *de la cuisine.* Ces deux syntagmes font partie d'un syntagme plus grand : (C) *la porte de la cuisine.* Selon une perspective linéaire, le syntagme (A) précède le syntagme (B) ; selon une perspective hiérarchique, les syntagmes (A) et (B) sont les constituants du syntagme (C).

On appelle **structure en constituants** l'organisation hiérarchique de la phrase en groupes de mots, ceux-ci étant eux-mêmes constitués de groupes de mots plus petits, et ainsi de suite jusqu'aux formes de mots, qui sont les constituants ultimes de la phrase.

CHAPITRE IV

LA GRAMMAIRE

Plan

1. *Les relations entre unités*

Si nous décidons de décrire chaque unité isolément, son articulation, sa signification, son appartenance à une classe lexicale ou grammaticale, nous pratiquons une linguistique individualisante ou atomisante qui nous empêche de rendre compte des multiples relations qui unissent une unité aux autres. A l'opposé, la linguistique structurale est fondée sur la notion de relation. Un élément n'est ce qu'il est que par sa relation avec les autres. La langue est considérée comme un réseau de relations entre unités, c'est-à-dire comme un système ou une structure [de SAUSSURE 1962^5 : 26].

Les relations entre unités linguistiques appartiennent à quatre types :
(a) les relations syntagmatiques qui définissent les modalités d'enchaînement,
(b) les relations paradigmatiques qui définissent les modalités de choix,
(c) les relations d'analyse qui définissent les modalités de décodage,
(d) les relations de synthèse qui définissent les modalités d'encodage.

2. *Les relations syntagmatiques*

2.1. Définitions

Les unités qui s'enchaînent sont en **relation syntagmatique.** Cette relation est fondée sur la **co-occurrence,** c'est-à-dire sur la présence simultanée d'éléments dans une chaîne. La relation syntagmatique caractérise les différentes modalités d'enchaînement des unités dans des assemblages.

Dans la phrase : *Les nuages cachent le soleil,* les formes de mots *les, nuages, cachent, le* et *soleil* forment un enchaînement.

L'article *les* est constitué par l'enchaînement de plusieurs formants : « article défini » et « pluriel ». La forme acoustique de l'article *les* est formée par l'enchaînement des phonèmes /l/ et /ɛ/.

Les agencements d'unités dans la chaîne sont soumis à des **règles de bonne formation.** En outre, les agencements sont significatifs au même titre que les unités. Ces agencements significatifs sont généralement appelés **structures.**

La phrase : *Il croit son ami absent* signifie : (1) *Il croit que son ami est absent* ou : (2) *Il croit [ce que dit] son ami absent,* selon que *absent* est épithète ou attribut. La reconnaissance de la structure de la phrase contribue incontestablement à son interprétation. On constate le même phénomène dans la phrase ambiguë : *Des garçons et des filles sympathiques.*

La description des structures nécessite l'identification de **positions.** Une position n'est rien d'autre qu'un maillon de la chaîne, c'est-à-dire un endroit susceptible d'être occupé par une unité ou par un assemblage d'unités. Pour déterminer les positions, nous soumettons les unités à un double test. Deux unités occupent la même position lorsqu'elles (a) sont mutuellement interchangeables et (b) ne peuvent s'enchaîner.

Dans /pu/ (« pou ») et /tu/ (« tout »), le /p/ et le /t/ sont interchangeables, mais ne peuvent s'enchaîner : /ptu/ et /tpu/ sont impossibles en français. Par contre, /t/ et /r/ n'occupent pas la même position, car /tru/ (« trou ») est possible.

2.2. La distribution

On appelle **distribution** d'une unité les caractères généraux des environnements possibles de cette unité. Deux unités qui peuvent se présenter dans les mêmes environnements possèdent une **distribution équivalente.** Elles sont mutuellement interchangeables à la même position. Selon que la substitution affecte ou non la signification, on parle d'unités en **opposition** ou de **variantes libres.** Les unités qui ne peuvent se présenter dans les mêmes environnements et ne sont donc jamais interchangeables sont en **distribution complémentaire** et sont appelées **variantes contextuelles** lorsque leur signification ou forme d'expression est semblable. Les variantes contextuelles de phonèmes sont des **allophones** (cf. Chap. 8, § 6) et les variantes contextuelles des morphèmes sont des **allomorphes** (cf. Chap. 9, § 9).

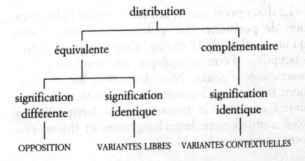

Les prépositions *envers* et *à l'égard de* peuvent être interchangées sans que la signification de la phrase en soit affectée, par exemple dans : *Soyez bons* **envers** *les animaux = Soyez bons* **à l'égard** *des animaux.*

Les pronoms *moi* et *je* du français sont des variantes contextuelles, car, bien qu'ils aient la même signification, on ne les trouve jamais dans le même environnement et ils ne sont pas mutuellement substituables.

Le [ph] aspiré et le [p] non aspiré de l'anglais sont des allophones, car ils ne se présentent pas dans le même environnement. Le premier apparaît en tête de syllabe devant un son vocalique accentué et le second dans les autres cas.

Lorsque nous conjuguons au présent le verbe *peler*, nous constatons que la forme du radical change : *il pèle, nous pelons.* Ces variantes contextuelles sont des allomorphes.

2.3. La valence

Par **valence** d'une unité on entend les conditions générales que cette unité pose à son environnement pour constituer des expressions bien formées. La valence est propre à chaque unité et spécifie la distribution de celle-ci.

Le genre des noms, le régime (la rection) des verbes, des adjectifs ou des prépositions, l'usage des prépositions introduisant les infinitifs (*à* ou *de* en français) sont des phénomènes de valence dans la mesure où ces emplois ne sont pas porteurs de signification, mais imposés par la présence d'une unité lexicale ou grammaticale déterminée.

3. Les relations paradigmatiques

Les expressions linguistiques sont construites à partir d'éléments qui ont été choisis à l'intérieur d'un inventaire disponible. Il existe des inventaires de phonèmes, de morphèmes, d'unités lexicales, de concepts, etc. Certains inventaires sont limités, définitivement arrêtés, comme les phonèmes, d'autres sont ouverts, comme les noms. On appelle **relation paradigmatique** la relation unissant les termes qui peuvent faire l'objet d'un choix et être insérés à une position donnée de la chaîne.

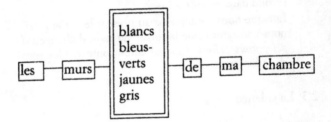

Un ensemble de termes unis par une relation paradigmatique constitue un **paradigme**. Les unités mutuellement exclusives à la même position forment une **classe de substitution,** appelée également **classe paradigmatique.**

Une classe paradigmatique organisée est généralement appelée **système**. L'organisation de ces classes apparaît au terme d'une analyse des unités en éléments constitutifs : systèmes phonologiques, morphologiques ou lexicaux.

	sourd	sonore
labial	p	b
dental	t	d
vélaire	k	g

	adulte	mâle
chat		
matou		+
chatte		-
chaton	-	

4. Les plans de description

4.1. Analyse et synthèse

Toute activité langagière comporte deux opérations distinctes : le décodage et l'encodage. Le décodage consiste à transférer un signal en une information, tandis que l'encodage effectue l'opération inverse. L'encodage et le décodage sont des opérations extrêmement complexes que la grammaire tente d'expliquer en les décomposant en une succession d'opérations simples. Les transferts ne se font pas directement d'une extrémité à l'autre, mais sont décomposés en transferts élémentaires successifs.

Les transferts peuvent s'effectuer dans deux sens. Lorsqu'ils s'effectuent dans le sens du décodage, c'est-à-dire du signal vers l'information, ils correspondent à la démarche du récepteur. Une **relation d'analyse** est une relation de transfert s'effectuant dans le sens du décodage. Lorsque les transferts s'effectuent dans le sens de l'encodage, ayant comme origine une information et comme cible un signal, ils simulent la démarche de l'émetteur. Les relations de ce type sont appelées **relations de synthèse.** Ces deux démarches, la démarche interprétative (analyse) et la démarche productive (synthèse), se développent en sens opposé.

(information) ⟶ synthèse ⟶ (signal)

(signal) ⟶ analyse ⟶ (information)

4.2 Définition

Les opérations de transfert s'effectuent par paliers successifs caractérisés chacun par la mise en œuvre d'unités de même type nouant entre elles des relations syntagmatiques et paradigmatiques. Chacun de ces paliers constitue un **plan de description.** Chaque plan de description est un milieu homogène comprenant un inventaire organisé d'unités et de lois de bonne formation.

On distingue autant de plans qu'il y a de types d'unités :

(1) le plan pragmatique représente le sens des messages,

(2) le plan conceptuel représente le contenu sémantique des textes,

(3) les plans centraux comprennent les unités dotées à la fois d'un signifiant et d'un signifié, c'est-à-dire les unités lexicales, grammaticales, syntaxiques et textuelles,

(4) le plan phonologique comprend les phonèmes assemblés en syllabes, groupes rythmiques et périodes,

(5) le plan phonétique comprend des séquences d'ondes acoustiques (sons et mélodie).

Dans les systèmes centraux, les unités sont disposées selon un ordre progressif de complexité appelé **rang**. On distingue les rangs suivants par ordre croissant de complexité :

(1) le rang lexical,
(2) le rang morphologique,
(3) le rang syntaxique,
(4) le rang phrastique,
(5) le rang textuel.

Les plans de description sont groupés en (a) **plans du contenu** comprenant le plan pragmatique, le plan conceptuel et la face signifiée des plans centraux et (b) **plans de l'expression** comprenant le plan phonétique, le plan phonologique et la face signifiante des plans centraux. Le nombre et la nature des plans de description ont été conçus de façon à obtenir un système scientifiquement simple doté d'un pouvoir explicatif maximal.

4.3. Non-parallélisme des plans

Il n'y a pas de correspondance biunivoque entre unités de plans voisins. A une unité d'un plan donné correspond une ou plusieurs unités du plan voisin.

Les relations de transfert entre unités de plans voisins peuvent être lues dans chacun des sens du codage. Dans la liste qui suit, nous conviendrons de les lire dans le sens de l'encodage et appellerons **antécédent** l'unité la plus proche du sens, c'est-à-dire du plan pragmatique. L'autre unité, plus proche de la substance phonique, sera appelée **conséquent.** Les antécédents sont placés à gauche et les conséquents à droite de la flèche. La relation syntagmatique est symbolisée par le signe + et la relation paradigmatique par le trait incliné /.

(1) On appelle **diversification** la relation d'un antécédent à plusieurs conséquents en relation paradigmatique.

A → B / C

Les phonèmes qui s'actualisent en variantes libres ou contextuelles (allophones), les signifiants qui s'actualisent en morphes (allomorphes), les synonymes qui sont des unités lexicales susceptibles d'actualiser une même acception, ainsi que les phrases synonymes (allophrases), sont des exemples de diversification.

(2) On appelle **neutralisation** ou **syncrétisme** la disparition d'une opposition. La neutralisation unit plusieurs antécédents en relation paradigmatique à un seul conséquent.

A / B → C

Les phonèmes sont neutralisés lorsqu'ils s'actualisent par le même son. La polysémie d'une unité lexicale est un phénomène par lequel une unité lexicale peut être associée à plusieurs acceptions. L'ambiguïté est apparentée à la polysémie. Une expression est ambiguë lorsqu'elle est susceptible de recevoir plusieurs interprétations.

(3) Nous appelons **étalement** la relation d'un antécédent à plusieurs conséquents en relation syntagmatique.

A → B + C

Les assimilations « étalent » un même trait phonique sur plusieurs sons, les accords, les formes corrélatives et les pléonasmes sont des répétitions d'une même unité.

(4) L'**amalgame** est la relation qui unit plusieurs antécédents en relation syntagmatique à un seul conséquent.

$$A + B \rightarrow C$$

L'assimilation totale de deux phonèmes en un seul son, la contraction de l'article et de la préposition, les formes grammaticales synthétiques, la fusion de concepts en une acception sont des exemples d'amalgame.

(5) Un **effacement** est la relation entre un antécédent et un conséquent vide.

$$A \rightarrow \varnothing$$

Les morphèmes dont le signifiant n'est pas actualisé en morphes (morphèmes zéro) ainsi que les ellipses sont des exemples d'effacement.

(6) Une **insertion** est une actualisation purement formelle, c'est-à-dire la relation d'un conséquent avec un antécédent vide (ou une absence d'antécédent).

$$\varnothing \rightarrow A$$

Les voyelles et consonnes d'appui (épenthèses) et les formes explétives appartiennent à ce type de relation.

5. *Les disciplines linguistiques*

5.1. La linguistique générale

La **linguistique** étudie les propriétés générales des langues humaines. Prise dans un sens large, elle inclut l'étude des relations entre le langage et les autres aspects de l'activité humaine. Prise dans un sens étroit, la linguistique étudie la structure et le fonctionnement du langage humain.

5.2. Les disciplines grammaticales

La linguistique comprend la **grammaire** qui, prise dans son acception la plus large, étudie le code. La grammaire se définit alors comme un système complexe d'unités et de règles établissant des relations entre les contenus sémantiques et les séquences phonologiques. Les différentes disciplines grammaticales décrivent les relations entre niveaux de description voisins et se partagent l'étude du code linguistique. Prise dans un sens plus restreint, la grammaire désigne les règles morphologiques et syntaxiques par opposition au vocabulaire qui dresse un inventaire des unités utilisées par le code.

La **phonétique** étudie les signaux, c'est-à-dire les sons du langage humain en tant qu'unités physiques articulées par un locuteur. La **pragmatique** étudie le sens complexe des messages. Elle étudie les relations entre les énoncés et le contexte général dans lequel ils sont produits. L'étude de la substance phonétique et du sens des énoncés est indépendante des langues particulières et ne relève donc pas du code ni *a fortiori* de la grammaire d'une langue particulière. La phonétique et la pragmatique sont dès lors deux disciplines extérieures à la grammaire.

Les disciplines constitutives de la grammaire relèvent de trois niveaux distincts. On distingue d'une part les disciplines qui étudient les unités « à double face », c'est-à-dire dotées à la fois d'une forme d'expression et d'une forme de contenu et appelées **systèmes centraux,** et d'autre part deux disciplines « à simple face » : la phonologie qui relève exclusivement du plan de l'expression et la sémantique conceptuelle qui relève exclusivement du plan du contenu. Les systèmes centraux comprennent la lexicologie, la morphologie, la syntaxe et la grammaire du texte. A ces disciplines il convient d'ajouter la **prosodie,** qui étudie l'accentuation, le rythme et l'intonation et fait partie de la morphologie ou de la syntaxe.

La **phonologie** étudie les propriétés distinctives de l'expression : les phonèmes. Elle en fait l'inventaire, définit leurs modalités d'agencement et la façon dont ils s'actualisent en séquences de sons.

La **sémantique conceptuelle** étudie les contenus sémantiques des textes indépendamment de leurs formes d'expression. Elle définit les unités de contenu et formule leurs modalités d'agencement.

La **lexicologie** étudie la formation des différents types d'unités lexicales. La **morphologie** étudie les unités grammaticales et la façon dont les formes de mots sont construites à partir des unités lexicales. La **syntaxe** étudie l'organisation de la phrase. La **gram-**

maire du texte étudie la structure des textes et la façon dont les phrases s'organisent à l'intérieur des unités textuelles.

Chacune des disciplines grammaticales possède ses propres unités, structures et règles et peut de ce fait être considérée de façon autonome. Toutefois, la décomposition de la grammaire en sous-disciplines autonomes ne peut expliquer le fonctionnement général de la langue. Un système grammatical complet et cohérent doit expliquer comment les sous-disciplines s'articulent entre elles. C'est pourquoi elles doivent être complétées par des **disciplines de transfert** qui formulent les règles faisant correspondre les unités d'un plan avec les unités d'un autre plan.

La **sémantique lexicale** étudie le signifié des unités lexicales et met ces unités en relation avec les contenus sémantiques qu'elles expriment. La sémantique conceptuelle se complète par des **règles de projection** décrivant comment les contenus sont lexicalisés et transformés en structures syntaxiques. Les relations entre la phonologie et les unités centrales sont décrites dans le cadre d'une **morpho-phonologie** expliquant la façon dont les signifiants s'actualisent en morphes, c'est-à-dire en séquences de phonèmes. Comme les signaux peuvent être également graphiques, la grammaire se complétera d'une étude des systèmes graphiques en relation avec la phonologie et les systèmes centraux. Enfin, l'étude des relations entre les contenus sémantiques et le sens des énoncés est entreprise dans le cadre de la **pragmatique,** tandis que l'étude des relations entre les séquences phonologiques et leurs actualisations phonétiques est réalisée dans le cadre de la **phonologie.**

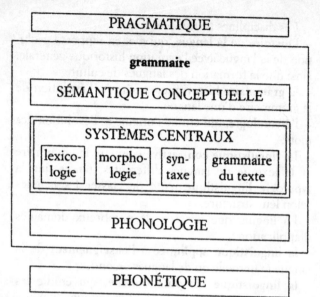

5.3. Disciplines de convergence

Par discipline de convergence nous entendons une étude caractérisée par l'association étroite d'une discipline linguistique avec une ou plusieurs autres sciences.

Les disciplines qui étudient les variétés géographiques des langues sont la **dialectologie** et la **géographie dialectale.** Cette dernière décrit la répartition géographique des dialectes.

Les noms propres sont étudiés par l'**onomastique.** Les noms de personnes relèvent de l'**anthroponymie** et les noms de lieux de la **toponymie.**

Les disciplines historiques sont :
– **l'histoire de la langue,** qui met en rapport l'évolution de la langue avec l'évolution historique générale, ainsi que la formation des langues de culture,
– la **grammaire historique,** qui étudie l'évolution de la grammaire d'une langue,
– l'**étymologie,** qui étudie l'origine et l'évolution des mots.

La **linguistique contrastive** compare la grammaire et le lexique de langues différentes, tandis que la **typologie linguistique** tente de classer les langues selon leur structure.

La linguistique possède de nombreux domaines d'application :
– **la linguistique appliquée à l'enseignement** de la langue maternelle ou de langues secondes,
– **la linguistique computationnelle,** qui étudie les applications linguistiques de l'informatique,
– **la traduction automatique** ou **la traduction assistée par ordinateur,**
– la **lexicographie,** qui s'occupe de la confection de dictionnaires, etc.

Enfin, il existe de nombreux domaines interdisciplinaires :
– **la philosophie du langage,**
– **la sociolinguistique** ou **sociologie du langage,** qui étudie l'interaction entre les groupes sociaux et les variétés de langue,
– l'**ethnolinguistique** décrivant les relations entre langue et culture,
– la **psycholinguistique** ou **psychologie du langage,** qui étudie les facteurs psychiques liés au comportement linguistique ainsi que l'acquisition de la compé-

tence linguistique chez l'enfant,
– la **neurolinguistique** et la **pathologie du langage**
étudiant les procès neurologiques de la parole et
les perturbations du langage dues aux maladies du
cerveau.

6. *Les grammaires*

6.1. Grammaires partielles et grammaires intégrées

La grammaire qui étudie la totalité du code est une
grammaire intégrée, par opposition aux **grammaires
partielles.** Une grammaire intégrée relie les structures
conceptuelles aux structures phonologiques en passant par tous les plans intermédiaires.

Une grammaire qui n'étudie qu'un seul plan de
description utilise des unités appartenant toutes à un
même type. Elle comprend essentiellement (a) un
inventaire d'unités organisé en système selon les relations paradigmatiques, (b) un ensemble fini de
règles de bonne formation qui déterminent les modalités d'enchaînement. Une telle grammaire est partielle, car elle n'envisage qu'un aspect du code. Elle est
également autonome, car elle est indépendante des
autres plans de description. L'étude du système phonologique et de la structure syllabique d'une langue
constitue un exemple de grammaire partielle.

6.2. Grammaires unidirectionnelles et grammaires
bidirectionnelles

Les grammaires visent à expliquer la compétence
linguistique des individus, c'est-à-dire leur faculté de

décodage et d'encodage. Les grammaires explicitement orientées soit dans le sens du décodage, soit dans celui de l'encodage, sont dites **unidirectionnelles.** Parmi celles-ci on distingue (a) les **grammaires de reconnaissance** qui décrivent et expliquent les mécanismes d'interprétation des énoncés (analyse) et (b) les **grammaires de production** qui décrivent et expliquent les mécanismes d'encodage (synthèse).

Bien que les grammaires de production n'explicitent que la compétence émettrice, elles peuvent expliquer la compétence linguistique générale, car la compétence émettrice présuppose la compétence réceptrice, l'inverse n'étant pas nécessairement vrai.

> On peut évidemment comprendre une langue à l'audition ou à la lecture tout en étant incapable de la parler ou de l'écrire. L'inverse n'est pas concevable.

La plupart des grammaires usuelles sont **bidirectionnelles.** Associées à un dictionnaire explicatif, elles font l'inventaire des unités centrales : unités lexicales, grammaticales, syntaxiques, et fournissent des règles de formation et des règles d'emploi. Les **règles de formation** décrivent les modalités d'actualisation des unités centrales en forme d'expression, c'est-à-dire en phrases constituées de suites de formes de mots. Les **règles d'emploi** définissent les contenus sémantiques associés aux unités lexicales, grammaticales ou syntaxiques.

> Lorsque nous disons que l'imparfait s'exprime par les désinences *ais, ait,* etc., nous formulons une règle de formation orientée dans le sens de la synthèse.

Lorsque nous disons que l'imparfait exprime le passé ou l'irréel, nous formulons une règle d'emploi orientée dans le sens de l'analyse.

6.3. Grammaires traditionnelles

On appelle traditionnelles des grammaires qui peuvent être très différentes les unes des autres. Cependant, la plupart d'entre elles possèdent des caractéristiques communes.

Les grammaires traditionnelles sont généralement des grammaires « à tout faire ». Elles servent indifféremment pour l'analyse, l'interprétation, la description, l'apprentissage, l'usage correct d'une langue, etc. Leur domaine d'observation se limite généralement à l'usage écrit de la langue. Dans la plupart des cas, l'observation porte sur le langage littéraire, qui jouit d'un préjugé favorable. Ce choix est évidemment à mettre en rapport avec la perspective normative qui caractérise la plupart de ces grammaires.

Les grammaires traditionnelles n'utilisent aucune théorie, aucun modèle linguistique de référence. Elles abordent différents plans de description sans les distinguer rigoureusement. Elles identifient les phénomènes et les classent selon des catégories souvent héritées de l'antiquité mais adaptées à la spécificité des langues particulières. Le classement, souvent intuitif, est rarement explicité par des tests. Dans une grammaire traditionnelle, de nombreux phénomènes sont décrits sans être expliqués. Enfin, l'unité maximale de la grammaire traditionnelle est la phrase. Les phénomènes dus aux relations entre les phrases sont ignorés.

La grammaire traditionnelle est conçue de façon à être consultée facilement, ce qui entraîne le découpage de la matière en de nombreux modules autonomes. Les règles, organisées en paragraphes, sont indépendantes les unes des autres et ne sont pas organisées en système. Elles font largement appel à l'intelligence du lecteur auquel incombe la tâche de les interpréter et de les appliquer correctement. Pour pouvoir consulter cette grammaire, le lecteur doit au préalable connaître le métalangage grammatical. Certaines grammaires traditionnelles utilisent un métalangage peu scientifique. Les concepts fondamentaux y sont rarement définis (mot, syllabe, phrase, fonction, etc.).

6.4. Grammaires modéliques

Les grammaires sont **modéliques** lorsqu'elles satisfont aux exigences scientifiques des modèles. Lorsqu'elles rassemblent en un ouvrage unique les apports de différents modèles partiels et autonomes, elles sont considérées comme **éclectiques.**

(1) Un modèle peut se présenter sous la forme d'un **algorithme** générateur. On appelle algorithme un ensemble de règles explicites permettant une exécution mécanique d'opérations. Les algorithmes simples sont avantageusement remplacés par des tableaux. La présentation algorithmique garde cependant tout son intérêt lorsque les règles de bonne formation sont plus compliquées, par exemple lorsqu'il s'agit d'expliquer la structure de la syllabe ou de la phrase.

Une règle grammaticale est une règle **générative** dans la mesure où elle fait partie d'un système fini de règles comportant un élément initial et un nombre fini d'instructions qui engendrent de nouvelles séquences à partir du symbole initial.

(2) Dans un système déductif, les règles sont ordonnées entre elles dans un algorithme et doivent donc s'appliquer dans un ordre déterminé. Elles permettent de « calculer » une expression à partir d'une autre. On entend par **calcul grammatical** une opération qui permet de transformer une expression en une autre par la simple application de règles de déduction. Lors de l'exécution du calcul on ne fait pas appel au sens des expressions, mais uniquement à l'appartenance catégorielle des éléments.

Un calcul comprend (a) une ou plusieurs données qui en constituent l'entrée (input), (b) une opération à effectuer et (c) un résultat qui en constitue la sortie (output). L'entrée est une expression linguistique. L'opération consiste à appliquer une règle. La sortie est une expression linguistique transformée par la règle. Dans un système déductif, le résultat d'un calcul constitue l'entrée du calcul suivant, et ainsi de suite.

CHAPITRE V

LE TEXTE

Plan

1. *Définitions*

1.1. Le discours

Le **discours** est un terme générique désignant tout ce que l'homme dit ou écrit. Il représente l'ensemble de tous les énoncés et matérialise les facultés langagières de l'homme. On distingue deux sortes de discours : (a) le **discours monologique** émanant d'une seule personne et (b) le **discours dialogique** impliquant plusieurs interlocuteurs dans l'accomplissement d'une interaction.

1.2. Le texte

Un **texte** est une portion de discours à la fois autonome et cohérente constituant un acte de communication complet et dont le contenu est organisé autour
d'un topique identifiant ce sur quoi porte le texte.
Comme le discours, le texte peut être monologique
ou dialogique. Il utilise indifféremment l'écriture ou
la parole. Un texte n'est donc pas uniquement une
production écrite.

Sur quelle base pouvons-nous déclarer qu'une
suite d'énoncés constitue un texte ? Comment pouvons-nous délimiter un texte ?

> Les négociations que depuis deux mois nous
> menons afin de renouveler notre contrat constituent-
> elles un seul texte ou une suite de textes ? Un bavar-
> dage ininterrompu constitue-t-il un seul texte ou
> plusieurs ? Un épisode d'une bande dessinée est-il
> un texte ?

Un texte est un acte de communication et toute
communication est une forme d'action. Tandis
qu'une action peut être accomplie par un seul individu, la communication sert à accomplir des **interac-
tions**, c'est-à-dire des actions menées à leur terme par
la coopération de personnes. L'action et l'interaction
sont délimitées naturellement par leur **motivation**
(ou stimulus) et leur **accomplissement** (ou effet).
Un texte est donc naturellement défini par une intention communicative correspondant à la motivation
de l'émetteur et se clôture naturellement par son
accomplissement, c'est-à-dire par la réalisation de
l'intention.

L'action consistant par exemple à réparer une chaise est délimitée par sa motivation (une chaise nécessitant une réparation) et son accomplissement (la chaise est réparée). Une demande de renseignement (acte langagier) est naturellement délimitée par sa motivation (le besoin de renseignement) et son accomplissement (les renseignements obtenus).

L'interaction langagière peut être écrite ou orale. L'écriture permet de dissocier la production et la réception dans l'espace et le temps. En outre, certains types d'interaction impliquent l'usage d'un canal particulier.

Un contrat nécessite un texte écrit, les débats et discussions sont essentiellement de nature orale.

1.3. L'échange

Le discours dialogique est caractérisé par une alternance de prises de parole. L'unité textuelle dialogique fondamentale est l'**échange,** défini comme une interaction langagière menée à bonne fin. Un échange comporte généralement plusieurs **interventions.** Ce terme désigne ce que dit un interlocuteur lorsqu'il prend la parole. Une intervention est donc par nature monologique. Elle peut contenir plusieurs phrases.

L'échange suivant comporte trois interventions.
– *Quelle heure est-il ?*
– *Midi.*
– *Merci.*
L'intervention suivante comporte plusieurs phrases :
J'ai une de ces faims. Ne pourrions-nous pas aller déjeuner ? Je connais un bon restaurant pas cher près d'ici.

L'interaction peut n'être que partiellement verbale. On parle alors d'**échange réduit.**

> Un signe de la tête peut remplacer la réponse à une question. La requête : *Entrez !* débouche habituellement sur un acte non verbal (la personne entre).

1.4. Le microtexte

Un texte monologique est en général un échange réduit à une seule intervention. L'initiative langagière de l'émetteur n'est suivie d'aucune réaction langagière de la part du récepteur ou cette réaction est différée dans le temps et l'espace.

> Lors d'une conférence, les réactions de l'auditoire sont souvent inconnues du conférencier. Un roman peut donner lieu à des commentaires verbaux ou écrits longtemps après sa publication.

Un **microtexte** est l'unité minimale de texte monologique. Il possède toutes les propriétés du texte : intention communicative, existence d'un topique, cohérence.

Dans un texte, les phrases se groupent en ensembles intermédiaires matérialisés par des paragraphes, des sections ou des chapitres. Ces ensembles intermédiaires sont également des textes dans la mesure où ils en possèdent toutes les propriétés. Le **paragraphe** représente la plus petite subdivision du texte et incarne généralement un microtexte.

Le microtexte comporte un nombre variable de phrases. Il peut n'en comporter qu'une seule et peut même se réduire à un syntagme ou à un mot.

Des inscriptions, des exclamations, des informations publicitaires, etc., sont de véritables textes : *Entrée interdite. Aïe ! Quel sale temps ! XYZ lave votre linge plus blanc que blanc.*

2. La cohérence du texte

2.1. Le principe

Un texte est considéré comme **cohérent** lorsqu'il est interprétable par ceux auxquels il est destiné. La cohérence n'est donc pas une notion absolue. Elle dépend de la faculté d'interprétation des récepteurs et également du souci de son auteur à en faciliter la compréhension [SÖZER 1985].

2.2. Le contexte

La compréhension d'un texte est déterminée par les connaissances dont disposent les récepteurs et plus généralement par le **contexte de réception** (cf. Chap. 2, § 6). La compréhension est optimale lorsque le récepteur partage l'**univers du discours** (cf. Chap. 2, § 5) de l'émetteur.

2.3. L'accès à l'information

Les informations contenues dans un texte ne sont assimilées que si elles sont mises en rapport entre elles et avec les connaissances dont dispose le récepteur. En effet, une connaissance isolée est aussitôt oubliée. Une bonne gestion de l'information suppose qu'on puisse la stocker en mémoire et ceci nécessite l'usage de **mots-clés,** appelés **topiques,** permettant à la fois d'accéder aux informations préexistantes et de ranger les connaissances nouvelles (condition de topicalité). La reconnaissance du contenu suppose que les topiques apparaissent clairement [REINHARD 1981] (cf. § 3).

2.4. Le sens du texte

L'interprétabilité d'un texte suppose que le récepteur reconnaisse l'**intention communicative** de l'auteur (condition illocutive). Il ne suffit donc pas que le récepteur comprenne ce que disent les mots et les phrases, il lui faut découvrir ce qui se cache derrière ceux-ci, c'est-à-dire reconnaître l'objectif poursuivi par l'auteur ou, en d'autres termes, saisir ce qu'il a voulu dire. Le texte n'est vraiment compris que s'il débouche sur une évaluation globale faite par le récepteur.

2.5. La perspective communicative

Les informations ne sont souvent compréhensibles qu'à la lumière d'autres informations considérées comme préalables. Certaines informations jouent un rôle secondaire par rapport aux autres présentées comme primaires. La communication d'informations nouvelles doit souvent s'effectuer sur un arrière-plan propositionnel comprenant des informations présumées connues. La construction d'un texte implique donc la **mise en perspective** de l'information.

2.6. Les connexions

Des informations disparates sont aussitôt oubliées et donc perdues. Dans un texte, les informations doivent donc être organisées de façon rigoureuse. Elles doivent non seulement être reliées entre elles, mais également structurées. Les informations secondaires doivent être reliées aux informations primaires.

2.7. Le découpage du texte

Un texte contient généralement une masse énorme d'informations. Or, une telle quantité de connaissance ne peut être saisie en bloc par l'homme. Il est en effet indispensable de répartir cette masse informative sur des ensembles plus petits facilement compréhensibles en une fois. C'est pourquoi un texte est découpé en segments dont les plus petits sont les **phrases,** lesquelles correspondent en principe à un contenu informatif compréhensible en une fois. La longueur et la complexité des phrases est déterminée par la nature de l'information et du contexte d'énonciation et de réception. Comme la parole et l'écoute sont plus rapides que la lecture, les phrases du discours oral sont en général beaucoup plus courtes que celles du discours écrit.

3. La topicalisation

3.1. Topiques et propos

L'information contenue dans un texte ou une phrase en constitue le **propos.**

Le **topique** a pour fonction d'annoncer ce dont il est question dans le texte ou la phrase. On peut le considérer comme la rubrique sous laquelle on peut ranger le propos. Le topique d'un texte est populairement appelé « sujet », « objet » ou « thème » du texte. Le topique de la phrase a parfois été appelé « sujet psychologique ».

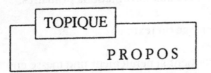

La **topicalisation** est le procédé par lequel l'émetteur fait connaître le **topique** de son propos, c'est-à-dire ce sur quoi porte le contenu de son message.

On distingue deux types principaux de topiques : le topique du texte et le topique de la phrase.

3.2. Le topique du texte

Le **topique du texte** revêt une importance primordiale pour l'interprétation. En effet, il signale le domaine de connaissance dont le texte relève et active le présavoir des récepteurs. C'est à la lumière de ce présavoir que le texte sera interprété. Ce topique fournit la rubrique sous laquelle les nouvelles informations seront stockées en mémoire.

> Un employé – appelons-le Pierre Duroc – demande un congé pour convenances personnelles. Cette demande de congé de Pierre Duroc constitue le topique de l'entretien. Pour mener efficacement la discussion, le patron consulte un dossier portant le

nom de Pierre Duroc et contenant des informations relatives à cet employé. Le congé éventuellement accordé à Pierre Duroc fera l'objet d'une mention dans un dossier étiqueté « Pierre Duroc » ou « congés ». Le topique de l'entretien est le « mot de passe » permettant l'accès aux informations disponibles et le rangement de nouvelles informations. Le topique du texte est ici matérialisé par le titre d'un dossier.

On peut définir le topique d'un texte comme la formulation la plus concise de son contenu. On le représente au moyen d'une proposition appelée **proposition topicale** [VAN DIJCK 1980]. D'un point de vue syntaxique, la proposition topicale se présente aussi bien sous la forme d'une phrase que sous la forme d'un simple syntagme.

> *La construction du tunnel sous la Manche.*
> *La guerre des Gaules.*
> *Le meurtre de Roger Ackroyd.*
> Ces syntagmes correspondent en fait à des propositions qu'on pourrait reformuler en y ajoutant les actants implicites : « On construit un tunnel sous la Manche », « En Gaule, une guerre opposant X à Y s'est déroulée à une époque Z », « Quelqu'un a assassiné Roger Ackroyd ».

Selon le genre de texte, le topique est signalé par des formes spécifiques appelées **indicateurs topicaux.** Les formes d'expression de la proposition topicale varient considérablement selon le genre textuel.

> Le titre des textes utilitaires indique de façon généralement très explicite ce dont il est question dans le texte. Dans une lettre commerciale, le topique est souvent mis en évidence et introduit par la mention

Concerne : ... Par contre, un romancier aime surprendre ses lecteurs. Le titre a alors pour fonction de susciter l'intérêt du lecteur et non de l'informer sur son contenu.

Dans la conversation courante, la proposition topicale se trouve généralement en tête du texte après les rites d'ouverture. Les « grands titres » de la presse quotidienne expriment des propositions topicales. Dans les revues d'intérêt général, la proposition topicale est souvent exprimée dans le sous-titre.

La proposition topicale est souvent totalement ou partiellement implicite.

Un titre a pour effet d'activer le savoir du récepteur. Ainsi, à la lumière de notre connaissance du monde, le titre *Le procès* suggère un ou plusieurs accusés, un ou plusieurs accusateurs, un chef d'accusation, un juge, une sentence, etc. Bien qu'ils restent anonymes, ces acteurs font partie de la proposition topicale exprimée laconiquement par « le procès ». En outre, un tel titre met en éveil les connaissances relatives au domaine juridique.

Chaque élément présent dans la proposition topicale constitue un topique virtuel d'une proposition topicale secondaire.

La proposition topicale principale : *La destruction de la ville de Rome par le Vandale Genséric* contient les topiques secondaires suivants : *la ville de Rome, Genséric, les Vandales, la destruction de Rome*. Chacun de ces topiques peut donner lieu à des développements à l'intérieur du texte.

Dans un texte relativement élaboré, les différentes sections (chapitres, paragraphes, etc.) s'organisent autour de propositions topicales et celles-ci s'organisent entre elles à l'intérieur du texte. L'organisation topicale du texte procède d'un mécanisme assez simple. Un topique porte sur un propos. Un propos contient un certain nombre d'éléments susceptibles de devenir de nouveaux topiques.

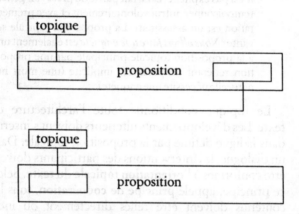

La proposition topicale représentée par le titre : *Mozart a-t-il été assassiné ?* peut se subdiviser en proposition topicales secondaires reliés entre elles et à la proposition topicale principale, par exemple : *La mort de Mozart. On soupçonne un empoisonnement. Nous allons faire une enquête. Il n'est pas trop tard. Que s'est-il passé le jour de sa mort ? Pourquoi n'a-t-on pas fait venir le médecin ?* etc.

Pour bien comprendre le mécanisme du développement topical, nous devons garder à l'esprit que chaque topique active une partie du présavoir. Souvent, les propositions topicales et les topiques sont reliés entre eux par des propositions relevant du savoir implicite.

Dans l'exemple précédent, la proposition topicale majeure représentée par : *Mozart a-t-il été assassiné ?* contient un élément susceptible de devenir un topique : *assassiner*. Or, la proposition topicale suivante fait allusion à un empoisonnement. Il est facile d'établir un lien entre *empoisonnement* et *assassinat*. Toutefois, ce lien n'est pas explicite, car il fait partie du présavoir général (empoisonner autrui volontairement et avec préméditation est un assassinat). La proposition topicale suivante : *Nous allons faire une enquête* est également unie à la proposition topicale principale par une proposition reflétant un présavoir implicite (une mort non naturelle nécessite une enquête).

Le topique conditionne toute l'architecture du texte. Les développements ultérieurs doivent s'inscrire dans la ligne définie par la proposition topicale. Dans un dialogue, les interventions des participants doivent être conformes à l'**orientation topicale** du texte. Selon ce principe, appelé **principe de coopération,** tous les contenus doivent être reliés directement ou indirectement à l'orientation topicale [GRICE 1975].

Il est possible d'agir sur le développement topical du texte et d'introduire un topique nouveau. Un segment non relié à l'orientation topicale en vigueur constitue une **digression.**

Le changement de topique et la digression doivent être signalés de façon adéquate, par exemple : ***Tiens, à propos,*** *comment se sont passées tes vacances en Autriche?*

3.3. Le topique de la phrase

Les topiques de phrase appartiennent à plusieurs types.

(1) Le **topique d'ouverture** sert à créer un topique lorsque le propos ne peut être accroché à un élément présent à l'esprit. Dans la langue parlée, la tournure *il y a ... que/qui* sert souvent à créer un topique : *Il y a quelqu'un qui t'attend en bas.*

(2) Le **topique de liaison** sert à accrocher le nouveau propos à une information présente à l'esprit. C'est notamment le cas lorsqu'une phrase apporte une information concernant un élément mentionné dans la phrase précédente. Cet ancrage peut se faire de différentes façons :

(a) soit par une simple **reprise pronominale** ou **anaphore** : *J'ai retrouvé ton pull. Il était dans la cuisine.*

(b) soit par une **reprise lexicale** au moyen d'un concept plus général : *La proportion des indécis a commencé à augmenter après 1990. A cette **évolution** correspond une diminution de la stabilité politique.*

(c) Le topique de liaison est **indirect** lorsqu'il renvoie à un contenu implicite présent à l'esprit : *A seize ans, elle s'est retrouvée enceinte. **Le père** était un étudiant en droit.* (L'information implicite est évidemment qu'être enceinte signifie attendre un enfant et qu'un enfant a un père). Ainsi, le topique *père* se trouve indirectement lié à *enceinte.*

(3) Le **topique de contraste** sert à introduire un élément qui contraste avec un élément précédent à propos duquel l'émetteur fournit une information opposée : *Jean est souvent malade. **Pierre, lui,** est resplendissant de santé.*

Une information donnée par une phrase peut être rangée sous différentes rubriques. De la même façon, un propos donné admet plusieurs topiques virtuels.

Le propos : *Destruction de la ville de Lisbonne par un tremblement de terre en 1755* admet comme topiques : *Lisbonne, tremblement de terre, 1755.*

Le choix du topique détermine l'architecture générale du texte ou de la phrase.

Selon le topique choisi, la phrase précédente sera :

(1) *Lisbonne* (= topique) *fut détruite par un tremblement de terre en 1755.*

(2) *Un tremblement de terre* (= topique) *détruisit Lisbonne en 1755.*

(3) *En 1755* (= topique), *un tremblement de terre détruisit Lisbonne.*

On peut topicaliser plusieurs fois un même propos. Dans ce cas, le propos se rapporte à plusieurs topiques. La topicalisation est un phénomène fondamentalement **récursif**.

La topicalisation multiple s'observe surtout dans la langue parlée : *Jean, ses examens, il les a finalement réussis.*

Il n'est pas rare qu'une phrase n'ait pas de topique. C'est notamment le cas lorsqu'une phrase est liée à la précédente par un connecteur (cf. § 7).

Les formes d'expression des topiques de la phrase sont très variées et appartiennent à trois grandes classes.

(1) Formes prosodiques. Le topique est souvent caractérisé par une courbe intonatoire montante. En outre, il reçoit un accent d'intensité relativement important, mais légèrement moindre que l'accent de phrase qui affecte la proposition focale (cf. § 6.3.).

(2) **Ordre des mots.** Le topique se place généralement en tête de phrase.

> *En Allemagne, nous avons surtout visité les églises*
> *baroques.*

(3) **Construction syntaxique.** Le sujet et les compléments circonstanciels de temps ont souvent une
fonction topicale. Dans la langue populaire, le
topique est souvent extraposé. Il peut même être
totalement séparé de la phrase.

> *Les oranges, c'est bon pour la santé.*
> *Et ta jambe ? Comment ça va ?*

4. *Les types illocutifs*

4.1. Inventaire

Chaque texte appartient à un **type illocutif** représentant l'intention communicative de l'auteur.
Chaque type illocutif est associé à une force illocutive
particulière (cf. Chap. 2, § 3). On distingue ainsi un
type représentatif, directif, interrogatif, promissif,
expressif, déclaratif et **rituel.**

> Le type illocutif est un des paramètres des genres
> textuels. On distingue ainsi un genre typiquement
> représentatif comme un compte rendu de mission,
> typiquement directif comme une recette de cuisine
> ou une instruction de montage, typiquement interro-
> gatif comme une demande de renseignement, typi-
> quement promissif comme un contrat de location,
> typiquement expressif comme une lettre de réclama-
> tion, typiquement déclaratif comme un diplôme de

fin d'études, typiquement rituel comme un discours académique.

4.2. Formes d'expression

Chaque type illocutif est associé à des conventions d'expression qui en déterminent la forme. Ces formes spécifiques sont appelées **indicateurs illocutifs.** Les procédés d'expression des types illocutifs sont très variés.

(1) La prosodie. La courbe intonatoire finale marque souvent le type illocutif. Une courbe mélodique fortement ascendante marque l'interrogation. Une courbe mélodique légèrement ascendante et accompagnée d'un accent d'intensité puissant marque un ordre. Une courbe mélodique nettement descendante marque l'assertion. A l'écrit, les courbes intonatoires finales sont représentées par des signes de ponctuation : le point, le point d'interrogation, le point d'exclamation.

(2) L'ordre des mots. Certaines formes de l'interrogation placent le verbe conjugué en tête de la phrase. Le verbe à l'impératif se place également en tête de la phrase.

> *Est-il malade ?*
> *Viens ici immédiatement.*

(3) Les **stéréotypes illocutifs.** Il existe de nombreuses tournures plus ou moins stéréotypées associées à des intentions communicatives particulières [COSTE et al. 1976 : *Niveau-seuil*].

> le conseil : *vous devriez ...*
> le désir : *j'aimerais ...*

le doute : *êtes-vous sûr que ...*
l'offre : *voulez-vous que ...*
le regret : *c'est dommage que ...*
le reproche : *vous n'auriez pas dû ...*
la requête : *pourriez-vous ...*
etc.

4.3. Actes indirects

L'émetteur utilise souvent des formes convention-
nelles qui ne correspondent pas à son intention
communicative réelle. De tels actes langagiers sont
généralement appelés **actes indirects.** Ils nécessitent
un décodage fondé sur l'inférence (cf. Chap. 2,
§ 8).

L'énoncé : *La route est glissante* se présente conventionnellement comme une assertion, mais en fait il
s'agit d'une mise en garde.
L'assertion : *Il pleut* peut signifier « Prends ton parapluie », l'assertion : *Il n'y a plus de pain* peut être une
requête « Va chercher du pain », la question : *Quel
âge as-tu ?* peut être une réprimande, etc.
Un récit décrivant la déchéance morale et physique
d'un personnage (type représentatif) procède très
vraisemblablement d'une intention moralisatrice
(type directif).

5. *Les fonctions textuelles*

5.1. Plans et scénarios

Alors que certains textes sont simples, d'autres
sont longs et complexes. Ceci ne doit pas nous sur-

prendre. En effet, un texte est un acte de langage et les actes posés par l'homme peuvent être simples, comme manger une pomme, ou extrêmement complexes, comme construire un tunnel sous la Manche.

L'analyse des actes complexes fait apparaître un **acte directeur** sans lequel l'acte n'existe pas et auquel les autres actes sont directement ou indirectement rattachés. Ces actes langagiers complexes se déroulent selon un plan ou scénario plus ou moins stéréotypé et où chaque acte particulier a une **fonction.**

> Manger au restaurant comprend une suite d'événements prévisibles : décision de manger au restaurant, choix du restaurant, choix de la table, choix du menu et des boissons, commande, attente, apéritif, entrée, plat principal, dessert, café, addition, départ.

Les plans ou scénarios selon lesquels se déroulent les actions ou les événements font partie de notre connaissance du monde.

> De tels scénarios sont par nature prévisibles. Un bon scénariste crée la surprise en s'écartant des stéréotypes.

L'acte directeur d'une interaction langagière procède naturellement d'une intention communicative, laquelle détermine le type illocutif du texte. L'identification de l'acte directeur est donc un préalable à la reconnaissance du type illocutif du texte.

5.2. Fonctions typiquement dialogiques

Si l'on excepte les actes rituels fortement stéréotypés, les actes dialogiques s'organisent autour d'un acte directeur ayant une **fonction initiative** [ROULET 1981, 1985, MOESCHLER 1985].

L'acte initiatif peut susciter l'acceptation de l'interlocuteur à réagir. Ce dernier pose alors un **acte réactif** défini comme un acte de langage par lequel un locuteur accepte de réagir positivement ou négativement à son interlocuteur. Cette réaction peut déclencher chez le premier locuteur un **acte évaluatif** qui peut être en même temps conclusif.

> – *Quelle heure est-il ?* (= acte initiatif directeur)
> – *Midi.* (= acte réactif)
> – *Merci.* (= acte évaluatif et conclusif)

L'interlocuteur peut souhaiter ne pas réagir directement à l'acte initiatif et différer sa réaction en posant un **acte initiatif secondaire**. Ce dernier est alors un **acte de retardement**.

> – *Pourrais-tu m'apporter mon parapluie ?* (= acte initiatif directeur)
> – *Où se trouve-t-il ?* (= acte initiatif secondaire et acte de retardement)

5.3. Fonctions typiquement monologiques

Les textes monologiques les plus simples sont construits autour d'un acte directeur et développent successivement les paramètres qui lui sont associés.

> Une lettre de candidature typique comprend les paramètres suivants : la référence à une offre, l'affirmation de la candidature (= acte directeur), les coordonnées personnelles du candidat (nom, adresse, âge, état civil, formation, aptitudes générales), les aptitudes spécifiques en relation avec le poste sollici-

té, la disponibilité, les documents annexés (curricu-
lum, certificats, etc.).

5.4. Structures récursives

Les textes complexes contiennent des **structures
récursives,** c'est-à-dire des enchaînements qui peuvent se répéter à l'infini.

> Dans un récit, une complication peut en entraîner
> une autre, et ainsi de suite. Dans un texte argumen-
> tatif, un argument peut susciter un autre argument,
> celui-ci un troisième, et ainsi de suite.

5.5. Fonctions d'ouverture et de fermeture

Les textes, qu'ils soient monologiques ou dialogiques, contiennent généralement des éléments
ayant une **fonction d'ouverture** ou de **fermeture.**

> Le texte figurant sur la page de couverture partici-
> pe à la fonction d'ouverture. La fonction de ferme-
> ture est assurée par divers types de textes comme
> la bibliographie et l'index des matières.
> Les manuels de correspondance donnent de nom-
> breux exemples d'ouverture et de fermeture de
> lettres : *Cher Monsieur* (= ouverture), *Veuillez
> agréer l'expression de mes sentiments distingués*
> suivi d'une signature (= fermeture).
> Un échange verbal peut être ouvert par des saluta-
> tions ou des excuses. Il peut être clôturé par un *au
> revoir* ou des remerciements. *Excusez-moi* (= ouver-
> ture) *Pourriez-vous m'indiquer le chemin de la
> gare ?*

6. *La focalisation*

6.1. La proposition focale

La **focalisation** est une opération de mise en évidence de contenus. Les **propositions focales** sont les propositions qui font partie du **domaine illocutif,** c'est-à-dire les contenus sur lesquels porte l'intention communicative (illocution) et qui, par ce fait, se trouvent à l'avant-plan de la communication. Les propositions focales sont également appelées **contenus rhématiques** ou **rhèmes.**

> Dans : *C'est Pierre qui a réparé la porte,* la proposition focale est représentée par *c'est Pierre.*
> Dans un récit, l'alternance de l'imparfait et du passé simple permet de situer un événement dans un décor : *La lune inondait la chambre* (= décor), *Stéphanie ouvrit lentement les yeux* (= événement focalisé).

6.2. L'arrière-plan

Les contenus qui constituent l'arrière-plan du message servent à éclairer les contenus focalisés. Ils représentent un ensemble de connaissances préalables ou contiennent des explications jugées nécessaires à la bonne compréhension de la proposition focale. Ces contenus ne font donc pas partie du domaine illocutif. Ils sont souvent appelés **contenus thématiques.**

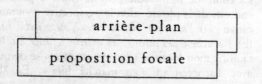

arrière-plan

proposition focale

Il est relativement aisé de distinguer la proposition focale de son arrière-plan communicatif au moyen du test de dénégation. On constate en effet qu'on réagit différemment selon qu'on contredit la proposition focale ou son arrière-plan. La négation simple porte toujours sur la proposition focale. La négation de l'arrière-plan est introduite par *mais*.

> L'énoncé : *Je n'ai pas trouvé la lettre que tu as déposée sur mon bureau* est une dénégation. La négation ne porte pas sur la totalité du contenu, car elle nie : (a) *J'ai trouvé la lettre,* mais non (b) *tu as déposé la lettre sur mon bureau.* La première proposition (a) est focalisée, mais non la seconde (b). Pour contredire l'arrière-plan, nous dirons, par exemple : *mais je n'ai pas déposé de lettre sur ton bureau.*

6.3. Formes d'expression

Les formes d'expression de la focalisation varient selon les langues et les genres textuels. Elles appartiennent à trois grandes classes.

(1) Formes prosodiques. L'accent de phrase porte sur un mot de la proposition focale, jamais sur un mot de l'arrière-plan. La courbe mélodique de la phrase marque la différence entre les contenus focalisés et l'arrière-plan.

> La chute de la mélodie peut se situer à plusieurs endroits de la phrase selon la perspective communicative : (a) *J'ai acheté des carottes \ au marché, hier.* (b) *J'ai acheté des carottes au marché \, hier.* En (a), l'information focale « achat de carottes » se déroule avec l'arrière-plan « au marché hier ». En (b),

l'information focale est «achat de carottes au marché » et se situe dans le cadre de la journée d'hier (arrière-plan). Si la totalité de l'information est focalisée, la chute mélodique se situe en fin de phrase : (c) *J'ai acheté des carottes au marché hier* \ .

(2) Ordre des mots. Généralement, les contenus qui constituent l'arrière-plan ou le cadre sont mentionnés avant les contenus focalisés. Toutefois, dans un style vivant, les contenus focalisés se trouvent en tête.

Comparez : (a) *Nous l'avons attendu pendant deux heures* et (b) *Pendant deux heures, nous l'avons attendu.*

(3) La structure de la phrase. Souvent, l'arrière-plan est représenté par des compléments circonstanciels ou par des propositions relatives, tandis que la principale contient la proposition focale; mais cette règle est loin d'être générale.

Dans : *Est-ce que la dame qui a téléphoné est ta secrétaire ?,* l'arrière-plan est exprimé par la proposition relative.
Dans : *Est-ce qu'il a tué sa femme avec un couteau ?,* on fait généralement porter la question sur l'usage du couteau (proposition focale), tandis que le meurtre de la femme constitue l'information préalable (arrière-plan).

7. *Les connexions textuelles*

7.1. Les connecteurs ou mots de liaison

Un texte est inintelligible lorsque le récepteur ne peut établir une relation significative entre les phrases.

Les relations sémantiques unissant les phrases ne sont que très imparfaitement explicitées dans le texte au moyen de **connecteurs** ou **mots de liaison,** ou par d'autres procédés comme l'emploi des temps.

> Dans la séquence suivante, les relations sémantiques unissant les phrases sont explicitées par des connecteurs. *Néra apparaît à tous comme l'épouse d'un honorable citoyen connu pour ses activités politiques.* **De plus,** *elle a pour gendre l'archonte d'Athènes.* **En fait,** *cette respectabilité dissimule un passé plus que douteux. Néra et son mari se sont* **en effet** *rendus coupables d'une escroquerie.*

La connexion est souvent implicite. Pour restituer les liens implicites, le récepteur procède par inférence (cf. Chap. 2, § 8) faisant appel à sa connaissance du monde. En l'absence de toute autre information, il présumera que les événements se déroulent dans l'ordre où ils sont relatés, que la cause précède l'effet, que le départ précède l'arrivée, etc.

> Dans la séquence suivante, on présume que les événements se déroulent dans l'ordre où ils sont relatés, c'est-à-dire que Monique a eu une fille avant son mariage : *Monique donna naissance à une jolie petite fille. Elle se maria en 1992.* L'emploi des temps peut modifier la chronologie des événements sans affecter l'ordre des phrases : *Monique donna naissance à une jolie petite fille. Elle s'était mariée en 1992.*

L'absence de connecteur ne rend pas un texte incohérent. Souvent, la cohérence est établie par une proposition implicite issue du savoir partagé.

> Le texte suivant ne contient aucun connecteur. Il est cependant interprétable et donc cohérent si on sait

que Pierre est le facteur et qu'un facteur a pour tâche de distribuer le courrier : *Pierre s'est cassé la jambe. Il n'y aura pas de courrier demain.* Les deux phrases sont unies par une connexion implicite de conséquence. Si on restitue les contenus implicites qui établissent la cohérence, on obtient : *Pierre s'est cassé la jambe. [Or, Pierre est notre facteur et, comme tout le monde sait, un facteur distribue le courrier. Par conséquent,] il n'y aura pas de courrier demain.*

7.2. Inventaire

Les relations sémantiques unissant les phrases d'un texte et exprimées éventuellement par des connecteurs se groupent en quelques catégories.

(1) Les **relations séquentielles** comprennent :
(a) les connexions temporelles : *d'abord, ensuite, et puis, et alors, ...*
(b) les connexions d'ordre : *premièrement, deuxièmement, ...*
(c) les connexions binaires : *d'une part, d'autre part, ...*

(2) Les **relations de causalité** comprennent :
(a) les connexions causales : *car, en effet, ...*
(b) les connexions consécutives : *donc, c'est pourquoi, par conséquent, ...*
(c) les connexions finales : *dans ce but, à cette fin, ...*

(3) Les **relations logiques** comprennent :
(a) les connexions additives : *et, or, et aussi, ainsi que, également, ...*
(b) les connexions alternatives : *soit, ou bien, sinon, ...*

(c) les connexions d'équivalence : *en d'autres termes, c'est-à-dire, ...*

(4) Les **relations d'extension** comprennent :
(a) les connexions de synthèse : *en général, ...*
(b) les connexions d'élaboration : *à savoir, ...*
(c) les connexions d'illustration : *par exemple, ...*

(5) Les **relations de comparaison** comprennent :
(a) les connexions de similitude : *de même, ainsi, de la même façon, ...*
(b) les connexions de contraste : *au contraire, par contre, ...*

(6) Les **relations restrictives** comprennent :
(a) les connexions d'opposition : *mais, cependant, toutefois, pourtant, néanmoins, ...*
(b) les connexions correctives : *plutôt, ...*

(7) Les **relations organisationnelles** comprennent :
(a) les connexions résumantes : *bref, pour résumer, en somme, en un mot, ainsi donc, ...*
(b) les connexions de rupture : *en tout cas, quoi qu'il en soit, ...*

7.3. Structure sémantique du texte

Les connexions sont des liens sémantiques orientés d'une **proposition dominante** vers une **proposition dominée.** La proposition qui dans un échange ou un microtexte domine toutes les autres est la **proposition directrice.** La hiérarchie fondée sur les relations de dominance permet d'établir la **structure sémantique du texte.**

7.4. Types structurels des textes

Un texte complexe est hiérarchisé : il est organisé en sections. L'organisation du texte entier en constituants textuels immédiats est appelée **macrostructure.** L'organisation de la plus petite unité textuelle, le microtexte, en phrases constitue la **microstructure.**

Le **type structurel** d'un texte est déterminé par les relations sémantiques dominantes au niveau de la macrostructure.

(1) Un texte est **narratif** lorsqu'il expose des faits qui se succèdent dans le temps. Les personnes ou les objets sont engagés dans une suite d'événements. La relation sémantique dominante est de type temporel.

(2) Un texte a une structure **descriptive** lorsqu'il fait l'inventaire d'objets, d'états ou d'événements situés dans l'espace et le temps. Les propositions d'un texte descriptif sont vraies en même temps. Les objets dont on décrit les propriétés ne sont généralement pas engagés dans un événement. La relation sémantique dominante est de type additif.

(3) Un texte est **argumentatif** lorsque la proposition topicale est une affirmation justifiée par un certain nombre de faits, de lois ou de normes. Le texte argumentatif vise à persuader. Les relations sémantiques dominantes sont des relations de causalité.

(4) Un texte est **associatif** lorsque le texte se développe librement en dehors de la contrainte d'une orientation topicale prédéterminée.

Il existe de nombreux types structurels mixtes. Une description peut être assortie d'explications, une narration peut être entrecoupée de descriptions, etc.

8. *La détermination des référents*

Un texte est en relation avec un univers du discours, comprenant d'une part un contexte d'énonciation et d'autre part des bases de connaissances (cf. Chap. 2, § 5). Des phrases comme : *Mets ça là* ou : *Le document se trouve dans le tiroir* ne sont compréhensibles que par référence à un univers du discours. On appelle **détermination** la relation unissant une forme linguistique à un univers du discours et **référents** les personnes, choses, lieux, temps, états, événements désignés.

Dans le texte, la détermination des référents s'effectue de plusieurs façons.

(1) Les référents déictiques sont connus par le contexte d'énonciation : le locuteur, les auditeurs, le temps d'énonciation, le lieu d'énonciation, les objets se trouvant dans le champ de perception, etc.

> *Je t'aime.*
> *Dépose ça là.*

(2) D'autres référents sont connus parce qu'ils font partie des connaissances générales ou particulières partagées par les interlocuteurs.

> *Le facteur n'est pas encore passé.*
> *As-tu donné à manger au chat ?*

(3) Un référent nouvellement introduit dans le texte et ayant fait l'objet d'une information enrichit

le savoir et vient rejoindre le stock de référents connus faisant partie de l'univers du discours. Aussi longtemps qu'il reste présent à l'esprit, on peut y renvoyer au moyen d'un pronom personnel, d'un article défini, d'un pronom ou déterminant démonstratif, etc. Ces renvois peuvent fonctionner comme topiques de liaison (cf. § 3.6.).

> *J'ai reçu des fleurs.* **Elles** *sont splendides.*
> *Il était une fois un roi.* **Ce** *roi avait deux filles.*

Le liage des référents ne garantit aucunement la cohérence du texte.

> *Marie s'est récemment disputée avec son oncle.* **Elle** *aime les plats chinois.* **Son** *oncle habite Londres.* **A Londres,** *il y a beaucoup de pollution.* L'absence de cohérence s'explique par l'impossibilité de dégager une proposition topicale : on se demande de quoi il s'agit.

(4) Il n'est pas rare que le locuteur-scripteur crée un certain suspense en présentant comme connus des référents qui ne le sont pas. Dans ce cas, le référent est mis en attente jusqu'au moment où la suite du texte permettra de l'identifier. Le même phénomène se présente lorsque le récepteur ne peut pas identifier un référent que l'émetteur a présumé connu.

> On peut sans peine imaginer un roman policier qui crée le suspense dès la première phrase : *Le garçon se précipita sous le pont.*

Dans le diagramme suivant, les lettres a, b, c représentent des objets référents. Le signe # indique un référent connu. La flèche pointe du référent connu vers la source identificatrice. L'absence de # indique un référent nouveau.

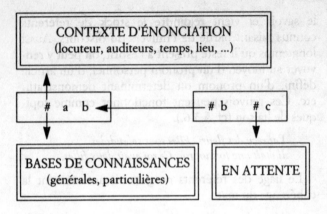

9. *Les genres textuels*

Les textes ont une forme conventionnelle adaptée à des contextes typiques. Chaque texte appartient ainsi à un genre particulier : interview, texte de loi, prescription médicale, recette de cuisine, compte rendu de réunion, commentaire de presse, etc. Chaque genre textuel est associé à des conventions d'écriture.

L'inventaire des genres textuels est déterminé par les besoins des utilisateurs. Il diffère selon les cultures et les périodes et est en évolution constante. De nouveaux genres textuels peuvent apparaître et les anciens disparaître. Au cours de l'histoire, les formes d'expression littéraire se sont stabilisées et ont donné naissance aux **genres littéraires** (poésie, théâtre, roman, etc.).

Les différents genres textuels sont définis par l'interaction de plusieurs facteurs :

(a) le type illocutif prédominant (représentatif,

directif, interrogatif, etc.) associé à l'intention communicative,

(b) l'orientation topicale (engagement de personnel, préparation des aliments, organisation du travail, etc.) définissant le contenu,

(c) l'univers du discours (interlocuteurs, espace-temps, canal, etc.).

> Un commentaire de presse est défini par l'usage de médias et donc par son caractère public ainsi que par son contenu évaluatif et sa fonction informative. Une recette de cuisine est déterminée à la fois par le type illocutif directif et par son contenu : la préparation des aliments. La conversation téléphonique est définie par le moyen de communication utilisé (le téléphone), le caractère oral du texte, mais ni par le type illocutif ni par l'orientation topicale.

On facilite la description des genres textuels en les organisant selon un mode hiérarchique. On oppose ainsi les variétés essentiellement orales aux variétés essentiellement écrites, les variétés interactives aux variétés monologiques, etc. Une variété donnée peut être elle-même subdivisée en sous-variétés.

CHAPITRE VI

LE VOCABULAIRE

Plan

1. Le signifié

1.1. Définitions

Le **vocabulaire** ou **lexique** est l'ensemble des unités lexicales d'une langue. Leur organisation à l'intérieur du vocabulaire ne peut se comprendre qu'à la lumière de leur signification.

La **sémantique lexicale** ou **sémantique du mot** a pour objet l'étude de la signification des unités lexicales. Cette signification peut être abordée sous deux aspects : dans le cadre de la phrase ou isolément.

(a) Dans la phrase, les unités lexicales sont porteuses d'une signification particulière appelée **acception**. Le contenu sémantique est directement déterminé par la signification particulière des unités lexicales présentes dans la phrase (principe de compositionnalité, cf. Chap. 3, § 7.2.).

> Le mot *clé* est investi d'une signification propre à chaque emploi :
> *Il essaie d'introduire la* **clé** *dans la serrure.*
> *Il occupe une position* **clé** *dans l'entreprise.*
> *Les mathématiques sont la* **clé** *de toutes les sciences.*
> *Il ne veut pas livrer la* **clé** *du mystère.*
> *Il y a deux bémols à la* **clé** .
> *Il lui a fait une* **clé** *au bras.*

(b) On peut également aborder la signification des unités lexicales indépendamment de leur emploi dans la phrase. On décrit alors des significations virtuelles attachées aux unités lexicales, c'est-à-dire leur **signifié.** Celui-ci se définit comme l'image conceptuelle attachée à un signe linguistique. Le signifié est décrit dans un **dictionnaire explicatif.**

signe linguistique :

signifié = image conceptuelle
signifiant = image acoustique

L'étude du signifié doit faire l'inventaire des acceptions de l'unité lexicale et décrire leur organisation au sein du signifié. Une unité lexicale est **monosémique** si elle ne possède qu'une seule acception et **polysémique** si elle en possède plusieurs.

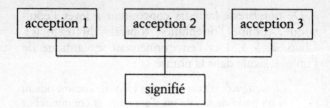

1.2. La polysémie

La **polysémie** est la propriété d'une unité lexicale de posséder plusieurs acceptions.

> Le verbe *visiter* possède plusieurs acceptions :
> 1. se rendre auprès de qqn pour le réconforter (*visiter les malades*),
> 2. se rendre en un lieu et le parcourir en l'examinant (*visiter un pays*),
> 3. examiner minutieusement (*la douane visite les bagages*).

La polysémie repose sur un principe d'économie. En ajoutant de nouvelles acceptions aux unités lexicales existantes, on évite de recourir à la création de nouvelles unités.

La polysémie engendre l'ambiguïté. C'est pourquoi elle donne lieu à de nombreux jeux de mots et traits d'esprit. Malgré l'importance énorme de la polysémie dans le langage, on est surpris de constater qu'elle compromet peu le fonctionnement harmonieux des échanges langagiers.

> Le cœur a ses raisons que la raison ne connaît point.
> Il ne dort que deux heures par jour. – Et combien par nuit ?

De nombreux facteurs concourent à lever l'équivoque, comme l'orientation topicale du texte (cf. Chap. 5, § 3.5) et l'environnement sémantique de l'unité lexicale dans la phrase.

> Le *rossignol* est correctement identifié comme oiseau si on parle de nature ou d'animaux et comme rebut de marchandise si on parle de commerce.
>
> La *fille* est interprétée comme descendant direct de sexe féminin si ce terme est relié à une autre personne : *ma fille, la fille du patron,* et comme être humain non adulte de sexe féminin s'il qualifie une personne : *Il y a beaucoup de filles dans ma classe.*
>
> On identifie sans peine l'acception de *cacher* au moyen de la catégorie sémantique de l'actant : « mettre qqc en un endroit où on ne peut le trouver » si le complément direct désigne un objet et « dissimuler une information » si le complément direct désigne un événement.

1.3. Cohérence du signifié

Les facteurs qui établissent la cohérence du signifié sont l'existence d'éléments sémantiques communs, l'existence de relations métonymiques et l'analogie ou la métaphore.

(1) Eléments sémantiques communs. Un élément sémantique constitutif d'une acception peut être identifié par une **paraphrase définitoire**.

> Les définitions de *femme* « être humain adulte de sexe féminin » et « être humain féminin ayant épousé un homme » ont en commun : « être humain adulte de sexe féminin ».

L'adjectif *parallèle* admet deux emplois : 1. *tracer deux droites parallèles* et 2. *mener une vie parallèle,* qui peuvent être tous deux paraphrasables par « qui ne se rencontre(nt) pas ».

Le verbe *féliciter* signifie d'une part « prendre une part affective à un événement heureux », comme un mariage ou un anniversaire, et d'autre part « complimenter quelqu'un sur sa conduite » : 1. *Féliciter un couple qui annonce son mariage.* 2. *Féliciter quelqu'un pour son courage.* Malgré leur différence, les deux emplois indiquent une participation affective du sujet. Cet élément sémantique commun suffit à établir la relation sémantique entre les deux acceptions.

Une autre façon d'établir une identité sémantique consiste à pratiquer le **test de déduction**. Deux acceptions admettant une même déduction sont apparentées.

Le verbe *couler* signifie dans son acception intransitive « s'enfoncer dans l'eau » et dans son acception transitive « faire sombrer » : 1. *Le navire coule.* 2. *Le sous-marin a coulé le navire.* Si « le sous-marin a coulé le navire » (acception transitive), alors « le navire a coulé » (acception intransitive).

(2) Les relations **métonymiques**. Les différences d'acception peuvent résulter d'un usage elliptique de type métonymique (substance produite par un objet, couleur caractéristique d'un objet, qualité caractéristique de personnes, etc.).

La *moutarde* « condiment » est obtenue à partir de la graine d'une plante appelée moutarde.
Une *bouteille* « récipient » désigne par relation métonymique le contenu d'une bouteille : *La bouteille d'huile s'est répandue par terre.*

(3) Les relations d'**analogie**. Très souvent, les acceptions d'une même unité ne sont apparentées qu'en raison d'une analogie résultant d'une comparaison métaphorique à l'origine.

> L'adjectif *ferme*, opposé à *mou*, signifie « qui a de la consistance » et s'applique à des objets matériels ou des substances : *des fruits fermes, un sol ferme.* L'acception « qui ne change pas », attestée dans : *des prix fermes, une vente ferme,* présente une analogie avec les objets « fermes », ayant de la consistance, le caractère commun étant l'absence de changement (de forme, de prix, etc.). Il en va de même de l'acception « inflexible, influençable » : *adopter une attitude ferme.*

Malheureusement, de nombreuses incertitudes subsistent en raison principalement de notre difficulté à appréhender la relation d'analogie. A partir du moment où une métaphore s'est figée et lexicalisée, l'utilisateur associe directement une signification à une unité lexicale. Il ne doit plus faire appel à une comparaison implicite pour accéder à la signification du mot. Un **homonyme**, c'est-à-dire un mot de même forme mais de sens différent, s'est créé.

> Une *feuille* au sens de « feuille de papier » fait-elle encore penser à la feuille de l'arbre ?

1.4. Différenciation des acceptions

Les facteurs qui permettent de distinguer les acceptions d'un même signifié sont : (a) l'appartenance à des catégories sémantiques distinctes, (b) les contraintes sémantiques de sélection (cf. § 3.9.) et (c) le nombre et le rang des actants.

Dans les exemples qui suivent, chaque acception appartient à une classe sémantique différente :

moulin « appareil » et *moulin* « bâtiment »
bœuf « animal » et *bœuf* « matière (viande) »
calmer « action » et *se calmer* « événement »
fer « matière » et *fer* « objet »

Le verbe *communiquer* (une nouvelle, des renseignements) diffère de *communiquer* (une maladie, la chaleur) par la catégorie sémantique du complément d'objet direct : « information » ou « état ». Ici, ce sont les différences de contraintes de sélection qui justifient l'existence d'acceptions distinctes.

Le nom *femme* au sens de « épouse de » exprime une relation entre deux personnes, mais *femme* au sens de « être humain adulte de sexe féminin » ne s'applique qu'à un seul actant.

Il arrive que les actants soient les mêmes mais que seul leur rang diffère. Comparez : *L'oreille est sensible à certains sons* et : *Ces sons ne sont pas sensibles à l'oreille* ou : *Les voix résonnent dans la caverne* et : *La rue résonne de cris d'enfants.*

1.5. Organisation des acceptions dans le signifié

Les diverses acceptions d'un même signifié sont organisées autour d'une acception considérée comme première ou principale. On utilise trois critères pour identifier l'acception première.

(1) Les diverses acceptions s'organisent autour d'une acception considérée comme **prototypique**. Celle-ci ce définit comme la signification particulière attribuée à une unité lexicale lorsque le choix n'est pas éclairé par un contexte. On obtient l'acception prototypique en réponse à une question posée en

dehors de tout contexte discursif, par exemple : qu'est-ce qu'une *échelle* ? (Un objet formé de deux montants et de barres transversales). La compétence linguistique permet à elle seule l'identification de l'acception prototypique.

(2) Les diverses acceptions sont reliés à l'acception **la plus ancienne**. Les lois de l'évolution sémantique permettent de relier les acceptions plus récentes à l'acception la plus ancienne. Dans ce cas, la compétence linguistique ne suffit pas pour identifier l'acception la plus ancienne. Il faut étudier l'histoire des mots.

(3) On considère que l'acception principale est également l'acception **la plus fréquente**. Ceci présuppose une étude statistique difficile portant sur les acceptions d'unités lexicales.

1.6. La métonymie

La **métonymie** est un procédé qui efface une partie de la structure conceptuelle et rend ainsi l'expression plus compacte.

> *Nous avons mis le vin sur la table* (= la ou les bouteilles contenant le vin).
> *Le dossier du malade se trouve en chirurgie* (= dans le service de chirurgie).
> *Nous avons allumé le poêle* (= allumé le feu dans le poêle).

La réduction métonymique met en œuvre deux relations possédant un terme commun.

La structure développée de la métonymie montre comment ces deux relations sont organisées, par exemple dans la phrase : *Toute la salle riait.*

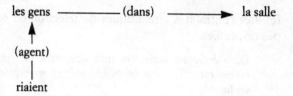

La structure suivante montre la relation réduite exprimée par les mots.

Le segment à restituer lors de l'interprétation possède une valeur informative faible ou nulle, car il représente un élément de connaissance implicite. Il est notoire qu'une salle sert à contenir des gens.

Les caractéristiques de la métonymie permettent de la reconnaître facilement.

(a) Dans une métonymie, les mots gardent leur sens normal. Par conséquent, un emploi métonymique n'entraîne pas d'acception nouvelle.

(b) La réduction métonymique ne laisse aucune trace syntaxique. Elle se différencie de l'**ellipse**, qui laisse un vide syntaxique.

*La **jeunesse** a voté pour le changement* (métonymie).
*Les **jeunes** ont voté pour le changement* (ellipse, car le nom est sous-entendu, mais on peut le restituer sans transformer la structure de la phrase).

(c) Les contraintes sémantiques de sélection ne sont pas respectées.

Dans *boire un verre,* un mot désignant un solide (*verre*) est utilisé avec un verbe (*boire*) s'appliquant à un liquide.

(d) L'auditeur accède à l'interprétation correcte des expressions métonymiques en restituant mentalement les informations non explicitées.

Tout le monde comprend que, dans *boire un verre,* c'est le contenu liquide du verre qu'on boit.

(e) Les informations non explicitées font partie des connaissances générales et possèdent de ce fait une valeur communicative nulle.

Une verre, une bouteille servent à contenir un liquide.
Un poêle sert à contenir le feu.
La chirurgie se pratique dans un des services d'un hôpital.

(f) Généralement, la métonymie ne déclenche pas d'effet stylistique particulier. C'est pourquoi elle passe souvent inaperçue.

On classe les métonymies en caractérisant le terme exprimé et en l'opposant au terme effacé.
– action : effet ou produit de l'action (*Nous avons construit une **protection** contre le vent. Les élèves ont remis leurs **travaux***),

– action : agent (*Les* **secours** *arrivent. Le* **gouvernement** *s'est réuni hier.*),

– action : lieu où se produit l'action (*Le dossier se trouve en* **chirurgie.**),

– qualité : personne (*Les revendications* **féminines.** *La* **jeunesse** *a voté pour le changement.*),

– contenant : contenu (*Boire un* **verre.** *Le notaire a une bonne* **cave.**),

– instrument : agent (*Cette* **clé** *ouvre toutes les portes.*),

– lieu : personnes (*La* **salle** *applaudit. La* **Maison Blanche** *n'a pas répondu.*),

– lieu : choses produites en ce lieu (*J'aime le* **gruyère** *et le* **camembert.**),

– auteur : œuvre (*Il a lu tout* **Flaubert.** *Ce pianiste joue* **Mozart** *à merveille.*).

A cette liste il convient d'ajouter la **synecdoque**, qui consiste à désigner un ensemble par une de ses parties typiques (*Une* **voile** *à l'horizon. J'ai quatre* **bouches** *à nourrir. Ses propos choquent les* **oreilles** *pudiques.*).

2. Les relations entre unités lexicales

2.1. L'homonymie

Les formes linguistiques composées des mêmes phonèmes sont des **homophones**. Dans l'usage courant, les **homonymes** sont des unités lexicales dont l'image acoustique est la même, mais dont le signifié est différent. On distingue :

(a) les homonymes **homographes**, qui s'écrivent de la

même façon : *volume* « espace à trois dimensions » et *volume* « livre »,

(b) les homonymes **hétérographes**, dont la graphie est différente : *sceau, seau, sot, saut.*

Comme la polysémie, l'homonymie est porteuse d'ambiguïté. Toutefois, l'orientation topicale du texte (cf. Chap. 5, § 3.5.) dissipe l'ambiguïté résultant de l'emploi de termes homonymes.

> L'orientation topicale suffit à distinguer *avocat* « homme de loi » et *avocat* « fruit », même si la phrase est elle-même ambiguë : *Il a acheté un avocat.*

La distinction entre homonymie et polysémie est souvent problématique. Pour les distinguer, nous devons déterminer si les unités de même signifiant ont un même signifié – dans ce cas, l'unité est polysémique – ou si elles ont des signifiés distincts – dans ce cas, il s'agit d'unités homonymes. Nous devons disposer de critères permettant de décider si les significations particulières (acceptions) associées à une même image acoustique relèvent d'un même signifié ou non. On peut s'inspirer des règles suivantes :

(a) Si deux expressions homophones n'ont pas la même signification et qu'en outre il n'existe aucun lien entre leurs significations, ces expressions appartiennent à des unités lexicales distinctes et homonymes.

> Le nom *cour* désigne d'une part un « espace clos dépendant d'une habitation » et d'autre part « l'entourage d'un souverain », ou encore « des magistrats ». Il n'existe aucun lien sémantique apparent entre ces significations. Celles-ci appartiennent donc à des unités lexicales distinctes.

(b) Deux expressions homophones n'ayant pas la même signification mais possédant néanmoins un élément sémantique commun relèvent d'acceptions distinctes d'un même signifié. Elles appartiennent donc à la même unité lexicale.

> Le nom *construction* signifie : 1. « action de construire » (*la construction de notre maison a duré un an*), 2. « ce qui est construit » (*quelques constructions étaient adossées à la colline*), 3. « ensemble de techniques permettant de bâtir » (*les métiers de la construction*).
>
> Le *golf* est un « sport », mais c'est également un « terrain » sur lequel se pratique ce sport. Les paraphrases font apparaître un élément commun : le sport.

(c) Deux expressions homophones ne présentant aucune différence sémantique relèvent de la même acception et appartiennent évidemment à la même unité lexicale.

> *Il vit dans un appartement sans* **confort**. *Il avait l'habitude du* **confort**.
> *La maman* **lave** *le bébé. Pierre se* **lave**. *Pierre se lave les mains*. Bien que les constructions soient différentes, la signification de *laver* est la même.

2.2. La synonymie

(1) Définition. Sont appelées **synonymes** les unités lexicales de même contenu sémantique mais de forme différente. La synonymie des unités lexicales est donc essentiellement une identité de contenu sémantique (cf. Chap. 3, § 7.2.).

On établit la synonymie au moyen d'un double test d'implication. Deux unités lexicales A et B sont synonymes si, d'une phrase vraie X contenant A, on peut conclure à la vérité d'une autre phrase Y obtenue à partir de X par remplacement de A par B, et si, inversement, on peut, à partir de Y, conclure à la vérité de X.

> S'il est vrai qu'*il y a une différence **sensible** entre ces deux produits,* il est également vrai qu'*il y a une différence **notable** entre ces deux produits,* et inversement. Dès lors, *sensible* et *notable* ont une acception en commun.

Il faut distinguer la synonymie de l'**identité référentielle**. Deux expressions linguistiques désignant les mêmes objets, c'est-à-dire s'appliquant aux mêmes référents, sont référentiellement équivalentes. Tandis que l'identité référentielle est liée au contexte d'énonciation, la synonymie est une notion purement linguistique indépendante du contexte d'énonciation.

> Si, dans : *Je vais épouser Jean / un ami / un type formidable,* les expressions linguistiques *Jean, un ami* et *un type formidable* désignent la même personne, elles sont alors référentiellement équivalentes, mais elles ne sont pas synonymes pour autant.

On distingue deux degrés de synonymie : la synonymie absolue et la synonymie relative aux acceptions.

(2) La synonymie absolue. Les **synonymes absolus** sont interchangeables dans toutes les phrases sans changement de signification. La synonymie absolue est possible à deux conditions : (a) les unités lexi-

cales sont univoques, c'est-à-dire n'ont qu'une seule acception, (b) elles possèdent la même compréhension (cf. Chap. 7, § 4.3.). C'est le cas pour les termes scientifiques ou techniques et leurs équivalents populaires, entre autres les termes de botanique (*saxifraga umbrosa = désespoir du peintre*) et de médecine (*une lithiase = un calcul au rein*), les termes régionaux et leurs équivalents suprarégionaux (*septante = soixante-dix*), les variantes expressives et leurs équivalents stylistiquement neutres (*un moutard = un enfant, le décès = la mort, l'époux = le mari*). Les termes techniques et régionaux sont toutefois liés à un contexte socio-culturel déterminé et ne sont donc pas interchangeables dans l'usage. Les variantes stylistiques diffèrent par leur charge expressive ou émotionnelle. En les remplaçant par un terme neutre, on porte atteinte à la force expressive du discours. Généralement, les synonymes absolus ne sont pas interchangeables dans un même type de texte.

(3) Synonymie relative aux acceptions. Dans la plupart des cas, la synonymie s'applique à des unités lexicales qui ont une acception en commun. Le test d'implication suffit à les reconnaître.

La synonymie est contraire à l'économie du langage. On pourrait théoriquement se passer de synonymes. Le langage gagnerait en clarté si un même contenu était lié à une seule et même unité lexicale, et inversement. Cependant, la synonymie résulte d'un besoin conscient d'expressivité. L'homme éprouve un besoin de différence. Il charge des expressions existantes de sens nouveaux déclenchant à la fois une polysémisation et la synonymie.

La synonymie trouve également sa source dans la diversité linguistique. Des régionalismes dont l'usage se répand se heurtent à d'autres unités lexicales de même signification.

Enfin, la synonymie peut trouver sa source dans l'ignorance lexicale. Une lacune est comblée par l'emprunt ou, plus fréquemment, par l'ajout d'une acception à une unité existante alors que la langue dispose déjà d'une unité lexicale appropriée.

2.3. La parasynonymie

Les unités lexicales qui présentent de grandes similitudes de signification entre elles sont appelées **parasynonymes**, c'est-à-dire « presque » synonymes. On trouve des listes de parasynonymes dans plusieurs ouvrages de référence, et principalement dans les dictionnaires de synonymes et les dictionnaires analogiques. Les dictionnaires explicatifs utilisent fréquemment les parasynonymes dans les définitions lexicales. Enfin, les dictionnaires bilingues proposent plusieurs traductions approximativement équivalentes pour un même terme.

Le problème majeur de la parasynonymie consiste à expliciter les différences de sens qui opposent les parasynonymes. La comparaison des définitions proposées par les dictionnaires explicatifs suffit rarement à reconnaître les différences sémantiques. Toutefois, les différences opposant les parasynonymes sont explicitées dans certains dictionnaires de synonymie et à l'intérieur de champs lexicaux (§ 5.3.).

La parasynonymie est un phénomène important. On juge la compétence lexicale d'un individu à sa faculté de manier les parasynonymes. La pauvreté du vocabulaire est caractérisée par une quasi-absence de parasynonymes.

2.4. L'hyponymie

Une acception lexicale A est **hyponyme** d'une autre acception B lorsque l'extension de A est totalement incluse dans l'extension de B (cf. Chap. 7, § 4.3.). Ainsi, *chien* est hyponyme de *animal*, *écarlate* de *rouge* et *modifier* de *changer*. La relation d'hyponymie est exprimée populairement par des formules comme : *Une tulipe est une sorte de fleur. Morceler est une façon de diviser. Un pommier est un arbre d'une certaine espèce.* On teste l'hyponymie au moyen d'une implication. Si quelque chose est une tulipe, alors il est vrai que cet objet est une fleur, quelles que soient les circonstances de l'énonciation. Si j'ai acheté des tulipes, alors j'ai acheté des fleurs.

Le second terme de la relation d'hyponymie est le **superordonné**, parfois appelé **hyperonyme** : *cheval* est le superordonné de *étalon*, *jument* et *poulain*.

L'hyponymie est un procédé commode pour définir le contenu d'une acception. Une définition comporte souvent la mention du terme générique accompagné de différences spécifiques.

> Une *cuisinière* est un appareil (terme générique) servant à chauffer ou cuire les aliments. Un *cuisinier* ou une *cuisinière* est une personne (terme générique) qui a pour fonction de faire la cuisine.

L'hyponymie est un principe organisateur du lexique. On peut établir des hiérarchies fondées sur la relation d'hyponymie lorsque le superordonné est lui-même hyponyme d'un superordonné plus général, et ainsi de suite (cf. Chap. 7, § 6.2.).

> La *moutarde* est un *condiment*, le *condiment* est une *substance*.
> *Ecarlate* est une variété de *rouge* et *rouge* est une *couleur*.

On peut également grouper les hyponymes d'un même superordonné et étudier les diverses relations entre hyponymes. Ceux-ci peuvent s'exclure mutuellement, être ordonnés entre eux, former des cycles, des échelles de valeur, etc.

> Cycle : *printemps, été, automne, hiver.*
> Échelle : *excellent, bon, passable, mauvais.*
> Hiérarchie : *soldat, caporal (...), général, maréchal.*

2.5. L'antonymie

Traditionnellement, l'**antonymie** est comprise comme l'opposition de mots ayant un sens contraire. Nous devons préciser cette notion.

L'antonymie ne s'applique pas aux unités lexicales prises globalement, mais aux unités lexicales prises dans une acception particulière.

> Ainsi, l'adjectif *plat* a des contraires différents selon ses acceptions : *incliné, accidenté* (terrain), *volumineux, gros* (ventre), *haut* (talon), *creux* (assiette), *imagé, fade* (style), *gazeux, pétillant* (eau), etc.

L'antonymie est liée à la négation. Dans une phra-

se, deux acceptions sont antonymes lorsque l'affirmation de l'une entraîne la négation de l'autre.

> Si A est *petit*, il n'est pas *grand*. Si A est *coupable*, il
> n'est pas *innocent*, etc.

Il faut éviter le terme « contraire », car celui-ci
s'applique à d'autres notions, comme par exemple à
la permutation des actants appelée également **conver-
se** : *Non, ce n'est pas Véronique qui a consolé Pierre,
c'est le contraire* (c'est Pierre qui a consolé
Véronique).

L'antonymie est **contradictoire** lorsqu'elle exclut
toute valeur intermédiaire. Elle correspond à la
règle : non seulement l'affirmation de A entraîne la
négation de B, mais la négation de A entraîne l'affirmation de B, par exemple : *pair* et *impair* ; *coupable*
et *innocent* ; *garçon* et *fille*.

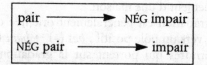

L'antonymie contradictoire donne éventuellement
lieu à une double négation, ce qui déclenche un effet
stylistique et nécessite un processus de réinterprétation (cf. Chap. 2, § 8) : *Il n'est pas innocent,* ou le très
célèbre : *Va, je ne te hais point.*

L'antonymie est **gradable** lorsqu'elle admet des
valeurs intermédiaires. Elle correspond à la règle :
l'affirmation de A entraîne la négation de B, mais la

négation de A n'entraîne pas nécessairement la négation de B, par exemple : *jeune* et *âgé* ; *bas* et *haut* ; *court* et *long*.

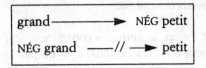

Les antonymes gradables ont en outre la propriété d'admettre la comparaison : *Pierre est plus grand que son frère*. Par contre, la comparaison d'antonymes contradictoires est un trait d'esprit qui nécessite un processus de réinterprétation (cf. Chap. 2, § 8) : *Pierre est moins « célibataire » que son frère*.

Les antonymes gradables se réfèrent à un prototype (cf. Chap. 7, § 4.5.) ou à une norme implicite : une « grande » maison est plus grande qu'une maison « normale » correspondant à l'idée qu'on se fait généralement d'une maison.

La gradation est généralement orientée d'un pôle négatif vers un pôle positif : *bas* (–) → *haut* (+). Dans les tournures qui portent sur la gradation, c'est le terme correspondant au pôle positif qui est employé : *Quel âge a-t-il ? Quelle est la hauteur de la tour ? Quelle est la longueur de la planche ?* etc.

3. *La valence des unités lexicales*

3.1. Définitions

Les unités lexicales sont soumises à des contraintes d'ordre sémantique et syntaxique ayant pour effet de réduire considérablement l'éventail de leurs possibilités combinatoires. Pour former des expressions correctes, une unité lexicale doit être complétée par un ou plusieurs termes. Cette incomplétude constitue le fondement de la valence. On appelle **valence** l'ensemble des contraintes qu'une unité pose à son environnement afin que les expressions qu'elle sert à constituer soient bien formées. La valence d'une unité est dite **saturée** lorsque toutes les contraintes ont été respectées. L'unité porteuse des contraintes est la **base valentielle**. Les termes qui saturent la valence sont les **actants**.

> Le verbe *donner* exprime un concept de donation, lequel est la source d'une triple relation avec un donateur, un donataire et un objet donné. Ces trois relations sont constitutives de la signification de *donner*, car il n'y a pas de don sans donateur, sans donataire ou sans objet donné.

$$\text{concept : « donner »} \begin{bmatrix} 1. \text{ donateur} \\ 2. \text{ donataire} \\ 3. \text{ objet donné} \end{bmatrix}$$

3.2. Contrainte de monosémie

La valence d'une unité lexicale est directement liée aux significations particulières exprimées par cette unité. En conséquence, une unité lexicale polysémique possède autant de valences qu'elle a d'acceptions. L'analyse valentielle suppose donc qu'on ait au préalable identifié correctement les acceptions. Elle est en outre soumise à la contrainte de monosémie.

On veut dire par là qu'elle ne peut porter que sur une seule acception à la fois.

> La valence d'un verbe comme *appartenir* varie selon ses acceptions : 1. « être la propriété de qqn » (*Ce livre ne m'appartient pas*). 2. « être le rôle de qqn » (*Il vous appartient de trancher cette question*).

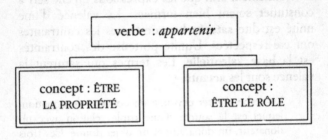

3.3. Les deux niveaux valentiels

La valence des unités lexicales est établie au niveau conceptuel et se manifeste au niveau morphosyntaxique par des contraintes portant sur le nombre et la nature des compléments, le choix des prépositions, la détermination des cas, etc. L'environnement morphosyntaxique de l'unité lexicale est le reflet de la valence conceptuelle.

Dans le cas le plus simple, une base valentielle lexicale correspond à un concept simple et chacune des expansions de cette base correspond à un des actants du concept. Les bases peuvent être des verbes, des noms, des adjectifs ou des adverbes. Les catégories syntaxiques des expansions sont très variables. On y trouve des groupes nominaux, des groupes préposi-

tionnels, des propositions syntaxiques, des groupes
conjonctionnels, etc.

niveau conceptuel :   ⎡ CONCEPT   [actant(s)]   ⎤
niveau syntaxique :   ⎣ UNITÉ LEXICALE [expansion(s)] ⎦

Un concept n'est pas lié à une catégorie lexicale
particulière. Il peut être exprimé par des unités lexicales appartenant à des catégories différentes (cf.
Chap. 7, § 1.3.).

> Le concept « chute » peut être exprimé par le verbe
> *tomber* ou par le nom *chute,* le concept « pluie » par
> le verbe *pleuvoir* ou par le nom *pluie,* le concept
> « fréquent » par l'adjectif *fréquent* ou par l'adverbe
> *souvent,* le concept « facilité » par l'adjectif *facile* ou
> par le nom *facilité,* etc.

Un concept peut être exprimé par une unité lexicale complexe, par exemple par une locution.
Inversement, une unité lexicale simple peut exprimer
un assemblage conceptuel complexe (cf. Chap. 7,
§ 8.2.).

Pour un concept déterminé, l'ordre des actants est
constant. Le choix de l'unité lexicale permet cependant de modifier cet ordre.

> Le concept de « donation » est lié à (1) un agent, (2)
> un bénéficiaire et (3) un objet. Cet ordre est modifié
> par le choix du verbe : *Le père **donne** un peu d'argent
> à son fils. Le père **munit** son fils d'un peu d'argent. Le
> fils **reçoit** un peu d'argent de son père.*
> De même le concept « plaire » dans : *Ce film m'a
> **plu.** J'ai **aimé** ce film.*

3.4. Actants anonymes

L'expression morphosyntaxique des actants s'effectue selon des modalités diverses. Lorsqu'un des actants liés au concept ne trouve aucune expression morphosyntaxique correspondante, on dit que cet actant **n'est pas spécifié**. Il reste en quelque sorte **anonyme**. L'absence de spécification s'explique par les besoins communicatifs. Les actants anonymes représentent en général une information que, pour une raison quelconque, on estime ne pas devoir transmettre.

> L'acception « manger » s'applique à deux actants : à celui qui mange et à ce qui est mangé. Dans : (1) *Pierre mange,* (2) *Les gâteaux ont été mangés* et (3) *La pelure ne se mange pas,* on constate que la chose mangée n'est pas spécifiée en (1), tandis que la personne qui mange n'est spécifiée ni en (2) ni en (3).

Le choix de l'unité lexicale a des répercussions directes sur les possibilités de spécification.

(a) Certaines unités lexicales interdisent ou rendent difficiles certaines spécifications.

> Dans : *Le facteur colportait les ragots du village,* le choix du verbe *colporter* rend la mention du destinataire superflue. Dans : *Pierre se confie à sa sœur,* l'information n'est pas spécifiée.

(b) D'autres unités lexicales facilitent la non-spécification :

> La locution *donner la permission à qqn* autorise la non-spécification de l'objet de la permission, tandis que le verbe *permettre qqc à qqn* nous oblige à le spé-

cifier : *Mon père ne m'a pas donné la permission.*
Mon père ne me permet pas de rentrer après minuit.

(c) Un actant anonyme peut être représenté par la
forme impersonnelle du pronom.

> Dans : *Ici, on parle anglais,* le locuteur anonyme est
> représenté par le pronom indéfini *on.*

3.5. Héritage des contraintes

Les concepts particuliers sont des sous-types de
catégories conceptuelles superordonnées, elles-
mêmes soumises à des contraintes d'ordre valentiel.
Les concepts particuliers « héritent » les contraintes
valentielles des catégories superordonnées (cf.
Chap. 7, § 6.6.).

> Le concept « tuer » appartient à la catégorie concep-
> tuelle des actions. Or, le concept d'action est lié à
> l'existence d'un agent, c'est-à-dire d'une personne
> qui est à l'origine de l'action. Le concept « tuer »
> hérite cette contrainte et implique lui aussi l'existen-
> ce d'un agent.

Les catégories lexicales (nom, verbe, adjectif et
adverbe) possèdent elles aussi des propriétés combinatoires spécifiques. Les unités lexicales particulières
héritent les contraintes combinatoires de leur catégorie lexicale.

> Un nom se combine avec un déterminant et des
> adjectifs, il a un genre grammatical, il reçoit un
> nombre, etc. Ces propriétés sont héritées par chacun
> des noms.

La valence d'une unité lexicale univoque, c'est-à-dire considérée selon une de ses acceptions (contrainte de monosémie), rassemble des contraintes de sources diverses. Elle hérite

(a) des contraintes sémantiques liées au concept,

(b) lequel concept hérite des contraintes de ses superordonnés ;

(c) elle hérite en outre des contraintes morphosyntaxiques liées à l'unité lexicale ;

(d) laquelle unité lexicale hérite des contraintes générales de sa catégorie.

3.6. Liens sémantiques

Les actants sont unis au concept par des **liens sémantiques**, appelés également **rôles thématiques**, ayant pour fonction de distinguer les actants entre eux. Ces liens sont des fonctions conceptuelles (cf. Chap. 7, § 4.6.) et sont hiérarchisés. L'actant hiérarchiquement supérieur est le **prime actant**. L'**agent** est le prime actant d'une action : *Pierre regarde la télévision*. Le **possesseur** est le prime actant d'une relation de possession : *La maison des voisins*. L'**expérient** est le prime actant d'un état psychique : *Le chat a peur du chien*. Le **bénéfactif** est le second actant d'une relation de donation : *J'ai offert un cadeau à ma sœur*. L'**origine** est le prime actant d'une relation causale : *La fumée noircit les murs,* etc. Il existe également un lien sémantique qui n'a pas de valeur sémantique particulière et qui désigne seulement ce à quoi s'applique un état ou une action. Ce lien sémantique est généralement appelé **objet** ou **objet thématique** : *Le ciel est bleu. Sylvie achète un disque.*

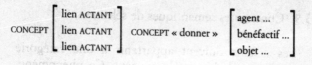

3.7. Expression morphosyntaxique des actants

Les actants qui, au plan conceptuel, se distinguent par leurs liens sémantiques se reconnaissent au plan morphosyntaxique par leur **fonction grammaticale.** Tandis que les sujets et les objets directs sont en principe ouverts à tous les liens sémantiques, les objets indirects sont introduits par une préposition qui explicite le lien sémantique de l'actant. Dans certaines langues, les cas assument la même fonction valentielle que les prépositions (cf. Chap. 11, § 9.5.).

> *écrire une lettre* **à** *quelqu'un* (destinataire)
> *transformer qqc* **en** *qqc* (résultat)
> *mourir* **de** *faim* (origine)
> etc.

3.8. Lexèmes opérateurs

Les liens sémantiques peuvent également être exprimés par des unités lexicales : *être* **l'auteur** *d'un ouvrage, avoir qqc* **pour résultat, provoquer** *une inondation,* etc. Les verbes exprimant un lien sémantique sont généralement appelés **verbes opérateurs** (cf. Chap. 7, § 8.2.). Leur usage est lié à des contraintes sémantiques très strictes. Ils ont parfois pour effet d'alourdir le style : *Le garagiste a* **effectué** *la réparation. Pierre a* **reçu** *des félicitations. Ils ont* **procédé à** *l'inspection des lieux.*

3.9. Contraintes sémantiques de sélection

Les actants doivent appartenir à une catégorie sémantique admise par le concept. Ce phénomène, généralement appelé **contrainte sémantique de sélection**, fait partie de la valence (cf. Chap. 7, § 6.5.).

> Le concept exprimé par *intentionnellement* ne peut s'appliquer qu'à des actions, non à des événements. Le nom *bonté* s'applique à des personnes pour le premier actant et aux êtres vivants en général pour le second : *la bonté de Pierre pour les animaux*. Les deux actants de *consoler* s'appliquent à des personnes.

$$\text{CONCEPT « consoler »} \quad \begin{bmatrix} \text{agent : PERSONNE} \\ \text{objet : PERSONNE} \end{bmatrix}$$

Les unités lexicales apparentées par le sens sélectionnent souvent des catégories sémantiques différentes.

> Les verbes *communiquer* et *révéler* sélectionnent tous deux un actant désignant une information, mais le type d'information admissible par *révéler* est plus restreint. L'information communiquée doit posséder un caractère privé, secret ou confidentiel.

L'assemblage d'un concept avec ses actants est soumis à une règle d'**accord sémantique**. Une expression est dite **sémantiquement bien formée** lorsque les règles d'accord sémantique sont respectées.

> Des phrases qui, grammaticalement, semblent correctes sont néanmoins douteuses, voire incorrectes,

lorsque les contraintes de sélection ne sont pas respectées : *Mon véhicule a dû consoler sa patience.*

Lorsqu'il y a accord sémantique, l'expression est sémantiquement **redondante**. On veut dire par là que les catégories sémantiques auxquelles appartiennent les actants sont exprimés deux fois. En effet, elles font partie de la signification des actants et sont indissociablement associées au concept porteur des contraintes de sélection. C'est pourquoi ces catégories sémantiques restent perçues même si les actants ne sont pas spécifiés ou si les contraintes sont transgressées (cf. Chap. 7, § 7.2.).

Lorsque les actants ne sont pas spécifiés, l'auditeur peut, grâce aux contraintes de sélection émanant du concept, connaître la catégorie sémantique à laquelle appartient l'actant anonyme.

> Si on dit : *J'ai très bien mangé* sans spécifier le second actant, l'auditeur comprendra évidemment que j'ai mangé de la « nourriture ». La classe sémantique « nourriture » correspond à la contrainte sélective émanant de manger.

Si on efface un nom d'une phrase, on peut observer que le contexte fournit des informations concernant le mot effacé.

> *Lors de ce regrettable accident, ma ... fut légèrement blessée, mais la ... fut très endommagée.* On devine que c'est une personne qui fut blessée et que ce qui fut endommagé est un objet matériel. Ces informations : « personne » et « objet matériel » proviennent des contraintes de sélection associées aux concepts exprimés par *blessée* et *endommagée*.

Les contraintes de sélection peuvent être intentionnellement transgressées, ce qui donne lieu à des traits d'esprit : *Ma grand-mère date du siècle dernier,* des tournures métaphoriques : *L'escalier gémissait sous nos pas,* des raccourcis métonymiques : *Nous avons bu une bonne bouteille.*

3.10. Collocations

Les contraintes sémantiques de sélection sont **faibles** lorsqu'elles s'appliquent à des catégories sémantiques très englobantes, c'est-à-dire à extension large comme « personne », « objet matériel », « action », etc. et **fortes** lorsqu'elles s'appliquent à des classes plus précises à extension réduite.

Les contraintes peuvent être tellement fortes que le nombre d'unités lexicales compatibles est très restreint, ce qui a pour effet de créer des assemblages habituels appelés **collocations.** Une collocation est donc un assemblage régi par des contraintes sémantiques de sélection particulièrement fortes. On peut alors dresser une liste d'unités lexicales admissibles. Une telle liste n'est bien sûr pas exhaustive.

> **outrepasser** ses droits, ses pouvoirs, les ordres reçus, les limites de sa compétence, les limites de la bienséance, ..., **transgresser** les ordres, les règles, la loi, la Constitution, ..., **passer outre** à une interdiction, une mise en garde, une observation, des réticences, une objection, ...

L'unité lexicale dépositaire des contraintes de sélection constitue la **base collocative.** La catégorie sémantique à laquelle un actant doit appartenir constitue un **domaine collocatif**. On définit le domaine collocatif en cherchant le commun dénominateur sémantique des unités lexicales admissibles.

> *outrepasser* s'applique à des modalités volitives.
> *transgresser* s'applique à l'expression de la volonté d'une autorité.
> *passer outre* s'applique à un ensemble d'attitudes impliquant une évaluation négative.

Les collocations sont proches des **locutions,** mais, tandis que ces dernières sont des assemblages totalement figés, les collocations sont libres (cf. Chap. 10, § 9).

3.11. Synthèse

L'usage correct d'une unité lexicale impose le respect de l'ensemble des contraintes auxquelles elle est soumise. Il est donc très utile de faire la synthèse.

BASE VALENTIELLE	pour chaque ACTANT
concept CATÉGORIE SÉMANTIQUE	lien sémantique CATÉGORIE SÉMANTIQUE
unité lexicale CATÉGORIE LEXICALE	fonction grammaticale CATÉGORIE SYNTAXIQUE

Cette synthèse s'effectue en trois étapes :
(a) la définition du concept au moyen d'une para-phrase,
(b) la collecte d'exemples,
(c) la synthèse sous forme de tableau.

On peut éventuellement y ajouter la mention du registre stylistique.

Prenons comme exemple le verbe *pousser*.

POUSSER = inciter qqn à faire qqc
pousser un homme à la révolte
pousser un enfant à désobéir
une force qui nous pousse à agir
pousser à la consommation

BASE VALENTIELLE	actant 1	actant 2	actant 3
« inciter qqn à » ACTION	agent PERSONNES FORCES	objet thématique PERSONNES	but ACTION
pousser à VERBE	sujet GROUPE NOMINAL	[objet direct] [GROUPE NOMINAL]	objet indirect à + GR. NOMINAL à + INFINITIF

Les crochets indiquent que cet actant peut ne pas être spécifié.

Les informations de ce tableau peuvent être reprises sous forme de liste entre crochets :

$$\left[\text{ACTION : « inciter qqn à »} \left[\begin{array}{l} \text{1. agent : PERSONNES, FORCES} \\ \text{2. objet : PERSONNES} \\ \text{3. but : ACTIONS} \end{array} \right] \right]$$

$$\left[\text{VERBE : } \textit{pousser à} \left[\begin{array}{l} \text{sujet : GROUPE NOMINAL} \\ \text{(2) cpl. direct : GROUPE NOMINAL} \\ \text{3. cpl. indir. : à + GN/INFINITIF} \end{array} \right] \right]$$

Les parenthèses encadrent un actant dont la spécification est optionnelle.

GN = groupe nominal.

4. *Les associations*

4.1. Les relations associatives

Dans la mémoire, un mot en appelle plusieurs autres. On appelle **association** la relation latente entre les mots dans la mémoire :

poisson	: eau
chien	: niche
arbre	: feuille
écrire	: lettre

On obtient les relations associatives au moyen d'un test par lequel on demande à plusieurs personnes de fournir immédiatement le premier mot qui vient à l'esprit à l'appel d'un mot donné, appelé en l'occurrence **terme inducteur**. Les mots récoltés, appelés **termes induits**, sont associés dans la mémoire au terme inducteur [HÖRMANN 1972 : 102, COSTERMANS 1980 : 21].

> Terme inducteur : **feu**, termes induits : *flamme, brûler, incendie, bois, chaleur, rouge, cheminée, ...*
> Terme inducteur : **papillon**, termes induits : *fleur, voler, été, chenille, ...*

Les relations associatives mettent en évidence la façon dont nous retrouvons un mot à partir d'un autre. Ces renseignements nous permettent d'étudier la façon dont les mots sont organisés dans la mémoire. On constate que les termes induits sont associés au terme inducteur par des relations appartenant à des types récurrents. On peut dès lors faire l'inventaire de ces relations et les classer selon le type de relation. On observe les types suivants :

(1) Relations fondées sur l'inclusion :
(a) Le terme induit désigne la classe à laquelle appartient le terme inducteur. La relation unit un terme hyponyme à son superordonné : *jaune > couleur, maison > habitation*.
(b) Le terme induit désigne une sous-classe appartenant à la classe nommée par le terme inducteur. La relation unit le superordonné à un de ses hyponymes. Le choix de l'hyponyme est cependant révélateur. Il semble en effet que l'hyponyme représente un **prototype**, c'est-à-dire une classe particulière qui représente le mieux les propriétés du superordonné. Une pomme est un fruit plus « typique » qu'une tomate. Exemples : *fruit > pomme, poisson > brochet*.
(c) Le terme induit désigne un autre hyponyme du même superordonné : *jaune > rouge, brochet > truite*.

(2) Relations fondées sur les qualités associées :
(a) La similarité de signification, c'est-à-dire la **para-**

synonymie ou synonymie approximative : *gros > gras, épais* ou *dévoiler > révéler.*

(b) Le contraste ou **antonymie** : *droit > courbe, maladie > santé, garçon > fille.*

(c) Les qualités typiques mentalement associées aux termes inducteurs et appelées généralement **connotations** : *canari > jaune, sang > rouge, tonneau > gros, château > grand.*

(3) Relations fondées sur une structure propositionnelle. Les termes inducteurs et les termes induits nouent entre eux des relations d'actants liés à une base valentielle :

(a) Une base valentielle est associée à un actant typique : *éviter > obstacle, pondre > œuf,* ou, inversement, un actant est associé à une base typique : *poisson > pêcher, lettre > envoyer.* Ce phénomène est communément appelé **collocation** (cf. § 3.10.).

(b) Les deux termes sont des actants d'une base valentielle non spécifiée et éventuellement complexe. Cette relation est communément appelée **connexité** : *infirmière > malade* (l'infirmière soigne les malades), *feu > cheminée* (la cheminée évacue la fumée produite par le feu), *table > chaise* (pour s'installer à une table, on s'assied sur une chaise), *papillon > été* (il y a des papillons en été).

(4) Relations fondées sur la partition :

(a) Le terme inducteur désigne une partie typique de l'objet désigné par le terme induit : *ailes > oiseau.*

(b) A l'inverse, c'est le terme induit qui désigne une partie typique de l'objet désigné par le terme inducteur : *poisson > arêtes.*

(5) Relations diverses :

(a) L'instrument typiquement associé à une activité : *stylo > écrire*.

(b) Une aptitude typique d'un être : *oiseau > voler*.

(c) Le lieu typiquement associé à un objet : *poisson > eau*.

(d) Le temps typiquement associé à un objet : *papillon > été*.

Etc.

4.2. Le savoir populaire

Les termes associés expriment des faits de connaissance élémentaire.

> Les **poissons** vivent dans l'**eau**.
> Un **marteau** sert à enfoncer des **clous**.
> Les **infirmières** soignent les **malades**.

Ces connaissances proviennent de l'expérience que nous avons du monde qui nous entoure et peuvent donc varier selon les environnements culturels. Elles ne reflètent pas un savoir scientifique, toujours vrai, mais plutôt un **savoir populaire** utilisé dans les raisonnements dits « de bon sens » et susceptible d'être mis en échec par des « exceptions » toujours possibles (cf. Chap. 2, § 7.2.).

> Un marteau ne sert pas toujours à enfoncer des clous. Certaines infirmières ont des tâches administratives et ne soignent pas les malades, etc.

La plupart des relations associatives, et plus particulièrement celles qui indiquent des qualités typiques des objets (les **connotations**), représentent ce qu'on appelle souvent la **signification additionnelle** s'ajoutant à la signification principale à valeur strictement définitoire. L'ensemble des associations liées à un terme nous permet d'expliciter la partie de la signification qui échappe aux analyses sémantiques classiques fondées sur la décomposition et la paraphrase.

4.3. La métaphore

La **métaphore** est un processus de substitution par lequel un mot reçoit une signification autre que sa signification propre. La signification assignée au mot à la suite du processus métaphorique est généralement appelée **sens figuré**. Le sens propre correspond à la définition conceptuelle du mot, tandis que le sens figuré émane d'une relation associative particulièrement forte.

> *Tu es une **mère** !* au sens de : « tu es vraiment très gentil(le) ».
>
> A propos de *mère,* le dictionnaire nous dit qu'il s'agit d'« une femme ayant donné naissance à un ou plusieurs enfants ». Cependant, une mère est beaucoup plus que cela. C'est également une personne qui entoure d'affection ses enfants, etc. Le terme *mère* est le siège de nombreuses associations, dont « personne affectueuse, très gentille ». Si le terme *mère* désigne une personne ayant des enfants, il est utilisé dans son sens propre. Si, par contre, le terme *mère* désigne une personne gentille, il est utilisé dans son sens figuré.

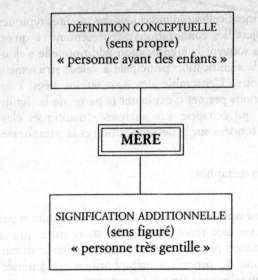

La substitution du sens propre par le sens figuré est motivée par la reconnaissance d'une **analogie** entre (a) les qualités qu'on veut attribuer à une personne ou un objet et (b) les qualités associées au prototype d'un concept.

> Par exemple : (a) Ma voisine Véronique est très gentille. (b) Le concept de « mère » est associé à celui d'une personne très gentille. L'analogie entre Véronique et le prototype d'une mère est fondée sur une propriété commune : la gentillesse.

L'analogie présuppose donc l'existence d'une qualité commune partagée par la personne ou l'objet désigné et le concept utilisé, mais elle n'explicite pas cette qualité commune. L'analogie est donc une forme de ressemblance.

La métaphore se distingue de la **comparaison.** Comme la métaphore, la comparaison se fonde sur l'existence d'une qualité commune, mais, contrairement à la métaphore, la comparaison explicite cette ressemblance au moyen de termes appropriés : *ressembler, comme,* etc. En outre, la comparaison permet d'expliciter la qualité commune, tandis que la métaphore ne le permet pas [BOUVEROT 1969, LE GUERN 1973 : 52].

> Comparaisons : *L'homme ressemble à un roseau. L'homme est comme un roseau. L'homme est frêle comme un roseau.* Métaphore : *L'homme est un roseau.*

La métaphore se manifeste par une **incompatibilité sémantique.** L'auditeur se trouve dans l'incapacité d'interpréter le message selon son sens propre. Présumant que le locuteur s'exprime de façon sensée, l'auditeur abandonne sa première lecture et restaure mentalement la cohérence sémantique en assignant à l'un des termes contradictoires une interprétation seconde fondée sur l'une ou l'autre de ses connotations (cf. Chap. 2, § 8).

> Dans la phrase : *La forêt dormait,* il y a une incompatibilité entre *forêt,* désignant un lieu caractérisé par une collection d'arbres, et *dormait,* qui s'applique aux êtres vivants. On peut restaurer la cohérence de deux manières : (a) on « personnifie » la forêt, qui appartient dès lors à la classe des êtres vivants, (b) on « active » une des connotations de *dormir,* par exemple l'immobilité ou le silence.

Dans le langage technique et scientifique, on a fréquemment recours à la métaphore pour désigner un objet ou un événement qui n'a pas de dénomination propre. La métaphore est un procédé particulièrement économique et efficace, car elle évite une périphrase lourde, ne crée aucune surcharge apparente du vocabulaire et fait appel à des significations qui préexistent comme connotations : *les dents d'une scie, une carotte de forage, le bras d'une grue.*

Deux facteurs contribuent à l'expressivité de la métaphore : l'absence d'expressions équivalentes et le rejet de la banalité.

(a) La métaphore permet de **dire l'indicible**, car elle n'explicite pas la qualité commune sur laquelle elle se fonde. De ce fait, la métaphore requiert une participation active de l'auditeur au processus sémantique. En outre, elle active la totalité des images associées, ce qui rend son sémantisme particulièrement riche.

(b) L'expression métaphorique s'oppose à l'expression banale. Toutefois, l'expression métaphorique ne conserve son caractère expressif que si elle reste relativement rare. Sinon, elle devient un **cliché**. C'est également la volonté de s'opposer à la banalité qui explique l'usage fréquent de métaphores dans le langage argotique : *une bulle* (un zéro), *le plumard* (le lit).

Une métaphore fréquemment utilisée – c'est le cas des métaphores techniques – ne déclenche plus de double lecture, car l'auditeur lui assigne directement la signification adéquate. Le mot a alors développé une nouvelle acception et la métaphore n'est plus perçue comme telle. On parle alors de **métaphore lexicalisée**.

5. *Organisation du vocabulaire*

5.1. La famille étymologique

La **famille étymologique** regroupe tous les mots dérivés du même **étymon**, c'est-à-dire historiquement issus d'une même forme.

> Le mot *chien*, dérivé du latin *canis*, se trouve en compagnie d'autres mots issus comme lui des mêmes parents latins : *cagnard, canaille, canicule, canin, chenet, chenil, chenille, chiot*, etc.

Les membres de la famille étymologique se distinguent de l'étymon à la fois au plan du contenu et au plan de l'expression. Dans la plupart des cas, il n'est plus possible d'isoler un morphème ou un concept commun.

> La forme de l'étymon *canis* « chien » a évolué en *chi-, che-, can-, cagn-*, qui ne sont plus identifiables en tant que morphèmes. La signification « chien » se retrouve dans *canin, chenil* et *chiot*, mais non dans *chenille, chenet, canicule, canaille*.

La famille étymologique présente un intérêt historique. Elle ne reflète pas la compétence linguistique des locuteurs actuels et ne peut être reconstituée que par des spécialistes de la linguistique historique.

5.2. La famille de mots

A la différence de la famille étymologique, la **famille de mots** est constituée sur une base strictement synchronique. Elle rassemble les mots dérivés d'une même base lexicale. Celle-ci, également appelée **racine**, est la partie du mot à laquelle s'ajoutent les affixes. La famille de mot comprend également les mots composés et les locutions contenant un même composant lexical.

> Ainsi, la racine *sable* se trouve dans les dérivés : *sabler, sablage, sablerie, sableur, sableuse, sableux, sablier, sablière, sabline, sablon, sablonner, sablonneux, sablonnière, ensabler, ensablement, désensabler,* etc. Cette liste peut s'enrichir de composés et de locutions : *grain de sable, bac à sable, sables mouvants, marchand de sable, bâtir sur le sable, être sur le sable,* etc.

Dans une famille de mot, la forme du signifiant peut varier en fonction de règles allomorphiques :

> Le son [k] se change en [s] dans : *musique, musicien* ; le son [ø] « eu » en [o] dans : *recteur, rectoral,* etc.

Dans un dérivé, la racine reçoit une signification plus spécialisée souvent limitée à une des acceptions de la base.

> Les dérivés *malpropre* et *impropre* activent chacun une acception différente de *propre* : (1) « dépourvu de souillure », (2) « qui convient ».

On dit qu'une famille de mot est bien constituée lorsque la cohérence formelle se double d'une cohérence sémantique, c'est-à-dire lorsque dans chacun de ses membres la racine conserve son signifié ou au moins une de ses acceptions et que cette signification est parfaitement reconnaissable.

La cohérence sémantique de la famille de mot est

compromise par la lexicalisation (cf. Chap. 10, § 5 et § 6.7.). La démotivation, c'est-à-dire la lexicalisation progressive des dérivés, a pour effet d'oblitérer la transparence sémantique des dérivés. La signification du mot n'est alors plus déductible de la signification de ses composantes lexicales. La parenté est devenue purement formelle : *boire* et *déboire, bête* et *embêter, chant* et *chantage,* etc.

La famille de mot ne rassemble pas tous les parents sémantiques d'une même base. En effet, les parents « sémantiques » sont exclus de la « famille » chaque fois que la parenté sémantique ne s'appuie pas sur une parenté formelle.

> Les paires suivantes apparentées par le sens, mais non par la forme, n'appartiennent pas à la même famille de mots : *tomber* et *chute, ville* et *urbain, dormir* et *sommeil,* etc.

Le terme « famille de mots » désigne parfois une famille étymologique.

5.3. Le champ lexical

(1) **Définition.** A l'origine, un champ lexical était formé par les unités lexicales susceptibles d'être choisies en un point donné de la phrase et porteuses d'un même élément sémantique.

> Dans : *J'y suis resté deux jours,* on peut remplacer *jours* par *semaines, mois, ans, heures, minutes, secondes.* Toutes ces unités sont substituables à la même position. Elles expriment toutes une mesure de temps.

Cependant, de nombreuses unités lexicales ont des liens sémantiques étroits sans être pour autant mutuellement substituables.

> Les verbes exprimant l'expression de la parole ont des constructions qui ne permettent pas de les substituer : *parler* (avec qqn), *dire* (qqc à qqn), *informer* (qqn de qqc).
>
> Les verbes suivants sont apparentés par le sens, mais ne sont pas mutuellement substituables : *Il a **heurté** le coin de la table. Il s'est **cogné** au coin de la table. Il est allé **donner contre** le coin de la table.*

Pour étendre la recherche à tous les termes apparentés par le sens, nous devons renoncer à la condition de substituabilité dans un environnement morphosyntaxique constant.

Un **champ lexical** se définit dès lors comme un système organisé d'unités lexicales monosémiques possédant un élément sémantique commun.

Les unités lexicales polysémiques n'entrent en considération que pour une seule de leurs acceptions (condition de monosémie). Pour éviter toute confusion, les unités polysémiques seront pourvues d'un indice numérique désignant leur acception.

> L'unité lexicale *femme* a deux acceptions : *femme-1* « être humain adulte de sexe féminin » et *femme-2* « conjoint de sexe féminin » faisant chacune partie d'un champ lexical distinct. L'un regroupe les membres de l'espèce humaine et contient : *homme, femme-1, enfant, garçon, fille,* l'autre regroupe les relations de parenté : *époux, conjoint, mari, femme-2,* etc.

(2) Identification des champs lexicaux. Chaque
unité du champ lexical est analysable sémantiquement. En effet, elle contient d'une part un élément
sémantique commun à toutes les unités lexicales du
champ, et d'autre part un élément différenciateur qui
l'oppose aux autres unités lexicales du champ.

> *Chaise, fauteuil, canapé, banc, tabouret* ont pour
> commun dénominateur d'être des *sièges*. Ils sont
> opposés entre eux par divers différenciateurs : la
> présence ou l'absence de dossier, le nombre de
> places (une, plusieurs), le confort, etc. [POTTIER
> 1964].

Un champ lexical est identifiable par un élément
sémantique commun qui en garantit la cohérence.
Cet élément sémantique commun est désigné par un
mot-clé qui sert d'identificateur. Comme la plupart
des unités lexicales sont chargées de polysémie, le
mot-clé l'est également. C'est pourquoi il est nécessaire de spécifier l'acception pour laquelle le mot-clé
fonctionne comme identificateur du champ lexical.
On aura alors recours à une **paraphrase définitoire**
explicite. C'est donc cette dernière qui identifie un
champ lexical. Le mot-clé n'est qu'une étiquette
commode.

> Les verbes *changer, évoluer, varier, se modifier, se
> transformer* appartiennent à un même champ qu'on
> pourrait identifier au moyen du verbe *changer*.
> Toutefois, ce verbe a plusieurs acceptions. Il faut
> donc spécifier l'acception prise en considération :
> *changer* « devenir différent ».

(3) Inventaire. La collecte des unités candidates à

figurer dans un champ lexical s'effectue au moyen d'encyclopédies, de registres et de divers types de dictionnaires. Chaque unité n'est prise en considération que pour une seule de ses acceptions (condition de monosémie). En outre, elle doit être hyponyme du mot-clé.

> Le dictionnaire analogique de Rouaix cite sous la rubrique *changement* : *modification, mutation, transformation, transmutation, métamorphose, évolution, variation.*
>
> Dans un dictionnaire explicatif, les différents sens de *excéder* sont définis au moyen des verbes : *dépasser, outrepasser, importuner* et *exaspérer* [Petit Larousse Illustré 1992].
>
> Les dictionnaires de traduction proposent en regard de l'entrée lexicale plusieurs traductions plus ou moins équivalentes. Le dictionnaire anglais-français Harrap propose sous la rubrique **glitter** : *scintiller, étinceler, (re)luire, brasiller.*

(4) Organisation du champ lexical. Le problème majeur de la construction d'un champ lexical consiste à expliciter les différences de sens opposant les unités lexicales et à les organiser de façon rationnelle.

La comparaison des définitions proposées par les dictionnaires explicatifs ne suffit généralement pas pour clarifier les différences de sens entre les unités lexicales.

> Les définitions suivantes sont extraites du « Robert Méthodique » : *Aversion* : Violente répulsion. *Répulsion* : Répugnance physique ou morale à l'égard d'une chose ou d'un être qu'on repousse. *Répugnance* : Vive sensation d'écœurement que pro-

voque une chose dont on ne peut supporter la vue,
l'odeur, le contact. *Écœurement* : Dégoût profond,
répugnance. *Dégoût* : Aversion (physique ou morale)
éprouvée pour qqc., qqn.

Certains dictionnaires de synonymes (en fait, il
s'agit de parasynonymes) proposent non seulement
une liste de mots, mais également des définitions
relativement explicites. On choisira de préférence les
définitions les plus explicites, qu'on analysera en y
recherchant les termes les plus marquants (mots-
clés). On constatera rapidement que ces mots-clés ne
forment pas une masse confuse, mais qu'ils expriment souvent différentes valeurs d'une même propriété. On appelle **paramètre** un élément susceptible
de varier, c'est-à-dire d'acquérir différentes valeurs.

> Ayant dressé un inventaire des étendues d'eau à
> l'intérieur des terres, nous obtenons : *lac, étang,
> mare, bassin, piscine, vivier.* Les définitions font
> apparaître trois paramètres : (1) la taille (grande,
> petite, indifférente), (2) l'origine (origine naturelle,
> origine humaine, non précisée), (3) la destination
> (natation, pisciculture, non précisée).
>
> Les verbes du groupe *reluire* comprenant : *briller,
> étinceler, flamboyer, s'iriser, miroiter, scintiller, ruti-
> ler,* font apparaître les paramètres suivants : intensi-
> té, couleur, dynamisme, registre stylistique, etc.

(5) Tableau synoptique. Le tableau synoptique met
en évidence l'organisation du champ lexical. Il mentionne en ordonnée les unités lexicales et en abscisse
les paramètres. Les différentes cases indiquent la
valeur de chaque paramètre. Une case reste vide
lorsque le paramètre n'est pas pertinent.

étendues d'eau	GRANDEUR RELATIVE	ORIGINE	DESTINATION
lac			
étang	petit		
mare	très petit		
bassin		humaine	
piscine		humaine	natation
vivier		humaine	pisciculture

Lorsque les unités lexicales composant le champ sont des bases valentielles, les liens sémantiques des actants servent de paramètres.

Un champ lexical est souvent soumis à certaines règles générales valables par défaut, c'est-à-dire applicables sauf mention contraire.

> Le champ lexical de *couper* au sens de « diviser un objet au moyen d'un objet tranchant » admet pour l'ensemble des verbes (a) un complément introduit par la préposition *en* désignant les parties obtenues par le découpage et un autre complément introduit par la préposition *à* désignant l'instrument utilisé et (b) deux contraintes sémantiques : la pluralité des parties et le caractère tranchant de l'instrument : *Le boucher débite le jambon en tranches. Pierre hache le persil à la moulinette.*

couper : diviser au moyen d'un objet tranchant

paramètres	objets	parties	instruments	divers
Sémantique		plusieurs	tranchant	
Syntaxe	CPL.DIR.	*en* + GN	*à* + GN	
couper				
découper				selon règles
débiter				pour vendre
scier			scie	
tronçonner1			tronçonneuse	
tronçonner2	cylindr.			
sectionner	cylindr.	deux		
hacher		menus morceaux		

5.4. Les champs collocatifs

Un **champ collocatif** est formé de l'ensemble des assemblages habituels propres à une unité lexicale. Un tel inventaire permet de trouver un mot à partir d'un autre dans un enchaînement.

> Le verbe *outrepasser* et le nom *droit* forment un assemblage habituel (une collocation) : *outrepasser ses droits*. Le verbe *outrepasser* figure dans le champ

collocatif de *droit*. On pourra donc découvrir le terme propre (*outrepasser*) à partir du champ collocatif du nom *droit*.

Les collocations sont classées selon les fonctions grammaticales. Les verbes sont associés aux compléments qui les complètent, aux adverbes qui les qualifient ; les adjectifs aux noms qu'ils peuvent qualifier comme épithètes ou comme attributs, aux adverbes qui les qualifient ; les noms aux épithètes qui les qualifient, aux compléments qui les complètent, aux verbes dont ils sont sujets et objets, aux noms qu'ils qualifient. Enfin, on note les composés et locutions dont le mot peut faire partie. Comme ceux-ci constituent de nouvelles unités lexicales, il est indispensable de mentionner leur signification au moyen d'une paraphrase.

Lorsque l'unité lexicale est polysémique, il convient de grouper les collocations par acception et d'identifier chaque acception par une paraphrase.

Exemple : **FUMÉE**, n. fém. (= gaz épais)

épithètes typiques : *une fumée épaisse, opaque, lourde ; légère, fine, vaporeuse ; âcre, suffocante, étouffante, asphyxiante ; noire, blanche, bleuâtre, rousse, grise.*

compléments du nom : *la fumée d'une pipe, d'une cigarette, d'une bougie ; d'un foyer, d'un feu de bois, de l'âtre, d'un volcan, du tabac, d'une locomotive, d'une usine ; les fumées de la ville.*

comme sujet : *la fumée s'échappe, sort de la cheminée ; la fumée s'élève, flotte, se répand, se dissipe ; la fumée me gêne, m'incommode, me prend à la gorge, me fait tousser, m'asphyxie.*

comme complément direct : *dégager de la fumée ; le*

fumeur aspire, avale, souffle, rejette la fumée.

comme complément du nom : *un nuage, un panache, un dégagement, un écran, des tourbillons, une colonne, une traînée, des flocons, des bouffées de fumée ; le fumeur fait des ronds de fumée ; la pièce est pleine de fumée ; des murs noircis de fumée.*

comme complément d'agent : *une intoxication par la fumée, l'air est pollué par la fumée.*

dans un composé : *une bouche de fumée* (= orifice d'un poêle), *du noir de fumée* (= pigment, noir de carbone), *un conduit de fumée* (= tuyau d'évacuation).

dans une locution : *s'en aller, s'évanouir en fumée* (= disparaître sans traces), *il n'y a pas de fumée sans feu* (= toute rumeur repose sur un fond de vérité).

5.5. Les champs conceptuels

Tandis qu'un champ collocatif est construit au départ d'une unité lexicale, le **champ conceptuel** fait l'inventaire des arrangements syntaxiques qui correspondent aux configurations actantielles liées à un concept déterminé.

Concept **ODEUR** associé à une origine, un lieu, une qualité :

+ lieu + qualité	: *Ça sent bon ici.*
+ qualité + origine	: *Un doux parfum se dégage des arbustes en fleurs.*
+ origine + lieu	: *L'odeur du tabac imprègne tes vêtements.*
+ odeur + qualité	: *Les fleurs sentent bon. Les arbustes répandent un doux parfum.*

+ odeur + lieu   : *Les roses parfument la chambre.*
+ odeur + qualité   : *La ruelle exhale un relent fétide.*
+ odeur + origine   : *Ses vêtements sentent la naphta-*
                      line.

5.6. Les champs référentiels

Un **champ référentiel** rassemble les mots utilisés pour désigner un ensemble cohérent d'entités extra-linguistiques. Il n'est donc pas fondé sur des critères strictement linguistiques ; cependant, il met en œuvre un certain nombre de relations associatives (connexité, hyponymie, lieu, etc.) représentatives des connaissances générales dans un domaine particulier.

> Une ferme est une exploitation agricole. Tous les mots désignant des concepts relatifs à la ferme constituent un champ référentiel. Celui-ci mentionnera les différents types de ferme, les locaux d'exploitation, le personnel, le bétail, les activités typiques, etc.

CHAPITRE VII

LES CONCEPTS

Plan

1. *La sémantique conceptuelle*

1.1. La compétence sémantique

Lorsque nous connaissons une langue, nous pouvons produire et comprendre des énoncés bien formés. Nous pouvons même comprendre des énoncés

que nous n'avons jamais entendus auparavant et produire des énoncés parfaitement originaux qu'un récepteur comprendra, s'il connaît la même langue. En d'autres termes, nous possédons la compétence linguistique de cette langue. Celle-ci inclut la **compétence sémantique,** c'est-à-dire l'aptitude à reconnaître :

(a) l'identité de contenu sémantique (synonymie),

> En confrontant plusieurs phrases, nous pouvons détecter la synonymie, c'est-à-dire une identité purement sémantique, par exemple clé et solution d'une part, et mystère et énigme d'autre part, dans : *La **clé** du **mystère**. La **solution** de l'**énigme**.*

(b) l'ambiguïté des formes d'expression,

> par exemple *voler* dans : *Ce pilote a cessé de **voler**.*

(c) la récurrence d'identités à la fois de forme et de sens,

> par exemple *parc* dans : *Il aime se promener dans le **parc**. Cette ville possède un très beau **parc**.*

Un autre aspect de la compétence sémantique est l'aptitude à reconnaître le style figuré ou imagé. En effet, l'usage de métaphores, de métonymies ou d'autres figures de style nécessite le rejet par l'auditeur de l'interprétation littérale et déclenche la recherche d'une interprétation seconde.

> C'est grâce à notre compétence sémantique que nous reconnaissons la banalité de : *Les arbres perdent leurs feuilles en automne,* par rapport au style imagé de : *Les arbres se déshabillent en automne.*

1.2. Contenu sémantique

Grâce à notre compétence sémantique, nous sommes capables d'assigner une signification à un texte ou à une phrase lorsque nous ignorons tout des circonstances dans lesquelles le texte ou la phrase ont été produits. On appelle **contenu sémantique** d'un texte la signification dont il est investi par le code linguistique. Cette signification est constante, car elle est indépendante du contexte d'énonciation. Elle s'oppose au **sens de l'énoncé** déterminé par le contexte d'énonciation.

> Si on fait abstraction du contexte d'énonciation, le pronom personnel *je* désigne le locuteur. Cette signification est la même pour tous les usagers de la langue française. Elle représente donc le contenu sémantique du pronom *je*. Par contre, dans un énoncé particulier, ce pronom désigne une personne déterminée : Pierre, Nathalie, mon voisin, etc. La personne désignée varie selon le contexte d'énonciation et relève donc du sens de l'énoncé.
>
> A la lumière de notre connaissance de la grammaire et du vocabulaire français, la phrase : *Il pleut* représente un fait atmosphérique en cours au moment où on parle (contenu sémantique de la phrase). Selon les circonstances, cet énoncé peut signifier : « Prends ton parapluie » ou « Je ne pourrai pas tondre la pelouse aujourd'hui » (sens de l'énoncé).

La **sémantique conceptuelle** se donne pour tâche d'étudier la compétence sémantique d'une langue. Elle étudie le contenu sémantique des textes, c'est-à-dire leur signification « littérale » ou « linguistique », tandis que la **pragmatique linguistique** étudie le sens des énoncés en relation avec le contexte d'énonciation. Parce qu'elle est indépendante du contexte d'énonciation, la sémantique conceptuelle est en mesure de formuler des généralisations concernant le fonctionnement des significations dans une langue.

1.3. Le non-parallélisme sémantico-grammatical

On constate d'une part que des expressions totalement différentes peuvent véhiculer les mêmes contenus sémantiques (synonymie) et d'autre part qu'une même expression linguistique peut véhiculer des contenus sémantiques différents (ambiguïté ou polysémie). En conséquence, il n'y a pas de correspondance biunivoque entre les contenus sémantiques et les formes d'expressions. En d'autres termes, il n'y a pas de parallélisme entre les unités de contenu sémantique et les unités lexicales ou grammaticales.

> On peut par exemple exprimer une relation causale aussi bien par des unités lexicales comme *provoquer, être dû à, être la cause, avoir un effet*, etc., que par des unités grammaticales comme les prépositions ou les conjonctions *par, à cause de, en raison de, parce que, car*, etc.

> Les modalités s'expriment par des procédés lexicaux ou grammaticaux (verbes et adverbes de modalité, temps grammaticaux, intonations, etc.) : *Il a été probablement empêché. Il aura été empêché.*
> Les temps grammaticaux ont évidemment pour fonction d'exprimer des relations temporelles, mais il existe des prépositions, des conjonctions, des

affixes à valeur temporelle, ainsi que des noms, adjectifs, verbes et adverbes.

L'imparfait sert aussi bien à exprimer un événement en cours dans le passé qu'un événement irréel dans le présent : *Alors, j'**avais** le temps. Si j'**avais** le temps maintenant, je t'aiderais.*

L'article défini indique aussi bien un objet particulier déterminé que la classe désignée par le nom : *As-tu rangé **le pain** ? On fabrique **le pain** avec de la farine.*

A l'intérieur d'une langue déterminée, les unités lexicales (lexèmes simples, dérivés, composés et locutions), les unités grammaticales (flexifs, mots grammaticaux) et leurs modalités d'agencement dans les unités syntaxiques (formes de mots, syntagmes, phrases) sont porteuses de signification. En d'autres termes, ces unités et leurs agencements sont des formes d'expression ou signifiants associées à des signifiés. Tandis que la sémantique lexicale ou sémantique du mot a pour objet la signification des diverses formes d'expression, la **sémantique conceptuelle** étudie les contenus sémantiques indépendamment de leurs formes d'expression.

Le domaine de la signification est donc vaste. Il se répartit sur les trois plans du contenu (cf. Chap. 4, § 4.2.) :

(a) le niveau pragmatique caractérisé par la prise en compte du contexte d'énonciation,

(b) le niveau conceptuel indépendant à la fois du contexte d'énonciation et des formes d'expression et

(c) le niveau du signifié indissociablement lié aux formes d'expression.

2. *Signification et connaissance*

2.1. Fonction cognitive du langage

Le discours est le principal véhicule de la pensée. Il nous permet d'acquérir et de transmettre des connaissances. Les textes permettent de conserver d'énormes quantités de connaissance. Les mots ont le pouvoir de rendre accessibles des portions de connaissance stockées dans la mémoire. La signification des mots est directement liée à ce que nous savons à propos des objets désignés par ces mots.

> La phrase : *Moustache, le chat de Nathalie, mange des pommes de terre* est porteuse des informations suivantes : « Nathalie a un chat, celui-ci s'appelle Moustache et mange des pommes de terre ».
>
> Un texte intitulé : *Le procès de Jeanne* déclenche chez l'auditeur un ensemble organisé de connaissances : un procès présuppose un délit ainsi que des lois ou des normes. Il débouche sur un verdict. Le titre active également tout ce que l'auditeur sait à propos de Jeanne.
>
> La signification du mot *fleuve* contient à elle seule une petite somme de connaissances que nous explicitons en consultant le dictionnaire : « Un fleuve est un cours d'eau. Il a des affluents et se jette dans la mer. Un cours d'eau est formé par de l'eau s'écoulant de façon continue. »
>
> Dans la phrase : *Pierre a un canari, mais il est bleu,* la conjonction *mais* signale un fait exceptionnel, c'est-à-dire une opposition entre le canari de Pierre et ce que nous savons des canaris (qu'ils sont jaunes).

L'interaction entre le discours et la connaissance est un phénomène majeur. La sémantique conceptuelle a pour tâche d'éclairer les mécanismes qui permettent au discours de créer, d'activer et de gérer la connaissance.

2.2. Types de connaissance

On distingue deux grands types de connaissance :
(a) les connaissances particulières, également appelées connaissances épisodiques, portant sur des événements individuels et
(b) les connaissances générales, lesquelles sont, (1) soit structurelles lorsqu'elles nomment des propriétés inhérentes, inaliénables ou nécessaires des objets, (2) soit liées à une culture ou au savoir populaire lorsqu'elles nomment des propriétés typiques non nécessaires des objets et admettent des exceptions (cf. Chap. 2, § 7).

> *Le veau est malade* (connaissance épisodique)
> *Le veau est un animal de l'espèce bovine* (connaissance structurelle)
> *Le veau est un animal domestique* (connaissance relative à une culture)

Les contenus explicités par les phrases ou les textes sont appelées **contenus propositionnels.** Généralement, les connaissances explicitées par le discours sont épisodiques, tandis que les connaissances générales sont habituellement implicites. Une connaissance générale peut toutefois être explicitée ; c'est le cas lorsqu'un professeur de sciences dit : *L'eau bout à 100 degrés.*

Les **connaissances linguistiques** font partie des connaissances générales. Elles englobent tout ce qu'il faut savoir pour comprendre et produire des énoncés corrects dans une langue donnée. Elles comprennent donc la connaissance du vocabulaire, des règles de grammaire, des règles de prononciation ou d'orthographe, ainsi que des règles de grammaire textuelle. Elles englobent la signification des mots, laquelle relève naturellement des connaissances générales.

3. *L'analyse compositionnelle*

3.1. Principe de compositionnalité

Le contenu sémantique d'une phrase ou d'un texte résulte de la signification et de l'agencement de leurs composants sémantiques. Le principe selon lequel la signification du tout est fonction de la signification des parties est appelé **principe de compositionnalité** [FREGE 1892]. L'**analyse compositionnelle** a pour objet la reconnaissance des unités de signification et de leurs modalités d'agencement dans les phrases et textes. Elle consiste à analyser le contenu de la phrase ou du texte en éléments sémantiques constitutifs et à expliquer leur agencement au moyen de règles de composition.

> Les équivalences suivantes montrent que la signification des mots simples est décomposable :
>
> *tuer = causer la mort,*
> *vache = bovin femelle adulte.*
>
> Les catégories grammaticales peuvent s'analyser de la même façon. Une des acceptions de l'imparfait peut se décomposer en un « événement en cours à un moment antérieur au temps d'énonciation » et

> une des acceptions de l'article défini pluriel en un
> « ensemble identifié comprenant plusieurs objets
> individuels ».

La décomposition du contenu sémantique en éléments constitutifs permet de définir et de classer les
contenus, mais n'épuise pas la signification des unités
de contenu.

> Une « vache » est certes un « bovin adulte de sexe
> féminin », mais c'est également un animal domes-
> tique d'allure lymphatique élevé à la campagne pour
> son lait.

L'analyse compositionnelle ne peut se limiter à
l'établissement de simples inventaires, car ceux-ci ne
fournissent aucune information concernant la nature
des liens sémantiques unissant les éléments constitutifs. Or, ces relations font également partie du contenu sémantique.

> Dans les exemples suivants, la relation unissant les
> éléments constitutifs du contenu sont chaque fois
> différentes :
> *matou* = *chat mâle* (un matou est à la fois « chat » et
> « mâle »),
> *bru* = *épouse (du) fils* (la bru de X est l'épouse de Y
> qui est le fils de X),
> *noircir* = *rendre noir* (noircir X, c'est faire qqc ayant
> pour effet que X devienne noir).

Un autre procédé d'analyse consiste à reconnaître
des **traits sémantiques** comparables aux traits pertinents utilisés en phonologie (cf. Chap. 8, § 6.3.). Les
traits sémantiques sont assortis d'une valeur positive,
négative ou nulle. Ils ont l'avantage de servir de paramètres pour la confection de systèmes lexicaux, mais

ne permettent pas de représenter les liens sémantiques qui les unissent.

OVIN	adulte	féminin
mouton	o	o
bélier	o	–
brebis	o	+
agneau	–	o
agnelle	–	+

On accède aux composantes sémantiques d'une
expression au moyen d'opérations de déduction et de
paraphrase complétées par la reconnaissance des
relations d'implication et de présupposition.

3.2. La déduction

A partir du contenu sémantique d'une expression,
le locuteur compétent peut conclure à certaines propositions qui en résultent nécessairement.

> Du contenu sémantique de la phrase : *Les nuages
> cachent le soleil* on peut déduire qu'il y a des nuages
> et que ceux-ci empêchent de voir le soleil. De la
> phrase : *Le château a été visité par de nombreux tou-
> ristes américains* on peut déduire que des touristes
> américains ont visité le château et que ces touristes
> étaient nombreux. D'une phrase simple comme : *Il
> pleuvait* on peut déduire que le locuteur affirme que
> la pluie était en train de tomber à un moment donné
> antérieur au temps présent.

La possibilité de telles déductions suggère que les
contenus mis en évidence par l'opération de déduc-

tion étaient déjà présents dans la prémisse. L'ensemble des déductions permises par une phrase permet de décrire avec une grande précision le contenu sémantique d'une phrase. Pour obtenir par déduction un élément sémantique constitutif, on utilise des formules comme : « Si X, alors Y », ou « Y, puisque X ».

*Si la situation évolue, **alors** elle change.*
*La situation change **puisqu**'elle évolue.*

On peut également avoir recours à la substitution d'expressions linguistiques dans un même environnement sémantique. A partir d'une phrase A, on forme B par remplacement de X par Y. Si la vérité de A entraîne la vérité de B, alors la signification de Y est contenue dans X, toutes autres choses étant égales.

A : *Dupont a **scié** (X) la planche.*
B : *Dupont a **coupé** (Y) la planche.*

Si la première phrase est vraie dans un contexte donné et que la seconde l'est également et, inversement, les expressions interchangeables sont synonymes (cf. Chap. 6, § 2.2.).

*Nous avons travaillé pendant deux **jours** entiers.*
*Nous avons travaillé pendant deux **journées** entières.*

*Soyez bons **envers** les animaux.*
*Soyez bons **à l'égard des** animaux.*

On peut également identifier un constituant sémantique grâce à la contradiction qui résulte de l'affirmation du constituant et de la négation du constitué.

De : ??? *Il a tamponné la voiture, mais ne l'a pas*

heurtée, on doit conclure qu'il est possible de tamponner sans heurter. Comme cette phrase est inacceptable, il faut en conclure que *tamponner* implique *heurter* ou, en d'autres termes, que la signification de *heurter* est contenue dans celle de *tamponner.*

3.3. La paraphrase

La **paraphrase** est un cas particulier de synonymie. Une paraphrase est une expression plus complexe que l'expression synonyme. Les divers éléments contenus dans l'expression paraphrasante permettent d'analyser la composition sémantique de l'expression paraphrasée. Celle-ci non seulement identifie les principales composantes sémantiques, mais éclaire également les liens sémantiques unissant ces composantes.

> *Il **cherchait** la solution = Il **essayait de trouver** la solution.*

La paraphrase est un procédé naturellement utilisé pour pallier les insuffisances de vocabulaire. On dira *cheval mâle* si on ignore *étalon.* Le langage technique utilise fréquemment des expressions compactes alors que le langage populaire préfère une paraphrase. On dira *ensacher le grain* au lieu de *mettre le grain en sacs.*

Les dictionnaires définissent la signification des mots-clés au moyen de paraphrases. A chaque acception correspond une paraphrase.

Mot-clé : ***humaniser***
1. Rendre accessible à l'homme (*humaniser une doctrine*)

2. Donner la nature humaine à (*Un dieu qui s'humanise*)

3. Rendre plus humain (*humaniser les conditions de travail*)

Les composants sémantiques que la paraphrase met en évidence sont rarement des termes sémantiques primitifs. En effet, les termes paraphrasants sont eux-mêmes relativement complexes et susceptibles d'être paraphrasés. On peut ainsi paraphraser les termes complexes par des termes plus simples jusqu'au moment où l'on rencontre des termes sémantiques primitifs qu'on ne peut plus paraphraser.

> Un *sponsor* peut être paraphrasé comme « une firme qui soutient financièrement une association culturelle ou sportive dans un but publicitaire ». Les termes de la paraphrase peuvent être eux-mêmes paraphrasés, par exemple *firme* : « entreprise industrielle ou commerciale ». Dans cette dernière paraphrase apparaît le terme *entreprise,* lui-même paraphrasable en « organisation de production de biens ou de services à caractère commercial ». Dans cette paraphrase apparaît *organisation,* paraphrasée en « association qui se propose un but déterminé » et une *association* est « un groupement de personnes ». Au terme de ce genre d'analyse, on obtient une certain nombre de concepts primitifs : but, personne, groupe, ...

3.4. Implication et présupposition

L'implication et la présupposition sont des relations sémantiques fondamentales très utiles pour la description précise des significations.

Un événement transformatif, comme par exemple le fait de *s'endormir*, « présuppose » un état antérieur négatif (le non-sommeil) et « implique » un état positif (le sommeil) immédiatement postérieur à l'événement [FABRICIUS 1975 : 21].

Une proposition sémantique **en implique** une autre lorsque la vérité de la première fait connaître avec certitude la vérité de l'autre.

> *John est parvenu à fermer la porte* implique : *John a fermé la porte.*
> *Thomas s'est endormi* implique : *Thomas dort.*

Il est absurde d'affirmer la première proposition et de nier la seconde. Puisque *cesser de fumer* implique *avoir fumé*, on ne peut dire : *??? Il a cessé de fumer, mais il n'a jamais fumé.*

Une proposition sémantique qui constitue un préalable à la vérité d'une autre proposition est une proposition **présupposée.** La présupposition est une relation entre une proposition sémantique complexe et une ou plusieurs de ses parties.

> *La porte s'est ouverte* présuppose : *La porte n'était pas ouverte.*
> *Mon fils a réussi ses examens* présuppose : *J'ai un fils.*
> *Les élèves qui ont triché seront punis* présuppose : *Certains élèves ont triché.*
> *C'est Jean qui a retrouvé la clé* présuppose : *Quelqu'un a retrouvé la clé.*
> *S'il faisait beau, je tondrais la pelouse* présuppose : *Il ne fait pas beau.*
> *Puisque tu es là, tu vas m'aider* présuppose : *Tu es là.*

La proposition présupposée reste vraie même si la proposition présupposante est niée : *Mon fils n'a pas réussi ses examens* présuppose : *J'ai un fils*. La phrase devient absurde si on nie la proposition présupposée : *??? Mon fils a réussi ses examens, mais je n'ai pas de fils*. Il ne faut pas confondre l'implication et la présupposition. L'implication est sensible à la négation, la présupposition ne l'est pas.

> *Thomas s'est endormi* implique : *Thomas dort*.
> *Thomas **ne** s'est **pas** endormi* implique : *Thomas **ne** dort **pas**.*
>
> *Thomas s'est endormi* présuppose : *Avant cela, Thomas est éveillé*.
> *Thomas **ne** s'est **pas** endormi* présuppose : *Avant cela, Thomas est éveillé*.

4. *Les unités sémantiques*

4.1. Les unités traditionnelles

Selon la tradition, la **phrase** est une unité sémantique, car elle permet d'exprimer une « idée complète », c'est-à-dire un contenu sémantique considéré comme complet [DUBOIS et al. 1973 : 377]. Outre le fait qu'il est difficile de se prononcer sur le caractère « complet » d'une idée, nous pouvons démontrer qu'il n'existe pas de correspondance biunivoque entre les phrases et les contenus sémantiques. En effet, une même idée, c'est-à-dire un même contenu sémantique, peut être exprimée par des phrases distinctes, tandis qu'une phrase peut être ambiguë et donc exprimer des idées différentes. La phrase n'est donc pas une unité de la sémantique conceptuelle. Elle est au contraire une unité syn-

taxique constituée d'un assemblage d'unités lexicales et grammaticales et caractérisée par son autonomie et la cohésion interne de ses constituants (cf.
Chap. 3, § 8.1).

> Les phrases : (1) *Mozart mourut jeune* et (2) *Mozart
> était jeune lorsqu'il mourut* expriment la même idée
> bien qu'étant très différentes. La phrase : *Tous les
> étudiants ont lu un roman de Simenon* est ambiguë.
> Elle signifie soit qu'ils ont lu le même ouvrage, soit
> qu'ils ont lu un ouvrage quelconque de Simenon,
> mais pas nécessairement le même.

La tradition considère également le **mot** comme
une unité de signification. Cependant, les mots sont
souvent polysémiques, c'est-à-dire chargés de plusieurs sens, par exemple *blesser* : (1) « occasionner
une blessure », (2) « offenser ». Un même contenu
peut être exprimé par des mots différents, par
exemple le contenu « important » par les mots *important, gros, sensible* (*un chargement important, un gros
entrepreneur, une augmentation sensible des tempéra-
tures,* etc.). Le mot n'est donc pas une unité de la
sémantique conceptuelle.

4.2. Unités référentielles et conceptuelles

La tradition nous a généralement habitués à relier
directement les expressions linguistiques aux objets,
états ou événements extérieurs au langage. On dira
volontiers qu'une *chaise* est ce sur quoi on est assis.
Les définitions de ce genre non seulement sont incorrectes (l'objet reste une chaise si je me lève, le mot
chaise peut s'appliquer à d'autres chaises que la

mienne, etc.), mais elles ne nous permettent pas d'appréhender les contenus sémantiques.

On accède aux unités de contenu sémantique en décomposant la relation traditionnelle directe « expression linguistique → objets du monde » en un produit de deux relations, la première unissant les expressions linguistiques aux unités de contenu et la seconde les unités de contenu aux objets du monde.

EXPRESSIONS LINGUISTIQUES	(1)	CONTENU SÉMANTIQUE	(2)	MONDE EXTÉRIEUR

Les expressions linguistiques appréhendent le réel selon un mode référentiel ou conceptuel.

(1) Selon le mode référentiel, les expressions linguistiques ont le pouvoir de désigner des objets individuels ou des ensembles d'objets individuels. Cette relation, appelée **référence,** se définit comme la relation de désignation unissant des expressions linguistiques aux objets du monde (personnes, choses, événements, temps, lieux, etc.). Les objets individuels désignés par les expressions linguistiques sont appelés **référents** et les expressions qui les désignent sont les **référenciateurs** ou **expressions référentielles.**

> Une portion d'énoncé comme : *Le menuisier a réparé les deux chaises* contient plusieurs expressions référentielles : *le menuisier* désigne par exemple un ouvrier de l'entreprise de menuiserie XY, l'expression : *a réparé* désigne un fait extérieur au langage, en l'occurrence un état particulier résultant de l'accomplissement de la réparation ; l'expression : *les deux chaises* désigne deux objets matériels.

Les référents sont représentés par des symboles dont la valeur est déterminée par l'univers du discours contenant les informations dont disposent les interlocuteurs et leur permettant d'identifier les objets, états ou événements dont il est question (cf. Chap. 2, § 5). Pour la commodité de l'exposé et en conformité avec l'usage, nous utilisons ici le terme référent pour désigner la représentation symbolique d'un objet extérieur (référent au sens strict).

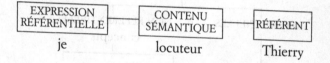

EXPRESSION RÉFÉRENTIELLE	CONTENU SÉMANTIQUE	RÉFÉRENT
je	locuteur	Thierry

L'expression référentielle représentée par le pronom personnel de la première personne du singulier *je* a une valeur sémantique stable, il désigne toujours un locuteur, quelle que soit la personne désignée. Par contre, la relation unissant le contenu sémantique au référent dans le monde extérieur est déterminée par l'univers du discours.

(2) Selon le mode conceptuel, les expressions ne renvoient pas directement à des objets du monde extérieur. Les unités sémantiques qui leur correspondent sont les **concepts,** qui sont par nature des unités sémantiques non référentielles.

Placées en dehors de la phrase et de leur contexte d'énonciation, des expressions comme *menuisier, réparer, chaise* ne peuvent renvoyer à des objets ou événements particuliers. Ce sont donc des expressions non référentielles. Cependant, l'expression *les deux chaises,* qui renvoie à un ensemble contenant deux chaises particulières, est une expression référentielle.

Les concepts comprennent d'une part des classes génériques d'objets, d'événements, de relations, etc. (cf. § 4.4.), et d'autre part des fonctions conceptuelles servant à relier entre elles les unités sémantiques (cf. § 4.6.).

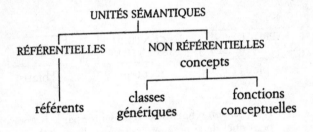

4.3. Compréhension et extension

La **compréhension,** appelée également **intension** (ce mot s'écrit avec *s* et non avec *t*), d'une classe générique est l'ensemble des propriétés distinctives permettant de reconnaître les objets auxquels cette unité s'applique valablement. La compréhension d'une unité représente ce qu'un locuteur sait à propos de cette unité et qui lui permet d'apprécier correctement la valeur de vérité de phrases déclaratives comprenant cette unité. La compréhension d'un terme est donc directement liée à notre connaissance du monde.

La compréhension de la classe générique appelée *chaise* correspond à tout ce que nous savons à propos des chaises en général et qui nous permet de les distinguer des autres objets (tabourets, fauteuils, bancs, etc.).

On constate sans difficulté que les mêmes mots n'ont pas exactement la même signification chez des personnes qui n'ont pas la même expérience du monde (enfants, étudiants, hommes de métier, etc.).

L'**extension** est une notion quantitative. Définir un ensemble en extension revient à énumérer les objets appartenant à cet ensemble.

L'extension de l'expression *les deux chaises* est formée par les deux objets individuels auxquels il est fait allusion.

L'extension est dépendante de la compréhension. En effet, nous ne pouvons parler d'un ensemble en extension que si nous connaissons les propriétés qui nous permettent de les reconnaître. L'extension d'un terme est en raison inverse de sa compréhension. Plus grande est l'extension, plus petite est la compréhension, et inversement. Les termes plus précis ont une extension relativement moindre. Par contre, les caractères distinctifs des termes précis sont comparativement plus nombreux que ceux des termes généraux. Les termes plus précis ont donc une compréhension plus forte.

On constate que les termes plus précis s'appliquent à des objets moins nombreux que les termes généraux correspondants : *crocus* et *fleur*. Ainsi, *crocus* possède des caractères distinctifs que *fleur* ne possède pas nécessairement, par exemple « plante à bulbe ».

On appelle **spécialisation** une augmentation de la compréhension accompagnée d'une diminution de l'extension : *travailler > labourer*. A l'inverse, la **généralisation** est une augmentation de l'extension accompagnée d'une perte de compréhension : *maison > bâtiment*.

4.4. Les classes génériques

Pour pouvoir parler des classes génériques, nous leur donnons un nom, par exemple « oiseau », « pomme », « don », « visite ». Ainsi « oiseau » est un **nom de classe** (ou un nom de concept, puisque les classes génériques sont des concepts). Il ne faut pas confondre les noms de classe avec les unités lexicales qui les expriment dans une langue donnée. Lorsqu'un danger de confusion existe, nous encadrons les noms de classes par des astérisques : *don*, *visite*, etc.

> La classe d'événements ayant pour nom *don* peut être lexicalisée de diverses façons : par les verbes *donner, recevoir, munir,* par les noms *donation, don,* etc.
> La classe ayant pour nom *visite* peut être lexicalisée en *visiter, rendre visite à,* etc.

Les classes génériques sont définies par un ensemble de propriétés, c'est-à-dire par compréhension. On distingue deux types de propriétés définitoires correspondant chacun à un type de connaissance générale.

(a) Les **propriétés nécessaires et distinctives** représentent une connaissance structurelle, classificatoire et définitoire. Elles ne souffrent aucune exception et permettent une classification scientifique débouchant sur une organisation conceptuelle du monde, appelée **ontologie** ou **modèle ontologique.**

> On ne peut nier les propriétés nécessaires. Il est absurde de dire : ??? *C'est une tulipe, mais ce n'est pas une fleur.*

(b) Les **propriétés typiques** sont le fruit de l'expérience que nous avons du monde et reflètent le bon sens commun. Ces propriétés sont reconnues comme telles par l'expérience. Elles admettent des exceptions.

> Le concept *vache* désigne nécessairement un mammifère adulte féminin de l'espèce bovine. Ces propriétés sont nécessaires et définitoires. En outre, les vaches possèdent des propriétés typiques : elles donnent du lait, sont grosses et lymphatiques, vivent à la campagne dans les pâturages ou les étables, etc. Ces propriétés sont le reflet de notre expérience et sont susceptibles d'être contredites occasionnellement (vaches maigres, ne donnant pas de lait, vachettes landaises agressives, etc.).

On peut identifier les propriétés typiques au moyen d'un test d'opposition utilisant la conjonction *mais,* car cette conjonction indique qu'une propriété typique n'est pas réalisée.

> *C'est un canari,* **mais** *il n'est pas jaune.*
> On ne dira pas : ??? *C'est un canari,* **mais** *il est jaune.*

Les propriétés des classes peuvent être d'ordre perceptuel ou correspondre à des schémas de comportements en rapport avec l'expérience et l'usage. C'est ainsi qu'il est souvent possible de donner deux types de définitions : une description de la forme et une description de la fonction.

> Une *chaise* peut être définie selon la forme comme une plaque d'environ 40 x 40 cm sur quatre pieds avec un dossier mais sans accoudoirs, ou selon la fonction comme une pièce de mobilier conçue pour qu'une personne seule puisse s'y asseoir.

Une classe est unie aux autres classes par diverses relations comme « est une sorte de », « est une partie de », « est un ensemble de », etc.

> Une tulipe « est une sorte de » fleur.
> Un doigt « est une partie de » la main.
> Une fortification « est un ensemble de » constructions défensives, etc.

Une classe A est superordonnée à une classe B lorsque cette dernière (B) est unie à la première (A) par la relation « est une sorte de », écrite généralement « AKO », abrégé de l'anglais « is A Kind Of ».

> La classe *fleur* est superordonné à la classe *tulipe*. En effet, une tulipe « est une sorte de » fleur.

Les **classes simples** sont définies par leur superordonné et par un certain nombre de propriétés nécessaires ou typiques. Il faut toutefois rappeler que le superordonné et les propriétés n'épuisent pas toute la signification (cf. § 3.1.). Il en résulte une conséquence importante : il est quasiment impossible de paraphraser les classes simples.

> La classe *oiseau* admet une définition par genre proche (son superordonné) et différences spécifiques (les propriétés nécessaires et typiques) : un oiseau est une sorte d'animal qui a des plumes et des ailes, qui pond des œufs et sait voler. Toutefois, cette

énumération n'épuise pas l'expérience que nous avons des oiseaux.

A la différence des classes simples, les **classes complexes** n'admettent pas de définition par genre proche et différences spécifiques. Par contre, on peut les paraphraser sans difficulté. Les classes complexes sont des assemblages conceptuels comparables aux assemblages d'unités lexicales.

> On ne définit pas un matou comme « une sorte de » chat, mais simplement comme un « chat mâle ». Ainsi, « matou » ne représente pas une classe simple, mais un composé conceptuel formé de *chat* et *mâle*.

La reconnaissance de classes complexes formées par assemblage de classes simples revêt une importance fondamentale lors de l'élaboration d'une sémantique conceptuelle. En effet, elle permet d'identifier un nombre relativement restreint de classes simples et un nombre virtuellement illimité de classes complexes construites à partir des classes simples.

> Les représentations conceptuelles de *matou* et de *chat mâle* sont les mêmes. En effet, l'unité lexicale *matou* exprime globalement une classe complexe formée de *chat* et *mâle* et l'assemblage lexical *chat mâle* exprime séparément les mêmes classes *chat* et *mâle*. Deux expressions synonymes ont ainsi la même représentation sémantique.

4.5. Les prototypes

On admet que l'individu possède une sorte de représentation interne incarnant les propriétés typiques d'une classe et lui permettant de déterminer si un terme s'applique correctement à son objet. Une représentation typique d'une classe est appelée **prototype.**

L'image mentale que nous possédons de l'oiseau est celle d'un petit animal sachant voler. Elle correspond davantage à un moineau qu'à une poule ou un dindon. Le moineau représente assez bien le prototype d'oiseau. Une pomme représente assez bien le prototype de fruit, tandis que tomate ou cornichon, qui sont cependant des fruits, ne possèdent pas toutes les propriétés typiques des fruits bien qu'ils en possèdent les propriétés nécessaires et définitoires.

4.6. Les fonctions conceptuelles

Les **fonctions conceptuelles** sont des unités sémantiques non référentielles ayant une valeur constante servant à caractériser ou à relier les unités sémantiques entre elles.

La négation, les valeurs de vérité, les modalités, la quantification servent à caractériser. Les relations temporelles, spatiales et causales relient les unités sémantiques. Les relations d'agent, de bénéficiaire et d'objet qui relient par exemple un acte de donation au donateur, au donataire et à l'objet donné sont également des fonctions conceptuelles.

Les fonctions conceptuelles comprennent :
(a) les liens sémantiques utilisés pour définir la valence des unités lexicales (cf. Chap. 6, § 3.6.) :

Le lien « a pour agent » associe un événement à l'être qui, disposant d'une force naturelle autonome, en est à l'origine.

Le lien appelé « a pour expérient » associe un état ou événement de nature physiologique, psychologique ou cognitive à l'être qui en est affecté.

Le lien « s'adresse à » est associé à une action orientée vers une personne.

Le lien « a pour possesseur » introduit la personne qui dispose librement d'un objet.

Le lien « objet » introduit une relation peu spécifique désignant ce à quoi s'applique un état ou un événement.

(b) les relations servant à définir les classes génériques, comme « est une sorte de », « a pour propriété typique », « a pour fonction », « est une partie de », « a pour agent », etc. :

Dans les définitions suivantes, les noms des classes génériques sont entourés d'astérisques et les relations conceptuelles sont placées entre guillemets :

Le *pied* « est une partie du » *corps*.

Un *couteau* « a pour fonction » de *couper*.

Une *réparation* « a pour agent » une *personne* et « a pour objet » un *artéfact*.

Un *être vivant* « a pour propriété typique » la *mobilité*.

(c) les fonctions entrant dans la description sémantique des unités grammaticales (cf. Chap. 9, § 5.) :

Le sémantisme du comparatif et du superlatif utilise la relation « supérieur à ». Les nombres ordinaux utilisent une relation d'ordre. Les nombres, les déterminants et pronoms indéfinis font appel à la quantification (précise ou floue selon le cas) et à la détermination. Le partitif utilise une relation d'inclusion (par exemple, dans : *deux des enfants*) et la relation « portion de » (par exemple, dans : *manger du chocolat*). L'aspect se décrit au moyen d'une fonction « cursif » et d'une fonction « accompli ».

(d) les fonctions entrant dans la description des affixes, des semi-auxiliaires et des locutions analytiques :

> Un lien causal est exprimé par les suffixes *-is-* et *-ifi-* (par exemple, dans : *égaliser, simplifier*), par les verbes opérateurs *mettre* (*en danger*) ou *donner* (*à qqn connaissance de qqc.*).
> La possibilité apparaît dans le suffixe *-able* (*acceptable*) et dans de nombreuses tournures verbales.
> Un lien inchoatif indiquant le début d'un état ou d'un événement est exprimé par le verbe opérateur *entrer* (*en contact*), et par le semi-auxiliaire *commencer à*.
> Le lien « collection de » apparaît dans les noms qualifiés de « collectifs » et dans certains suffixes (*plumage, colonnade*).
> Le lien de similitude apparaît dans le suffixe *-âtre* (*verdâtre*).
> Etc.

Les fonctions conceptuelles sont souvent analysables en éléments constitutifs. Elles sont des **fonctions dérivées.** Celles qui ne le sont pas constituent un stock limité de **fonctions primitives.**

> Dans *écrire une lettre,* un événement (l'acte d'écriture) est relié à un objet (une lettre) par une relation factitive signalant que l'existence de l'objet (la lettre) résulte du moyen utilisé (l'écriture). La relation factitive est analysable en une relation causale dont le résultat est l'existence d'un objet. La relation factitive n'est donc pas une fonction primitive.

On s'accorde généralement à considérer la relation agentive, la relation causale, la relation d'égalité, la relation d'appartenance à une classe, etc., comme des fonctions conceptuelles primitives.

4.7. Les sèmes

Les unités conceptuelles primitives, c'est-à-dire les classes simples et les fonctions conceptuelles primitives, sont globalement appelées **sèmes.** Un sème est donc une unité non référentielle irréductible, non décomposable en sèmes plus petits. Le sème possède, comme toutes les autres unités de la grammaire, la propriété de récurrence. On veut dire par là qu'il entre dans la composition d'assemblages divers.

4.8. Les référents

Les **référents** sont représentés en sémantique conceptuelle au moyen de symboles à valeur constante : a, b, c, ..., x, y, z. Ils représentent différents types d'objets :

(a) des personnes individuelles : *Jules César, la fille du boulanger,*

(b) des objets matériels : *la tour Eiffel, le soleil, les arbres de la grand-place,*

(c) des états ou événements individuels : *la guerre du Golfe, le mariage de Caroline,*

(d) des lieux : *la place de la Concorde, la France, sur la table,*

(e) des temps : *le 14 juillet 1789, le début des vacances.*

Les référents **déictiques** ou **indexicaux** sont ceux qui ne sont identifiables que dans le contexte d'énonciation comprenant le locuteur (l'émetteur), l'allocutaire (le ou les récepteurs), le temps d'énonciation et le lieu d'énonciation.

La relation unissant les référents aux classes auxquelles ils appartiennent est appelée **instance** et est symbolisée par la fonction « est un(e) » écrite « ISA » (de l'anglais « is a(n) »).

> La chaise de ma chambre est un objet particulier. Nous disons que ce référent est une instance de la classe *chaise*.
>
> Le cadre de ma grand-mère est tombé. Il s'agit d'un événement individuel. Cet événement est une instance de *chute*.

Les référents peuvent constituer des **ensembles référents** définis en extension. La relation unissant un référent individuel à un ensemble référent est symbolisée par la fonction « élément de » ou ϵ. Il ne faut pas confondre les ensembles référents avec les classes génériques. Ces dernières sont définies par compréhension, tandis que les ensembles référents sont définis en extension.

> L'expression référentielle *les deux chaises* désigne un ensemble référent comprenant deux instances de la classe *chaise*.

Les ensembles référents font l'objet d'une quantification chiffrée ou floue. Ils admettent la détermination, c'est-à-dire un lien d'identification renvoyant à l'univers du discours englobant le contexte d'énonciation.

Dans : *Il faut réparer les deux chaises,* l'ensemble référent représenté par : *les deux chaises* est non seulement quantifié, mais il est également déterminé. Il renvoie à une information contextuelle permettant à l'auditeur d'identifier les deux chaises à réparer.

Dans : *J'ai lu le roman que tu m'as prêté,* l'ensemble référent (*le roman*) est quantifié et déterminé. Il est identifié par une information explicite (celui que tu m'as prêté).

Un référent peut être inclus dans un autre référent.

Dans : *Deux des cinq pommes étaient pourries,* les pommes pourries sont un sous-ensemble des pommes dont il est question.

Dans : *Pierre est en train de travailler,* on n'envisage pas la totalité de l'événement (le travail de Pierre), mais uniquement une portion de celui-ci.

4.9. Les propositions

Tout contenu susceptible d'être affirmé, nié, de faire l'objet d'une question, d'une exclamation ou d'une requête est une **proposition.**

La phrase : *J'ai rencontré ta femme* contient les propositions suivantes : (1) la rencontre du locuteur avec la personne X, (2) l'interlocuteur est marié avec cette personne, (3) la rencontre est accomplie au moment d'énonciation.

Dans la phrase : *Roméo aime Juliette,* on trouve les propositions suivantes : (1) l'amour de X pour Y, (2) X s'appelle Roméo, (3) Y s'appelle Juliette, (4) cet amour est en cours au moment d'énonciation.

Les propositions sont des objets sémantiques relativement complexes comprenant au minimum une connexion d'unités sémantiques.

> Dans : *Un canari est un oiseau,* la classe *canari* est connectée à la classe *oiseau* par la fonction conceptuelle « est une sorte de ».
> Dans : *Ceci est une chaise,* l'expression référentielle *ceci* désigne un ensemble référent relié à la classe *chaise* par la connexion « est une instance de ».

Deux phrases synonymes expriment le même **contenu propositionnel**, c'est-à-dire la ou les mêmes propositions lorsque la vérité de l'une entraîne la vérité de l'autre, et inversement.

> Les deux phrases suivantes expriment le même contenu propositionnel : (1) *Le chien a mordu le facteur,* (2) *Le facteur a été mordu par le chien.* S'il est vrai que le chien a mordu le facteur, alors il est également vrai que le facteur a été mordu par le chien et, inversement, si le facteur a été mordu par le chien, alors le chien a mordu le facteur.
> Les phrases suivantes n'expriment pas le même contenu propositionnel : (1) *Roméo aime Juliette,* (2) *Juliette aime Roméo.*

5. *Représentation des contenus sémantiques*

Pour représenter des contenus linguistiques indépendamment de leur forme d'expression, on a souvent fait appel aux formules de la logique des prédicats. Ce type de représentation a été conçu principalement pour étudier les conditions de validité des raisonnements. Malgré les hautes qualités du formalisme, il n'est guère possible de projeter les formules logiques sur des structures morphosyntaxiques.

A la suite de QUILLIAN [1967], on a fréquemment recours aux graphes conceptuels pour représenter les contenus sémantiques en langue naturelle. Un **graphe conceptuel** est un système de représentation graphique qui globalise et structure la connaissance. Il permet de visualiser les concepts, les référents et les relations qui les unissent. Un graphe conceptuel élémentaire est formé de deux **nœuds** reliés par un arc orienté symbolisant un lien et représenté par une flèche. Nœuds et flèches sont étiquetés. Les classes génériques et les référents sont représentés par des nœuds. Les fonctions conceptuelles sont représentées par des liens lorsqu'elles servent à relier et par des nœuds lorsqu'elles servent à caractériser.

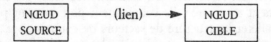

a — (isa) → *épicéa*
épicéa — (ako) → *conifère*
isa = est un(e), en anglais « is a(n) »
ako = est une sorte de, en anglais « is a kind of »

Un **réseau sémantique** est un graphe conceptuel complexe. Il visualise les relations existant entre les graphes qui le composent. Comme le graphe, le réseau a une syntaxe simple. Il ne contient que des nœuds et des relations entre paires de nœuds.

Un **réseau canonique** est un réseau sémantique dont un des nœuds, appelé **tête**, est le point d'accrochage des informations contenues dans le réseau et permet de transporter celles-ci dans d'autres réseaux. Ce type de réseau est utilisé dans les définitions ayant pour tête une classe à définir et pour corps un graphe définitoire. Les réseaux canoniques définissent les contraintes de sélection imposées aux combinaisons de concepts. Ils permettent ainsi de représenter la valence sémantique [SOWA 1988].

> Une définition rudimentaire de *maison* comme une « construction destinée à l'habitat » est représentée par un réseau canonique dont *maison* est la tête :

> ***maison*** =
>   — (ako) → *construction*
>   — (fonction) → *habitat*

Les **cadres** ou **schémas** sont des représentations d'objets structurés. La connaissance étant généralement structurée, ils conviennent parfaitement pour refléter la structure de secteurs de connaissance. Un cadre est une structure qui inclut toute l'information relative à un objet. Il comprend le nom de l'objet et un certain nombre de **facettes** comprenant chacune une propriété et la valeur de cette propriété.

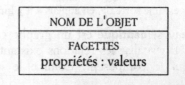

NOM DE L'OBJET
FACETTES propriétés : valeurs

Patrick Durand	
profession	: peintre
âge	: 23 ans
état civil	: célibataire
adresse	: ...

oiseau	
espèce	: vertébré
aptitude	: voler
parties	: deux ailes
reproduction	: ovipare

Dans un réseau sémantique, les **propositions** sont représentées par des portions cohérentes du graphe centrées autour d'un nœud source et définies comme l'ensemble des **trajets** qui partent d'un nœud source.

Un événement particulier (e) ayant pour agent une personne (a) appelée *Pierre* dans : *Pierre travaille,* est représenté par un réseau ayant (e) comme nœud source :

a —(name) → *Pierre*

↑
(agt)
|
e —(isa) → *travail*

Dans : *regarder les enfants qui jouent,* il y a deux événements : « regarder » et « jouer » qui constituent chacun le point de départ d'un trajet. A chaque trajet correspond une proposition.

6. *Le lexique conceptuel*

6.1. Définition

Le **lexique conceptuel** contient les classes définies par compréhension au moyen de propriétés nécessaires et typiques. Ces propriétés placent les classes dans différentes hiérarchies.

> La définition conceptuelle de *vache* permet de classer *vache* dans la catégorie des mammifères, des animaux domestiques, des femelles, des producteurs de lait, des êtres lymphatiques, etc.

6.2. Organisation des connaissances

Nous n'avons pas la connaissance directe du monde qui nous entoure. Toutefois, nous avons des représentations non seulement des objets de ce monde, mais également de la façon dont ce monde est organisé. En outre, nous ne pouvons nous représenter la totalité du monde, mais seulement des « sous-mondes », ou fragments du monde. La représentation d'un fragment du monde consiste à reconnaître un certain nombre de classes pertinentes et à les organiser d'une façon logique et cohérente. Cette construction conceptuelle est fondamentalement indépendante des langues particulières. Elle ne devient linguistique que lorsque les concepts reçoivent une forme d'expression linguistique, c'est-à-dire lorsqu'ils s'incarnent en unités lexicales ou grammaticales.

Une **hiérarchie** est formée de classes ordonnées entre elles par la relation « est une sorte de » (ako) unissant un sous-ordonné à un superordonné. Dans une hiérarchie il y a un seul superordonné maximal commun. Une classe n'appartient jamais qu'à un seul superordonné.

> La classification des animaux en espèces, familles, ordres, etc., constitue un exemple classique de hiérarchie.

L'organisation hiérarchique des classes s'inscrit dans la tradition aristotélicienne qui définit une classe au moyen d'un superordonné, appelé genre, et d'une proposition, appelée différence, qui distingue la classe à définir du superordonné. Une hiérarchie est représentée par un réseau sémantique en forme d'arbre dont toutes les branches sont des liens du type « est une sorte de » (ako).

> Une *reinette* « est une sorte de » *pomme* qui « est une sorte de » *fruit*.

Dans la représentation populaire du monde, les classes s'inscrivent dans une hiérarchie de 3 à 5 niveaux. On distingue alors un genre, une catégorie et des variétés éventuelles.

catégorie	: FRUIT
genre	: *pomme*
variétés	: reinette
	golden
	...

Il n'est pas rare que l'on fasse appel à des sous-catégories ou que le genre soit lui-même subdivisé en sous-genres. L'ordre hiérarchique est alors plus élaboré et comporte cinq niveaux.

catégorie	: ARBUSTE
sous-catégorie	: arbuste ornemental
genre	: *rosier*
sous-genre	: polyantha
variété	: Lily Marlène

Les classements utilisés dans le raisonnement ordinaire sont en général plus complexes que le classement hiérarchique. Une classe peut appartenir à plus d'un superordonné. On appelle **hétérarchie** une hiérarchie entremêlée permettant à une classe d'appartenir à plusieurs superordonnés.

> Un mouton est à la fois une espèce de mammifère et une espèce d'animal domestique.

catégorie	: ANIMAL
sous-catégories	: mammifère
	animal domestique
genre	: **mouton**

L'organisation hiérarchique des classes les plus générales dans un domaine particulier de la connaissance constitue une **ontologie.** Etant donné que la plupart des classes font partie d'hiérarchies enchevêtrées (hétérarchies), les possibilités de classement sont multiples et plusieurs ontologies sont concevables.

6.3. Représentation des définitions conceptuelles

Les **définitions conceptuelles** sont représentées par des réseaux sémantiques de type canonique, lesquels comportent une tête représentant la classe à définir et un corps représentant les graphes définitoires.

> Un éléphant est un mammifère caractérisé par sa taille, son poids, sa trompe et ses défenses en ivoire.

éléphant

(catégorie	: mammifère, animal domestique ou sauvage)
(poids	: lourd)
(dimension	: très gros)
(couleur	: gris, noir, blanc)
(comportement	: démarche lente, herbivore)
(parties	: trompes
	: défenses (substance : ivoire))

6.4. Héritage des propriétés

Dans une hiérarchie, les propriétés attachées à une classe sont transmises aux descendants par voie d'héritage. On appelle **héritage** la transmission des propriétés d'une classe superordonnée vers un sous-ordonné. L'héritage des propriétés est une forme de raisonnement par syllogisme. Dans une hétérarchie, une classe peut hériter de plusieurs superordonnés.

> Un oiseau a pour propriété de posséder des ailes. Les différentes espèces d'oiseau héritent de cette propriété.

Un éléphant a pour propriété typique de posséder une trompe. Les différentes espèces d'éléphants héritent de cette propriété.

Dans le monde réel, nous manipulons des données souvent incertaines et incomplètes. L'héritage des propriétés nous permet de faire des présomptions raisonnables lorsque nous ne disposons d'aucune information relative à un objet. Les propriétés héritées sont des valeurs par défaut valides aussi longtemps qu'elles ne sont pas infirmées.

Si l'objet est un canari, je présume qu'il est capable de voler, car le canari est un oiseau et un oiseau a pour aptitude typique de voler.

Généralement, notre connaissance du monde s'exprime en généralisations accompagnées d'exceptions qui infirment les présomptions obtenues par héritage.

Les mammifères sont vivipares, mais les ornithorinques, qui sont des mammifères, pondent des œufs. Les oiseaux ont des ailes qui leur permettent de voler, mais les autruches ne volent pas.

6.5. Contraintes de sélection

Les classes sont soumises à des contraintes qui spécifient leurs possibilités combinatoires. Le respect de ces contraintes garantit la sémanticité des expressions conceptuelles.

L'événement exprimé par le verbe *réparer* est lié à un agent humain et porte sur un objet matériel. Dans : ??? *Le rocher répare notre courage,* ces contraintes ne

> sont pas respectées et, de ce fait, la phrase est séman-
> tiquement mal formée.

Les contraintes d'ordre sémantique émanant d'une
classe constituent la **valence sémantique** (cf. Chap. 6,
§ 3). Ces contraintes sont formulées en terme de relations unissant une classe de référence aux catégories
conceptuelles admissibles. On les représente au
moyen de réseaux canoniques.

> La classe *réparer* est soumise aux contraintes sui-
> vantes : (a) elle a pour agent un être humain et (b)
> s'applique à un objet matériel, ce que nous représen-
> tons par :
> *réparer*
>   -(agt) → *humain*
>   -(obj) → *objet matériel*

Les contraintes sont soumises aux lois d'héritage.
Une classe hérite des contraintes de ses superordonnés.

> La classe *réparer* a pour superordonné *action*
> (une réparation est une sorte d'action). Or, par défi-
> nition, une action nécessite un agent. La propriété
> « avoir un agent » est transmise à tous les types
> d'action (sous-ordonnés).

6.6. Catégories conceptuelles

Une **catégorie conceptuelle** est une classe située au
sommet d'une hiérarchie, c'est-à-dire une classe qui a
de nombreux sous-ordonnés et peu ou pas de superordonnés. Les principales catégories conceptuelles
sont les objets physiques, les objets abstraits, les propriétés, les états, les événements, les procès et les
actions.

Les **objets physiques** comprennent (a) les **objets individuels** qui sont par nature distincts les uns des autres, ont une forme et une taille, par exemple : un chien, un arbre, une chaise, un nuage et (b) les **objets massifs** qui forment une masse continue, par exemple : l'eau, le sable, le bois.

Parmi les objets individuels, les **artéfacts** se définissent comme des objets créés par l'homme. Ils ont comme propriété essentielle d'avoir une fonction déterminée. Ainsi, une chaise sert à s'asseoir et un avion à nous transporter dans les airs. Les objets individuels peuvent également constituer des **collections**, comme un peuple, un troupeau, des ustensiles de cuisine, etc. Les objets individuels comprennent les **objets matériels** et les **êtres vivants** englobant les animaux et les êtres humains. Les plantes sont tantôt considérées comme objets matériels organiques et tantôt comme des organismes vivants non doués de mobilité.

Les **propriétés** n'ont ni dimension spatiale ni temporelle. Elles comprennent (a) les propriétés non gradables, comme la parité des nombres ou le sexe, qui n'ont que deux valeurs (une valeur positive et une valeur négative) et (b) les propriétés gradables, comme la taille, l'âge, la longueur, etc., qui admettent de nombreuses valeurs intermédiaires.

Les **états** expriment la manière d'être d'une personne ou d'une chose. Contrairement aux événements, les états ne sont pas délimités dans le temps.

Les **événements** ont par nature une dimension temporelle. Ils évoluent et sont délimités dans le temps. Ils comprennent : (a) les **actions**, qui sont des événements voulus et causés par l'homme et (b) les **procès**, indépendants de la volonté humaine.

Certains événements, qu'ils soient des actions ou des procès, ont pour caractéristique de **culminer**, c'est-à-dire de contenir un point représentant l'**accomplissement** de l'événement en question. Ainsi la réparation d'un appareil défectueux est un événement qui culmine lorsque le but est atteint, c'est-à-dire lorsque l'appareil fonctionne à nouveau. La traversée d'une rivière culmine lorsque la rive opposée est atteinte. Lire un livre est un événement qui culmine lorsque la lecture est terminée. Par contre, travailler à la poste, nager pendant deux heures, tricoter ne culminent pas. Les événements qui culminent admettent des compléments de durée introduits par la préposition *en* : *en x temps*. Lorsque l'événement ne culmine pas, on utilise *pendant* : *pendant x temps* [VENDLER 1967].

> *Il a réparé l'appareil en deux heures. Il a traversé la rivière en dix minutes. Il a nagé pendant deux heures. Elle a tricoté toute la journée.*

Dans une expression assertionnelle, le caractère culminant ou non culminant peut être modifié par l'environnement conceptuel.

> Ainsi, *réparer ma bicyclette* culmine, mais *réparer des bicyclettes* ne culmine pas. De même *tricoter un pull* culmine, mais non l'usage absolu de *tricoter*.

7. La grammaire conceptuelle

7.1. Le contenu propositionnel

(1) Le contenu sémantique de phrases ou de portions de texte considérées indépendamment de toute

perspective communicative, c'est-à-dire indépendamment de phénomènes de topicalisation et de focalisation (cf. Chap. 5, § 3 et § 6), est appelé **contenu propositionnel.** Il peut se définir comme un ensemble de conditions de vérité.

> Les phrases suivantes ne se distinguent que par la perspective communicative. Leur contenu propositionnel reste constant : *Pierre a dormi hier. Hier, Pierre a dormi. C'est hier que Pierre a dormi.*
> La phrase : *Pierre travaille* est vraie si un ensemble de conditions sont vérifiées : il existe quelqu'un appelé *Pierre,* il existe un événement particulier appelé *travail,* cet événement est en cours au moment de l'énonciation, Pierre est celui qui exécute le travail.

Le contenu propositionnel est représenté par une structure en forme de réseau sémantique indiquant comment les diverses unités sémantiques (classes génériques, fonctions conceptuelles et référents) sont organisées entre elles pour constituer un contenu sémantique.

> Le contenu propositionnel de la phrase : *Pierre travaillait* comporte les éléments suivants :
> – la classe *travail*
> – le nom *Pierre*
> – une instance d'événement (e) représentant le travail particulier accompli par Pierre,
> – une instance de personne (a) représentant l'individu appelé Pierre,
> – les instances temporelles : le temps d'énonciation (to) et le repère temporel (ti) définissant la perspective temporelle,
> – les liens qui unissent les classes et les instances : le

lien (isa) unissant l'instance d'événement (e) à la
classe *travail*, le lien (name) « a pour nom » unissant l'instance de personne (a) au nom *Pierre*, le lien
(agt) « a pour agent » unissant l'instance d'événement (e) à l'instance de personne (a), le lien (at) « au
moment » unissant l'instance d'événement (e) au
repère temporel (ti), le lien (ante) « antérieur à »
unissant le repère temporel au temps d'énonciation
(to).

$$
\begin{array}{c}
a \longrightarrow (name) \rightarrow Pierre \\
\uparrow \\
(agt) \\
| \\
to \leftarrow (ante) \longrightarrow ti \leftarrow (at) \longrightarrow e \longrightarrow (isa) \rightarrow {*travail*} \\
\uparrow \\
Pierre\ travaillait
\end{array}
$$

Le contenu propositionnel contient également les
relations de coréférence reliant les référents identiques.

Dans : *Pierre se lave,* il y a une relation d'identité
référentielle partant de l'objet et orientée vers
l'agent.
e —(agt) → a —(name) → *Pierre*
  —(obj) → b—(equi) → a
  ...

Le contenu propositionnel est enrichi par le **contenu structurel** représentant les connaissances implicites associées aux classes génériques et contenues
dans le lexique conceptuel. Ces connaissances implicites, qu'elles soient générales ou particulières, reflètent notre représentation du monde.

Si le contenu propositionnel mentionne la classe *procès*, il active en même temps le savoir général associé à *procès* contenu dans sa définition conceptuelle, c'est-à-dire l'existence d'un accusé, d'un accusateur, d'un chef d'accusation, d'une sentence, etc.

Si je traite quelqu'un de « grosse vache », je donne à comprendre que je considère cette personne comme un être « lymphatique et borné ». Cette interprétation est fournie par la définition conceptuelle de *vache*.

(2) La **grammaire conceptuelle** formule les règles de composition des contenus propositionnels, définit les fonctions conceptuelles, en fait l'inventaire et formule les règles de composition, d'équivalence et de déduction. La grammaire conceptuelle se complète par la **grammaire communicative** qui définit les fonctions communicatives et formule les règles qui modulent les contenus propositionnels en fonction de la perspective communicative à l'intérieur d'un texte. La grammaire communicative fait naturellement partie de la grammaire du texte (cf. Chap. 5).

(3) Les **règles de composition** spécifient les contraintes de sélection imposées par les relations conceptuelles.

La relation d'agent impose une double contrainte. D'une part, le premier terme appartient à la catégorie *être vivant* et le second à la catégorie *événement*. La relation étiquetée « at » (« au moment où ») relie une instance d'événement à une instance temporelle. La relation étiquetée « ako » (« est une sorte de ») relie une classe générique à une autre classe générique de façon telle que la première hérite des propriétés de la seconde, c'est-à-dire de son superordonné.

Les **règles de déduction** et d'**équivalence** ont pour fonction d'expliquer les formes du raisonnement ordinaire, l'implication et la synonymie des contenus propositionnels.

Les phrases suivantes sont vraies en même temps bien que les formes d'expression soient différentes : (1) *Pierre a cessé de fumer,* (2) *Pierre fumait auparavant.* (3) *Pierre ne fume plus.* Les règles d'équivalence et de déduction expliquent la synonymie de « avoir cessé de » et « ne plus ». Ce sont ces règles qui expliquent également pourquoi l'accompli du présent (parfait, passé composé) remplace souvent l'inaccompli du passé (prétérit, passé simple), etc.

7.2. Sémanticité des expressions propositionnelles

Une expression propositionnelle est bien formée lorsque ce qui est dit est compatible avec ce que nous savons du monde ou, en d'autres termes, lorsque le contenu propositionnel est compatible avec les contenus structurels.

Dans : *le garçon joue,* la classe *jouer* appartient à la catégorie *action*. Or, une *action* est définie comme un événement causé par un être animé. Comme *garçon* appartient à cette classe, il y a donc une compatibilité parfaite entre le contenu propositionnel et le contenu structurel.

$$x \xrightarrow{\text{(isa)}} {}^*\text{garçon}^* \ldots {}^*\text{garçon}^* \xrightarrow{\text{(ako)}} {}^*\text{être animé}^*$$

$$\uparrow \qquad\qquad\qquad\qquad\qquad\qquad\qquad\qquad\qquad\qquad\qquad \uparrow$$

$$\text{(agt)} \qquad\qquad\qquad\qquad\qquad\qquad\qquad\qquad\qquad \text{(agt)}$$

$$e \xrightarrow{\text{(isa)}} {}^*\text{jouer}^* \ldots {}^*\text{jouer}^* \xrightarrow{\text{(ako)}} {}^*\text{action}^*$$

| CONTENU PROPOSITIONNEL | CONTENU STRUCTUREL |

(agt) : « a pour agent »
(ako) : « est une sorte de » (« A Kind Of »)
(isa) : « est un(e) » (« IS A »)

Lorsque les unités sémantiques apparaissant dans une expression propositionnelle sont apparemment incompatibles, l'auditeur cherche à restaurer la cohérence sémantique en faisant appel à sa connaissance du monde. S'il n'y parvient pas, il se résigne à considérer l'expression comme incompréhensible, c'est-à-dire comme sémantiquement mal formée selon lui. La sémanticité d'une expression est donc essentiellement subjective (cf. Chap. 5, § 2).

La *métonymie* et la **métaphore vive** sont des procédés nécessitant une réinterprétation déclenchée par une incompatibilité apparente à l'intérieur d'une expression propositionnelle.

> Dans : *boire un verre*, la classe *boire* a pour objet un liquide, or un verre est un solide. Cette incongruité est résolue grâce à ce que nous savons de *verre*. En effet, un verre est un récipient destiné à un liquide. La compatibilité est ainsi restaurée.

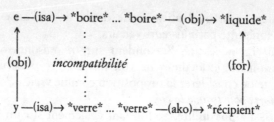

$$e —(isa)→ *boire* ... *boire* — (obj)→ *liquide*$$

Lorsqu'on interprète une phrase métaphorique comme *la forêt dort,* on ne retient que la partie de la signification de *sommeil* compatible avec *forêt*, c'est-à-dire (3) et (4) de la définition conceptuelle de *sommeil* :

(1) état physiologique s'appliquant à des êtres animés,
(2) état de non-activité d'êtres animés,
(3) état caractérisé par le calme, le silence,
(4) état caractérisé par l'inertie, l'immobilité.

7.3. Les modalités

(1) **Modalités de croyance** (épistémiques). En affirmant quelque chose, le locuteur produit une assertion ayant pour objet la vérité d'une proposition.

dire -(obj) → vrai -(obj) → ...[proposition]...

En raison des présomptions de sincérité, le locuteur qui affirme quelque chose est présumé sincère, c'est-à-dire présumé croire lui-même que ce qu'il dit est vrai. Lorsqu'il ne peut assumer totalement la vérité de ses dires, il doit le signaler sous peine de se voir contredit par son interlocuteur. La **modalité de croyance** porte sur la vérité de la proposition et exprime le degré de croyance du locuteur relativement à ce qu'il affirme. Le degré de croyance est représenté par plusieurs valeurs.

(a) La **nécessité.** Se fondant sur un raisonnement implicite, le locuteur ne voit pas d'autre possibilité que de considérer la proposition comme vraie : *Pierre* **doit** *avoir trouvé la clé.*

(b) La **possibilité.** Se fondant également sur un raisonnement implicite, le locuteur estime que la proposition peut être vraie, mais qu'il n'est pas exclu qu'elle soit fausse : ***Il se peut que*** *Pierre ait trouvé la clé.*

(c) La **probabilité.** Ne disposant d'aucun élément d'appréciation, la locuteur émet un avis subjectif en faveur de la vérité de la proposition : *Il a* **probablement** *trouvé la solution.*

(d) La **supposition.** Ne disposant d'aucun élément d'appréciation, le locuteur émet une supposition plus ou moins prudente : ***Il se pourrait bien que*** *Pierre ait trouvé la clé.*

(e) La **neutralité.** Amené à rapporter les dires d'une tierce personne, le locuteur ne veut pas se porter garant de la vérité de la proposition : *Le ministre estime que* **selon lui** *la situation est particulièrement problématique.* Il en va de même lorsque le locuteur se fonde sur la rumeur publique : ***Il paraît*** *qu'il fait très froid en Norvège au printemps.*

(f) Le **doute.** Le locuteur refuse de s'engager, laissant à une tierce personne l'entière responsabilité de la vérité : *Il* **prétend** *avoir été aux Etats-Unis.*
Etc.

La modalité de croyance exprimée dans la phrase : *Pierre est peut-être malade* pourra être représentée par :

dire -(obj) → vrai -(modal) → probable
               -(obj) → ...(*Pierre est malade*)...

(2) **Modalités logiques** (aléthiques). Ce qu'on affirme peut être considéré comme une simple éventualité, une nécessité ou une possibilité en fonction de notre connaissance du monde. La modalité logique ne porte pas sur la vérité d'une proposition, mais caractérise la réalisation d'un événement en fonction des circonstances. Dans certaines circonstances, un événement doit se produire (nécessité), peut se produire (possibilité), ne doit pas se produire (contingence).

(a) Un événement est **possible** lorsque les circonstances qui permettent sa réalisation sont présentes.

> La proposition : *Tu peux tourner à gauche* signifie que les circonstances (par exemple, l'existence d'un embranchement praticable) permettent une bifurcation vers la gauche.

(b) Un événement est **nécessaire** lorsqu'il désigne une condition qui, d'après ce que nous savons, rend seule possible une fin.

> Soit la proposition : *Il doit connaître l'anglais s'il veut étudier aux Etats-Unis.* Etant donné que nous savons qu'on y parle anglais, la connaissance de l'anglais est une condition sans laquelle il ne lui sera pas possible d'atteindre son objectif. Bref, il ne lui est pas possible d'agir autrement.

(c) Un événement est **contingent** lorsqu'il n'est ni nécessaire ni impossible en raison des circonstances.

> La proposition : *Il ne doit pas connaître l'allemand* peut signifier notamment : Il n'est pas nécessaire de

parler allemand pour aller dans ce pays, mais il est très possible d'y utiliser l'allemand.

Lors de la représentation de la modalité logique, le lien modal est attaché à l'événement.

La modalité exprimée dans la phrase : *Il doit passer par la fenêtre* pourra se représenter par :
dire -(obj) → vrai -(obj) → e -(modal) → nécessaire

On remarque que les formes d'expression des modalités de croyance et des modalités logiques sont très semblables. On utilise en effet les mêmes auxiliaires modaux : *devoir* et *pouvoir*. Toutefois, les modalités logiques ne portent pas sur la vérité de la proposition, mais sur la proposition elle-même, c'est-à-dire sur une instance d'événement ou d'état. Tandis que les modalités de croyance sont liées à l'acte illocutif et donc également au temps d'énonciation, les modalités logiques sont indépendantes du temps d'énonciation et admettent dès lors différentes caractérisations temporelles.

Il doit trouver une solution.
Il devra trouver une solution.
Il a dû trouver une solution.

(3) **Modalités d'obligation** (déontiques). La modalité d'obligation signale que la réalisation ou la non-réalisation d'une action procède de la volonté d'une personne ou d'une autorité quelconque.
(a) Une personne est dans l'**obligation** de faire quelque chose lorsque cette chose fait l'objet de la volonté d'un tiers.
(b) Il y a **interdiction** lorsqu'une personne se trouve dans l'obligation de ne pas faire quelque chose en raison de la volonté d'un tiers.

(c) Une personne a la **permission** de faire quelque
chose lorsque cela ne va pas à l'encontre de la volonté d'un tiers, c'est-à-dire lorsque celui-ci ne l'interdit
pas.

> Les modalités d'obligation peuvent recevoir une
> caractérisation temporelle : *Il devront s'arrêter. Ils
> avaient la permission de franchir la frontière. Il leur
> sera interdit de publier ce texte.*

7.4. La temporalité

Le temps fait partie de l'environnement dans
lequel nous vivons et dans lequel se déroulent les
événements. On peut se le représenter comme un
flux régulier et continu orienté de façon irréversible
du passé vers l'avenir.

(1) Les **repères temporels.** Les événements se
déroulent dans le temps. Pour les situer, il faut déterminer (a) un point de repère sur l'axe du temps et (b)
la relation unissant l'événement au repère temporel.

Le temps zéro (to), ou **temps d'énonciation**, est le
temps où on parle. Comme le temps s'écoule lorsqu'on parle, le temps d'énonciation n'est pas fixe,
mais se déplace le long de la ligne du temps au fur et
à mesure de l'énonciation.

Lorsque nous racontons un événement, nous pouvons choisir de relater les faits d'un point de vue
actuel (perspective du présent) ou de nous projeter
dans le passé (perspective du passé). Dans un cas
comme dans l'autre, nous considérons les événements par rapport à un point de repère temporel (ti).
Celui-ci est, dans le premier cas, égal au temps

d'énonciation et, dans le second, antérieur au temps
zéro.

perspective du présent : ti -(equi) → to
perspective du passé : ti -(ante) → to

Nous avons également la faculté de nous projeter
dans le futur quelle que soit la perspective temporelle
choisie. En nous projetant dans le futur, nous choisis-
sons un nouveau point de repère temporel (tj) situé
prospectivement par rapport au point de repère du
récit (ti). Pour représenter la projection future, nous
utiliserons l'instance temporelle (tj) et le lien -(pros-
pect) → unissant le repère prospectif (tj) au repère
du récit (ti). Il existe ainsi quatre possibilités de repérage illustrées respectivement par les verbes : *crois,
croyais, viendra, viendrait* dans : (1) *Je crois qu'il
viendra à la réunion* (perspective présente) et (2)
Je croyais qu'il viendrait à la réunion (perspective
passée)

ti -(equi) → to	(*crois*)
ti -(ante)→ to	(*croyais*)
tj -(prospect) → ti -(equi) → to	(*viendra*)
tj -(prospect) → ti -(ante) → to	(*viendrait*)

(2) Les **aspects.** L'aspect désigne la façon dont un
événement est situé par rapport au repère temporel.
On peut considérer un événement dans son déroulement. Dans ce cas, l'événement se déroule « à un
moment » correspondant au point de repère, ce que
nous représentons au moyen du lien -(at) → indiquant l'aspect non accompli ou cursif. On peut également considérer un événement dans son accomplissement. Dans ce cas, l'événement est accompli au

point de repère, ce que nous représentons par le lien -(acc)→.

aspect cursif :   e -(at) → tx
aspect accompli :   e -(acc) → tx

Chacune des quatre possibilités de repérage se double des deux valeurs aspectuelles. Ces huit possibilités sont illustrées par les exemples suivants :

Il est fatigué, car il a beaucoup couru.
Il était fatigué, car il avait beaucoup couru.
Je crois qu'il sera très fatigué, car il aura beaucoup couru.
Je croyais qu'il serait fatigué, car il aurait beaucoup couru.

(3) Les **phases de l'événement**. Les événements ont par nature une dimension temporelle. Ils occupent donc une tranche de temps (ou un « intervalle » de temps). Une instance d'événement est donc à considérer comme un ensemble de points temporels.

Dans une assertion, nous pouvons faire allusion à la totalité de l'instance événementielle ou à une partie seulement. Les sous-ensembles d'instances événementielles sont les **phases de l'événement.** On distingue trois phases : deux phases périphériques, le début et la fin, et une phase dite « progressive » qui est une portion quelconque de l'événement.

Les trois phases de l'événement peuvent être illustrées par les phrases suivantes :
(1) début : *Il commence à pleuvoir.*
(2) fin : *Il cesse de pleuvoir.*
(3) portion : *Il pleut (il est en train de pleuvoir).*

Les phases peuvent être elles-mêmes décomposées en phases, ainsi que l'illustrent les exemples suivants : *Je suis en train de terminer mon travail* (portion de la fin). *C'est la fin du commencement. C'est le commencement de la fin.*

Pour représenter les phases de l'événement, nous devons établir une distinction entre, d'une part, l'événement vu dans sa totalité, représenté par le référent (e), et, d'autre part, l'ensemble auquel se réfère l'énonciation, représenté par le référent (e').

(4) Le **cadre temporel.** Les repères temporels ne permettent pas de situer un événement avec précision sur l'échelle du temps. On obtient une plus grande précision en définissant un **cadre temporel.**

> Dans : *Je partirai demain,* c'est l'adverbe *demain* qui définit l'intervalle de temps à l'intérieur duquel se situe mon départ.

Le cadre temporel peut être fixé par référence à une **chronologie** (date, période de l'histoire). La chronologie est établie de façon arbitraire par référence à un événement historique, ou réputé tel, à partir duquel les années sont comptées (naissance du Christ, fondation de la ville de Rome, naissance de Mahomet). La chronologie est fréquemment limitée à un intervalle de temps : une année, un mois, une journée, par exemple : en janvier. Le cadre temporel utilise également la **chronométrie**, ou mesure du temps. Enfin, le cadre temporel peut être également fourni par un autre événement, par exemple dans : *Il pleuvait lorsque nous sommes arrivés.*

(5) La **durée** est un espace de temps qui s'écoule entre deux limites. Elle est délimitée par un point initial et un point terminal. Comme unité de mesure, on se fonde sur des événements naturels périodiques comme l'alternance du jour et de la nuit ou l'alternance des saisons. On définit ainsi la journée de vingt-quatre heures équivalant à la durée de la rotation de la terre sur son axe et l'année équivalant à une révolution de la Terre autour du Soleil. Les unités comme siècle, décennie, trimestre, mois, semaine, heure, etc., sont des multiples ou des fractions de ces unités de base. Ces unités de mesure sont évidemment quantifiables.

7.5. La spatialité

L'**espace** fait partie de l'environnement dans lequel nous vivons et dans lequel nous situons les objets. La partie de l'espace occupée par un objet est l'**étendue**.

Les **dimensions** permettent de mesurer l'étendue, c'est-à-dire de mesurer la portion d'espace occupée par un corps : le volume, la taille, la longueur, la largeur, la hauteur, la profondeur, etc. L'étendue des objets est idéalisée de différentes manières. Certains objets sont considérés comme adimensionnels, c'est-à-dire comme des points dans l'espace. D'autres sont considérés comme des objets linéaires, c'est-à-dire comme des lignes. D'autres encore sont considérés comme des surfaces et, enfin, certains objets sont considérés comme des contenants potentiels, c'est-à-dire comme des volumes. Les objets peuvent voir leur étendue idéalisée de différentes manières selon le contexte d'usage.

> On dit : *sur une chaise,* mais : *dans un fauteuil.* La chaise est une surface, le fauteuil un contenant. Par contre, on dit aussi bien : *dans la rue* que : *sur la rue* selon le contenu. On dit : *dans un jardin,* mais : *sur la pelouse.*

Le **lieu** est une portion déterminée de l'espace. La **localisation** est le fait de situer un objet en un lieu ou par rapport à un certain environnement spatial. A la différence du déplacement, la localisation n'implique aucun changement. Les rapports de l'objet avec son environnement spatial sont présumés stables. Un lieu particulier est un référent et nous le représenterons par une lettre minuscule (l). La relation d'un objet particulier avec un lieu est exprimée par le lien -(loc)→ « est localisé en ».

> Dans : *Il est à la gare,* une personne (a) se trouve en un lieu (l) qui est une « gare » :
> a -(loc) → l -(isa) → *gare*.

Souvent, le lieu est défini par une relation avec un objet, par exemple : *sur la table, dans la gare, devant la maison.* Ces relations peuvent éventuellement recevoir une qualification : *juste devant la gare, à deux mètres au-dessus de nos têtes,* etc.

L'**orientation** est un système d'axes de coordonnées au moyen duquel nous situons les objets par rapport aux autres. On distingue plusieurs axes : la verticalité, la frontalité, la latéralité, les points cardinaux, etc.

La **verticalité** est l'axe déterminé par la direction de la pesanteur. L'axe perpendiculaire à la direction de la pesanteur est l'**horizontalité.**

La **frontalité** est l'axe défini par la ligne du regard et, plus généralement, par tout objet intrinsèquement orienté, c'est-à-dire possédant une face avant et une face arrière, comme l'homme, une armoire, une maison, etc. Sur l'axe de frontalité, les objets sont reliés à l'objet de référence (o) par une relation d'accessibilité visuelle (« devant ») opposée à l'inaccessibilité visuelle (« derrière ») ou, d'une manière plus générale, de proximité de la partie avant (« devant ») ou de la partie arrière (« derrière »).

```
      a           o        b          c
   ----+------□ >----+-------+-------- >
```

(a) est derrière (o), (b) est devant (o), (c) est derrière (b).

La **latéralité** est l'axe perpendiculaire à l'axe de frontalité. L'axe latéral est naturellement divisé en partie gauche et partie droite.

On parle de relation de **contenance** lorsqu'un objet (a) en contient un autre (b), ce qui est le cas lorsque le lieu de (b) est contenu dans la portion d'espace délimitée par l'objet (a), ce qui permet le cas échéant de déplacer (b) en déplaçant (a) [VANDELOISE 1986].

La **distance** est l'espace qui sépare une chose d'une autre. On peut la représenter comme l'intervalle entre deux points situés sur un axe de coordonnées spatiales. Elle est délimitée par un point initial et par un point terminal et est mesurable au moyen d'unités de longueur : mètres, kilomètres, centimètres, etc. La relation de contact exprimée par la préposition contre équivaut à une distance zéro.

> Dans : *Il habite à cinq kilomètres d'ici,* le point où il habite constitue le point initial de la distance et « ici » en est le point terminal, tandis que « cinq

kilomètres » mesure la distance entre ces deux points.

Le **mouvement** est un changement de position d'un objet dans l'espace. C'est un événement qui dure un certain temps. Il y a plusieurs types de mouvement.

(a) Le **mouvement des parties d'un tout.** Les parties du corps changent de position par rapport aux autres parties du corps : *bouger les bras, se gratter derrière l'oreille,* etc.

(b) Le **mouvement sans déplacement** ou mouvement intralocal. L'objet change de position dans l'espace, mais non par rapport à un environnement déterminé :

> *Les couples dansent dans la salle* (les couples restent dans la salle).
> *Ils longeaient le mur* (ils restaient à proximité du mur).

Le mouvement est également intralocal lorsque deux corps en mouvement conservent une même position l'un relativement à l'autre : *précéder, suivre un cortège, accompagner quelqu'un.*

(c) Le **déplacement** ou mouvement translocal entraîne un changement de lieu. L'objet se déplace d'un endroit initial vers un endroit terminal en passant éventuellement par un troisième endroit : *sortir d'une pièce, traverser une rivière, monter dans un arbre.*

Le mouvement peut se développer dans une **direction** définie au moyen des grands axes d'orientation : verticalité, frontalité, points cardinaux. Le déplacement s'effectue vers un lieu théorique situé sur un de ces axes d'orientation. Nous pouvons représenter la direction au moyen du lien -(dir)→ attribuant à un mouvement une valeur directionnelle : haut, bas, avant, arrière, nord, sud, est, ouest.

Il ne faut pas confondre la direction avec la destination. La destination implique l'existence d'un lieu particulier considéré comme le terme du déplacement, tandis que la direction n'implique aucun terme.

> Dans : *il monte dans l'arbre,* c'est le verbe *monter* qui indique la direction et *dans l'arbre* le terme du déplacement (la destination).

Un déplacement résulte naturellement en un **changement de localisation**, par exemple dans : *Il arrive à Salzbourg. Il met la clé dans le tiroir.* Le changement de localisation, exprimé par des verbes comme *devenir, arriver,* est représenté par la relation -(get)→ (de l'anglais « to get »).

> L'arrivée à Salzbourg est un événement (e) aboutissant en un lieu (l) appelé « Salzbourg » :
> e -(get) → l -(name) → Salzbourg

7.6. La détermination

On appelle **détermination** la relation unissant un ensemble référent à un univers du discours. La détermination peut avoir trois valeurs : définie, indéfinie ou aléatoire. La détermination est un foncteur conceptuel écrit -(dét) → qui attribue une de ces trois valeurs à un ensemble référent.

(1) La détermination est **définie** lorsque l'émetteur présume que le récepteur peut identifier correcte-

ment l'ensemble référent. Elle répond aux questions précises introduites par *qui ? quoi ? où ? quand ? quel ?* On peut distinguer plusieurs cas.

(a) L'ensemble référent est constitué de personnes, objets, lieux ou temps n'existant qu'en un seul exemplaire (ensembles unaires). L'identification se fait automatiquement.

> *Napoléon Bonaparte, le président Clinton, la Communauté européenne, la France, le soleil, le mont Blanc, la Volga, la porte de Brandebourg, le 14 juillet 1789, etc.*

(b) L'ensemble référent fait partie du champ perceptuel des interlocuteurs.

> *Laisse **la porte** ouverte.*
> *Allume **la télévision**.*
> *Prends **cette chaise-ci**.*

(c) L'ensemble référent fait partie du savoir partagé par les interlocuteurs au moment de l'énonciation.

> *Et alors, **le voyage** s'est-il bien passé ?*
> ***Le facteur** passe vers dix heures.*
> *Elle se frotta **les yeux**.*

(d) L'ensemble référent est identifié par le contenu assertionnel de la phrase.

> *J'ai rencontré **le frère** de Marguerite.*
> *Ce renseignement se trouve dans **le livre** que tu m'as offert.*

(2) La détermination est **indéfinie** lorsque le locuteur présume que l'ensemble référent n'a pas été identifié par le récepteur.

> *Y a-t-il **une cabine téléphonique** dans les environs ?*
> *J'attends **une lettre importante**.*
> ***Une dame** voudrait te parler.*
> *Achète-moi **un journal**.*

La détermination est également indéfinie lorsqu'un ensemble unaire identifié est présumé inconnu.

> *J'ai rencontré **un certain Jean Leclerc**.*

(3) La détermination est **aléatoire** ou **quelconque** lorsque le locuteur estime que l'identification de l'ensemble référent par l'émetteur n'est pas pertinente.

> *Tu peux acheter **n'importe quel journal**.*
> ***Tout travail** mérite un salaire.*
> *Il s'est absenté pour **une raison quelconque**.*

7.7. La quantification

La quantité permet de déterminer des portions de matière ou des ensembles homogènes. Lors de la quantification, les objets ne sont pas considérés individuellement, mais collectivement. La quantification caractérise un ensemble référent en lui attribuant une valeur précise, c'est-à-dire chiffrée, ou une valeur floue. Lors de la quantification chiffrée, la valeur de quantification est exprimée par un nombre : *J'ai rencontré deux amis*.

Très souvent, la quantification est appréciée globalement au moyen de la pluralité ou valeur plurielle lorsque l'ensemble référent contient plus d'un élément. Quant au singulier, il est essentiellement une valeur par défaut utilisée lorsque l'ensemble ne contient qu'un élément ou lorsque la pluralité n'est pas pertinente.

Les bases de connaissances font état de prototypes qui incarnent un ensemble de propriétés qu'on s'attend à trouver dans les objets. Le prototype correspond à ce qu'on considère généralement comme une norme. Il existe donc des **normes quantitatives.** Les quantificateurs *beaucoup* et *peu* de signalent que la quantité est supérieure ou inférieure à la norme.

Lors de la **quantification approximative,** le locuteur cite une valeur numérique précise qui n'est pas celle de l'ensemble concerné. Celui-ci possède une valeur numérique inconnue reliée à la valeur approchée par le lien d'approximation.

> *Il a **autour de** cinquante ans.*
> *Un homme d'**environ** cinquante ans.*

On parle de **quantification individuelle** ou **quantification d'instances** lorsqu'on considère les êtres ou les choses de façon individuelle et non de façon globale. A la différence de *tous les,* le quantificateur *chaque* caractérise les instances particulières. Le quantificateur *certains* désigne des membres particuliers d'un groupe. Il porte donc également sur des instances et non sur un ensemble.

La **quantification partitive** porte sur un ensemble inclus dans un autre ensemble. Dans : *Deux des joueurs de notre équipe sont blessés,* on fait allusion à deux ensembles : (a) l'ensemble des joueurs de notre équipe et (b) l'ensemble des joueurs blessés. Le second est inclus dans le premier.

Lorsqu'il existe un ensemble (b) strictement inclus dans l'ensemble (a), alors il existe un ensemble (c) également inclus dans (a) et complémentaire de (b). Le quantificateur *tous les* exprime que le complémentaire (c) est vide, tandis que *aucun des* signale que c'est le sous-ensemble (b) qui est vide. Le quantificateur *la plupart de* indique que le sous-ensemble est quantitativement supérieur à son complémentaire ou qu'il est approximativement égal à l'ensemble (a).

> Les différents types de quantification peuvent se combiner entre eux, par exemple dans :
> *Trois des quatre pneus sont usés.*
> *La plupart des enfants étaient fatigués.*
> *Tous les vingt élèves étaient présents.*
> *Chacun des deux.*

8. Règles sémantiques de projection

8.1. Projection d'un contenu propositionnel

On appelle **projection syntaxique** l'ensemble des opérations par lesquelles les expressions propositionnelles sont transformées en texte.

Celui qui veut produire un texte doit organiser le contenu propositionnel de façon linéaire. Ce faisant, il doit rendre son message à la fois compréhensible et surtout efficace. Bref, il doit en faire un acte de communication susceptible de déclencher chez les lecteurs ou auditeurs des réactions conformes à son attente.

La compréhension d'un message (cf. Chap. 5, § 2) dépend de la faculté d'interprétation des récepteurs ainsi que de l'aptitude de l'émetteur à adapter son texte aux connaissances dont disposent les récepteurs. Il est en effet important de fournir au récepteur toutes les informations utiles à la bonne compréhension du message. A l'inverse, il est tout aussi important d'éliminer du message toutes les informations présumées connues et qu'il n'est pas utile de rappeler. Ainsi, un même contenu pourra, le cas échéant, être enrichi ou réduit en fonction du présavoir présumé par l'émetteur chez le récepteur.

> Il n'est sans doute pas judicieux de mentionner *Douchanbe* sans préciser qu'il s'agit de la capitale du Tadjikistan, une des républiques de l'ancienne URSS et située à la frontière avec l'Afghanistan et la Chine. Par contre, si on parle de la ville de *Rome,* il est généralement inutile d'ajouter qu'il s'agit de la capitale de l'Italie, un des États du sud de l'Europe.

La constitution du texte implique également le découpage du contenu en **phrases.** La dimension des phrases dépend certes du genre textuel, du canal utilisé et du contexte d'énonciation, mais elle est également un des facteurs essentiels de la gestion des connaissances. En général, on considère qu'une phrase exprime un contenu compréhensible en une fois. Les phrases longues et complexes conviennent bien à l'expression écrite, qui s'adresse généralement à un public cultivé et qui permet au récepteur de lire le texte à son propre rythme. Par contre, les phrases seront plus courtes à l'oral et les répétitions bienvenues, car l'environnement est une source fréquente de perturbation et le rythme de la parole est généralement plus rapide que celui de la lecture.

On évalue la complexité relative de la phrase en comptant les unités lexicales. Les phrases suivantes, comportant respectivement deux, une et trois unités lexicales, sont particulièrement simples : *Sa femme était brune. Elle se décolorait. Elle se trouvait plus jolie en blonde.* La phrase suivante comporte neuf unités lexicales : *La confiance qu'on peut accorder à un livre d'histoire dépend en grande partie de la valeur des sources qui en fournissent la matière.*

La forme syntaxique de la phrase est déterminée par trois facteurs :
(a) la mise en perspective,
(b) le choix des unités lexicales,
(c) la formation des constituants.

La **mise en perspective** consiste à déterminer la proposition focale, c'est-à-dire la partie du contenu sur lequel porte l'intention communicative, par opposition à l'arrière-plan qui contient les éléments d'information servant à éclairer ou à expliquer la proposition focale (cf. Chap. 5, § 6). Elle comprend en outre les facteurs de connexion entre les phrases (cf. Chap. 5, § 7), ainsi que la mise en évidence des topiques (cf. Chap. 5, § 3).

La **constitution des phrases** est largement déterminée par le choix des unités lexicales. En effet, la méconnaissance du vocabulaire peut avoir pour conséquence un recours abusif aux paraphrases entraînant un alourdissement de la structure, ou un recours au vocabulaire de base riche en termes généraux entraînant l'imprécision de la pensée.

La structure de la phrase est déterminée non seulement par les règles de construction (cf. Chap. 11, § 4 et 5), mais également par les contraintes syntaxiques émanant des unités lexicales et groupées sous le terme de valence syntaxique. Enfin, les constituants étant formés et ordonnés sur l'axe linéaire, les règles morphologiques peuvent s'appliquer afin de fournir les formes de mots.

8.2. Lexicalisation des concepts

L'**insertion lexicale** consiste à remplacer un fragment d'expression propositionnelle par une unité lexicale simple ou complexe. L'insertion lexicale inclut le choix d'une catégorie lexicale (nom, verbe, adjectif, adverbe) autour de laquelle se construisent les constituants (groupes nominaux, groupes verbaux, etc.). En outre, l'unité lexicale choisie est généralement associée à certaines contraintes qui lui imposent un environnement morphosyntaxique adéquat (valence syntaxique).

Les opérations d'insertion lexicale se présentent sous la forme de règles comprenant (a) une entrée (input) représentée par une classe générique ou un assemblage conceptuel accompagné de son environnement, c'est-à-dire de sa valence sémantique, (b) une sortie (output) représentée par une unité lexicale simple ou complexe comprenant sa définition phonologique, sa catégorie lexicale et les contraintes morphosyntaxiques de sélection, c'est-à-dire de sa valence syntaxique, (c) éventuellement la spécification de conditions d'emploi, par exemple une contrainte d'ordre stylistique (cf. Chap. 6, § 3).

Les règles de lexicalisation sont réunies dans des lexiques propres à chaque langue et que nous appelons **dictionnaires idéolexicaux,** car leur fonction est d'indiquer comment une idée, c'est-à-dire un concept, est moulée dans une forme lexicale.

Les règles idéolexicales sont réversibles, car on peut les utiliser à la fois pour une démarche de type interprétatif si l'entrée est une unité lexicale et la sortie une unité sémantique et pour une démarche de type génératif si l'entrée est sémantique et la sortie lexicale.

> Dans l'exemple suivant, une classe simple, l'action *visiter* est associée à une unité lexicale simple, le verbe *visiter*.

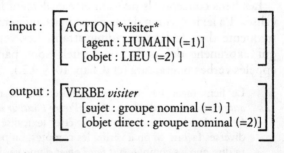

input :
$$\begin{bmatrix} \text{ACTION *visiter*} \\ \quad [\text{agent : HUMAIN (=1)}] \\ \quad [\text{objet : LIEU (=2) }] \end{bmatrix}$$

output :
$$\begin{bmatrix} \text{VERBE } visiter \\ \quad [\text{sujet : groupe nominal (=1) }] \\ \quad [\text{objet direct : groupe nominal (=2)}] \end{bmatrix}$$

> Si l'action *visiter* est liée à un autre environnement, par exemple à un objet représenté non pas par un lieu mais par des personnes, elle sera lexicalisée par la locution verbale *rendre visite à*.

Les assemblages conceptuels peuvent être lexicalisés globalement par une unité lexicale simple ou séparément par un assemblage syntaxique. Le choix entre ces deux solutions relève souvent du registre stylistique. Les langues diffèrent sur la façon de lexicaliser les assemblages conceptuels.

> L'entrée conceptuelle complexe *chat* -(sexe)→ *mâle* est en français lexicalisée globalement par le

nom *matou*, mais celui qui ignore ce terme lexicalise séparément les composants de l'assemblage conceptuel : *un chat mâle, un chat de sexe mâle*.

Le verbe *embouteiller* et la locution *mettre en bouteille* sont des lexicalisations d'un même assemblage conceptuel.

L'allemand ne possède pas de verbe correspondant au français *embouteiller* (au sens de « mettre en bouteille »), mais, contrairement au français, lexicalise « cheval blanc » en une unité lexicale simple (*Schimmel*).

Les liens conceptuels peuvent être également lexicalisés. La lexicalisation des liens est particulièrement fréquente dans le langage administratif. Les verbes qui expriment des liens conceptuels sont parfois appelés **verbes opérateurs** (cf. Chap. 10, § 9.2.).

Le lien -(agent)→ peut se lexicaliser par le nom *auteur,* par exemple dans : *C'est Pierre l'auteur de la lettre*. Le lien -(objet)→ peut être lexicalisé de diverses façons. Si on a vérifié les comptes, on pourra dire que les comptes *ont fait l'objet* d'une vérification ou qu'ils ont été soumis à une vérification. Celui qui vérifie *procède* à une vérification.

Les unités lexicales qui expriment une même entrée conceptuelle sont dites **synonymes.** Une unité lexicale qui exprime des concepts ou assemblages conceptuels différents est dite **polysémique.**

Les noms *enfant, gosse, môme* sont des synonymes de valeur stylistique différente. Le nom *embouteillage* est polysémique, car il lexicalise à la fois « mise en bouteille » et « obstruction de la circulation routière ».

Il n'est pas rare que certains concepts ne soient pas lexicalisés. Cela ne doit pas nous surprendre, car la lexicalisation dépend essentiellement des besoins langagiers. Les concepts jugés peu utiles ne sont pas lexicalisés.

> Le français possède un verbe spécifique pour désigner le déplacement d'un être vivant dans l'eau (*nager*) ou dans les airs (*voler*), mais non pour exprimer le déplacement sur le sol. Le français ne possède pas de verbe spécifique pour désigner l'absorption de nourriture regroupant les concepts *manger* et *boire*.

CHAPITRE VIII

LES SONS

Plan

1. *Définitions*
   1.1. La substance phonique
   1.2. La phonétique
   1.3. Lettre et son
   1.4. La phonologie
   1.5. La prosodie
2. *L'appareil phonatoire*
3. *Classement des sons*
   3.1. Sourdes et sonores
   3.2. Le point d'articulation
   3.3. Le mode d'articulation
   3.4. Les classes de sons
   3.5. Caractéristiques prosodiques
4. *Description des sons*
   4.1. Les occlusives
   4.2. Les fricatives
   4.3. Les consonnes vocaliques
   4.4. Les voyelles
   4.5. Les diphtongues
   4.6. Les semi-voyelles
5. *Enchaînement des sons*

1. *Définitions*

1.1. La substance phonique

Ce que nous produisons par la parole ou que nous percevons par l'oreille est un signal acoustique constitué de **substance phonique.** Un signal acoustique est un phénomène physique caractérisé par des perturbations de l'air dues aux ondes produites par la parole. Ces signaux, situés dans le temps, sont naturellement limités par des zones de silence. L'onde sonore qui transmet un message est continue.

1.2. La phonétique

On appelle **son** le plus petit segment récurrent de substance phonique. On veut dire par là que le son est un segment non réductible en segments plus petits. Le son constitue l'unité de travail de la **phonétique.**

La **phonétique** a pour objet l'étude des sons du langage humain. Elle décrit les mécanismes fondamentaux de l'articulation. La **phonétique segmentale** décrit les sons sans tenir compte de leur environnement. Lors de la description d'un son, elle ne mentionne que la position de certains organes articulatoires (§§ 3 et 4). La **phonétique combinatoire** décrit l'organisation des sons en séquences et comment ils s'influencent mutuellement. Elle tient compte de la position de tous les organes articulatoires et de leur modification au cours de l'articulation de séquences (§ 5).

1.3. Lettre et son

Il faut se garder de confondre **lettre** et **son.** Une lettre n'est pas un segment de substance phonique, mais un signe graphique qui, seul ou combiné avec d'autres, représente un son. La phonétique décrit les sons sans tenir compte du système graphique qui les représente. La phonétique est indépendante de l'écriture.

> Le mot *haut* compte quatre lettres mais un seul son, tandis que *axe* compte trois lettres et quatre sons.

Pour éviter toute confusion avec l'écriture, on utilise un système conventionnel de transcription appelé
écriture phonétique et dont le plus répandu est
l'Alphabet Phonétique International (API).

Les rapports entre les sons et les lettres sont régis
par les règles de **prononciation,** décrivant la façon
dont les lettres sont lues, tandis que l'**orthographe**
décrit la façon dont les sons sont écrits.

1.4. La phonologie

La **phonologie** décrit le fonctionnement des sons
dans les langues particulières. Elle étudie les différences phoniques utilisées pour distinguer les mots et
formes de mots. Elle a pour unité le **phonème,** qui est
une unité phonique distinctive, elle en fait l'inventaire et étudie leurs lois d'agencement en syllabes
selon les différentes langues (§§ 6 à 8). Elle s'oppose
ainsi à la phonétique qui décrit les sons sans tenir
compte de leur valeur distinctive.

La phonétique et la phonologie utilisent le même
système de transcription, mais, pour éviter toute
confusion, on encadre les signes phonétiques de crochets droits et les phonèmes de traits inclinés.

[o] : le son « o »
/o/ : le phonème « o »

1.5. La prosodie

La **prosodie** étudie l'ensemble des phénomènes
qui affectent les séquences de syllabes, et plus parti-

culièrement l'accentuation, le rythme et la mélodie
(§§ 9 à 11).

2. *L'appareil phonatoire*

L'appareil phonatoire comprend l'ensemble des
organes utilisés pour la parole. Ces mêmes organes
servent à la respiration, à la mastication et à la déglu-
tition. La phonation utilise l'air expiré par les pou-
mons.

Le **larynx** est une boîte cartila-
gineuse située au sommet de la
trachée et contenant les cordes
vocales (2). Il comprend quatre
cartilages : le cartilage cricoïde
(4) en forme d'anneau, le cartilage thyroïde (1) situé vers l'avant
(la « pomme d'Adam ») et deux
aryténoïdes (3) mobiles de forme
pyramidale situés vers l'arrière.

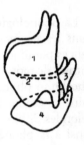

Les **cordes vocales** sont situées dans le larynx. Ce
sont deux muscles vibratiles horizontaux en forme de
lèvres. Elles sont attachées vers l'avant au thyroïde et
vers l'arrière aux aryténoïdes. Elles sont mobiles et
s'écartent ou se rapprochent par la rotation des aryténoïdes.

On appelle **glotte** l'espace situé entre les cordes
vocales. La glotte peut adopter plusieurs positions.
Elle est :
(a) largement ouverte pour la respiration profonde,
(b) ouverte pour la respiration normale et l'articulation des consonnes « sourdes » (1),

(c) entrouverte pour l'articulation de la fricative laryngale [h] (3),

(d) fermée.

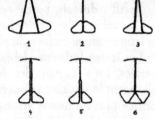

On distingue trois positions de fermeture de la glotte.

(a) La fermeture de la glotte peut s'accompagner de vibration des cordes vocales lors de la prononciation des voyelles et des consonnes « sonores » (4) (5).

(b) Lorsqu'on retient sa respiration ou lors de l'articulation du « coup de glotte », l'occlusion de la glotte est totale (2).

(c) Enfin, lors du chuchotement, l'air passe entre les aryténoïdes bien que la glotte soit fermée (6).

L'appareil phonatoire supraglottique comprend **trois cavités de résonance** : le pharynx (l'arrière-bouche) où aboutissent l'oesophage, le larynx, la **cavité buccale** (la bouche) et la **cavité nasale** (les fosses nasales).

La voûte de la cavité buccale comprend les **alvéoles** ou rebord osseux situé derrière la rangée supérieure des dents (adjectif : **alvéolaire**), le **palais dur** situé à l'avant (adjectif : **palatal**), le **voile du palais** ou **palais mou,** membrane mobile située derrière le palais dur (adjectif : **vélaire**) et la **luette** ou appendice terminant le voile du palais (adjectif : **uvulaire**).

La **langue** est pour les besoins de la description divisée en trois parties :

(a) la **couronne** (adjectif : **coronal**), partie antérieure comprenant la pointe (adjectif : **apical**), (b) le **dos** (adjectif : **dorsal**), partie centrale en face du palais, (c) la **racine** (adjectif : **radical**), partie postérieure de la langue située en face du pharynx.

Les **lèvres** (adjectif : **labial**) adoptent des positions variées. En s'écartant des dents par projection, elles allongent le résonateur buccal. Elles forment alors un orifice plus ou moins arrondi. En restant appliquées contre les dents, elles forment une fente horizontale plus ou moins allongée. On dit alors qu'elles sont étirées.

L'ouverture plus ou moins grande de la **mâchoire** détermine la forme et le volume de la cavité buccale.

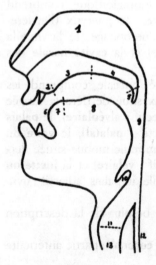

1 : fosses nasales
2 : alvéoles
3 : palais dur
4 : voile du palais (velum)
5 : luette (uvula)
6 : pointe de la langue (apex)
7 : couronne de la langue
8 : dos de la langue
9 : pharynx
10 : épiglotte
11 : larynx et cordes vocales
12 : oesophage
13 : trachée

3. *Classement des sons*

3.1. Sourdes et sonores

On appelle **sonore** ou **voisé** un son caractérisé par la vibration des cordes vocales. Les sons non voisés sont appelés **sourds.**

Le processus de vibration des cordes vocales est le **voisement.** Lorsque la glotte se ferme, l'air bloqué sous la glotte exerce alors une pression sous celle-ci. Cette pression sépare les cordes vocales. L'ouverture ainsi produite réduit automatiquement la pression. Grâce à leur élasticité naturelle, les cordes vocales reprennent leur position initiale et se referment. Le processus peut alors recommencer.

Les interruptions répétées du courant d'air créent des vibrations qui se transmettent dans l'atmosphère et produisent le **ton laryngien,** qui n'est jamais entendu à l'état pur, car il est nécessairement modifié ensuite dans les cavités de résonance.

On appelle **sonantes** les sons au cours de l'articulation desquels l'air peut s'échapper tout à fait librement par les cavités supraglottiques. Les sonantes sont les consonnes nasales, les liquides, les semi-voyelles et les voyelles.

Les sons caractérisés par une entrave à l'échappement de l'air sont des **non-sonantes,** appelées également des **entravées.** Elles groupent les consonnes fricatives et occlusives et vont généralement par paires différenciées seulement par la présence ou l'absence de voisement : p : b, t : d, k : g, f : v, etc.

3.2. Le point d'articulation

On appelle **point d'articulation** le lieu où intervient une modification importante du canal vocal à la suite du déplacement d'organes phonatoires.

Le point d'articulation est :

– **bilabial** lorsque les lèvres forment un contact entre elles,

– **labio-dental** lorsque la lèvre inférieure forme un contact avec les dents ou forme un rétrécissement à cet endroit,

– **antérieur** lorsque l'articulation est dentale, alvéolaire ou palatale,

– **vélaire** (ou non antérieure) lorsque le dos de la langue se déplace vers ou contre le voile du palais,

– **uvulaire** lorsque la luette vibre ou se déplace,

– **coronal** lorsque la partie antérieure de la langue se déplace,

– **apical** lorsque c'est seulement la pointe de la langue qui se déplace,

– **dorsal** lorsque le dos de la langue se déplace,

– **haut** lorsque le dos de la langue s'élève par rapport à sa position neutre,

– **bas** lorsqu'il s'abaisse au-dessous de sa position neutre,

– **laryngal** lorsque l'articulation se situe au niveau du larynx.

3.3. Le mode d'articulation

Le mode d'articulation décrit la nature des modifications apportées au passage de l'air. Trois facteurs principaux déterminent le mode d'articulation : le blocage momentané du passage, un rétrécissement important provoquant un bruit de friction et le contact d'organes le long de la colonne d'air.

Lorsque la colonne d'air n'est interrompue nulle part et donc que l'air s'échappe de façon continue, on dit que le son est **continu.** Dans les autres cas, il est **non continu** ou **momentané.**

Les **occlusives** sont caractérisées par une occlusion le long du canal formé par le larynx, le pharynx et la bouche. Elles englobent les **occlusives pures,** qui ne sont pas continues, et les **occlusives nasales,** qui sont continues.

Lorsque l'air peut s'échapper librement par la bouche, le son est dit **vocalique.** Les sons vocaliques constituent un sous-ensemble des sonantes. Ils comprennent non seulement les voyelles et les semi-voyelles, mais également les consonnes liquides, c'est-à-dire les diverses variétés de [l] et de [r].

Les sons **consonantiques** sont caractérisés par un blocage, un rétrécissement audible ou un simple contact d'organes (pointe de la langue, luette) le long du canal formé par le larynx, le pharynx et la bouche. Ils sont appelés plus simplement des **consonnes.**

Un son qui peut à lui seul constituer une syllabe est appelé **syllabique.** Les sons syllabiques sont les **voyelles.** Ils ne comprennent pas les semi-voyelles.

3.4. Classes de sons

Les classes de sons sont établies sur la base du mode d'articulation.

(1) Les **occlusives pures** et les **occlusives nasales** sont caractérisées par une occlusion dans la bouche ou dans le larynx.

(2) Les **fricatives** ou **spirantes** sont caractérisées par un rapprochement d'organes provoquant un bruit de friction lors du passage de l'air au point d'articulation.

(3) Les **liquides** ou **consonnes vocaliques** sont produites par le contact de la pointe de la langue ou de la luette le long de la partie médiane de la bouche. Ce contact ne provoque ni occlusion ni friction et n'empêche pas l'air de s'échapper librement par la bouche de part et d'autre du point de contact.

(4) Les **voyelles** sont formées à partir du ton laryngien modifié par la forme et le volume de la cavité buccale. Elles sont susceptibles de constituer à elles seules une syllabe.

(5) Les **semi-voyelles** sont formées comme les voyelles, mais, à la différence de ces dernières, elles ne peuvent pas constituer à elles seules une syllabe.

sons	OCCLUSIVES PURES	FRICATIVES	OCCLUSIVES NASALES	LIQUIDES	SEMI-VOYELLES	VOYELLES
continus	−	+	+	+	+	+
sonants	−	−	+	+	+	+
vocaliques	−	−	−	+	+	+
cosonantiques	+	+	+	+	−	−
syllabiques	−	−	−	−	−	+

3.5. Caractéristiques prosodiques

La **hauteur** distingue un son grave d'un son aigu. Elle est déterminée par la fréquence des vibrations du ton laryngien. On modifie la hauteur d'un son en faisant varier la tension des cordes vocales ou la longueur de la partie vibrante. Plus les cordes sont tendues ou plus la partie vibrante est courte, plus le son est aigu.

L'**intensité** distingue un son fort d'un son faible. Elle est déterminée par l'amplitude des vibrations du ton laryngien. Une fermeture partielle de la glotte augmente la pression de l'air et l'intensité des vibrations. L'intensité est également liée à la hauteur des sons. Les sons aigus sont relativement forts, car la réduction de la partie vibrante des cordes vocales entraîne un accroissement de la pression de l'air.

La **longueur** ou **durée** des voyelles n'est pas mesurée de façon absolue, mais évaluée relativement aux autres voyelles selon la rapidité de débit.

> Le [ɛ] de *père* est long par rapport au [ɛ] de *perte,* qui est bref.

On peut distinguer quatre degrés de longueur : les brèves [a], les mi-longues [a.], les longues [a:] et les extra-longues [a::].

4. *Description des sons*

4.1. Les occlusives

(1) Une **occlusive** est formée par une occlusion momentanée du canal traversant le larynx, le pha-

rynx et la cavité buccale. La fermeture de la cavité nasale par l'élévation du voile du palais ne donne pas lieu à une occlusive.

(2) On distingue trois phases : (a) l'implosion ou fermeture, (b) l'occlusion proprement dite, c'est-à-dire la période pendant laquelle la fermeture est maintenue et (c) l'explosion ou détente. Lorsque l'occlusive est placée entre deux voyelles, elle passe par chacune de ces trois phases. Une occlusive est **explosive** lorsqu'elle est caractérisée par l'explosion seulement, la phase d'implosion étant inaudible. L'**implosive** est caractérisée par la phase d'implosion seulement, la phase de détente étant inaudible.

> [p] dans [pa] (« pas ») est une explosive, mais [p] dans [kap] (« cap ») est une implosive. Lorsque deux occlusives se suivent, la première est implosive, la seconde est explosive : [pt] dans [kapta] (« il capta »).

(3) Les **occlusives aspirées** sont produites lorsque le rapprochement des cordes vocales intervient quelques centièmes de secondes après le relâchement de la fermeture. Pendant cette courte période, l'air s'échappe par la glotte rétrécie sans faire vibrer les cordes vocales, mais en produisant le souffle caractéristique du [h].

> anglais : « pike », « time »

(4) Lorsque le relâchement de l'occlusion ne se fait pas brusquement, mais mollement, l'oreille per-

çoit une fricative produite par le rétrécissement momentané du canal. On appelle **affriquée** une occlusive dont la détente est lente et donne lieu à la production d'une fricative : [f, v, θ, ∂, ʃ, ʒ, χ, ɣ...]. Souvent, le point d'articulation se déplace légèrement : [pf], [ts], [tʃ], [dʒ]. Si le point d'articulation reste inchangé, l'affriquée est dite **homorganique** : [pɸ], [kχ].

(5) Les occlusives sont **fortes** ou **douces.** Les occlusives sont articulées avec plus ou moins d'énergie selon les langues. A l'intérieur d'une même langue, la tension des occlusives est réduite à la suite du voisement ou du voisinage d'autres consonnes. La perte d'énergie est perceptible au niveau de l'explosion. Lorsque la totalité de l'énergie pulmonaire se concentre sur le point d'articulation, l'occlusive est dite forte. Elle est douce lorsque l'énergie est atténuée.

(6) L'occlusion peut s'effectuer en différents endroits du canal vocal tandis que les côtés de la langue touchent généralement les dents supérieures.
(a) Lors de l'occlusion **bilabiale,** le passage de l'air se ferme par l'accolement momentané des deux lèvres et donne naissance à :

> la bilabiale sourde [p], par exemple dans : *peau*
> la bilabiale sonore [b], par exemple dans : *beau*
> la bilabiale nasale [m], par exemple dans : *mot*

(b) Lorsque la couronne ou la pointe de la langue vient s'appuyer contre la face intérieure des incisives supérieures ou contre les alvéoles, l'occlusive est **apico-dentale** ou **apico-alvéolaire**. On distingue :

> l'apico-dentale sourde [t], par exemple dans : *tôt*
> l'apico-dentale sonore [d], par exemple dans : *dos*
> l'apico-dentale nasale [n], par exemple dans : *nos*

Les mêmes symboles sont utilisés pour les apico-alvéolaires.

(c) Lorsque le dos de la langue forme un contact large contre le palais dur, l'occlusive est **dorso-palatale.** On distingue :

> la dorso-palatale sourde [c], en tchèque : tělo
> la dorso-palatale sonore [ɟ], en tchèque : dělo.
> la dorso-palatale nasale [ɲ], par exemple dans : *agneau*

L'effet de **mouillure** qui caractérise ces occlusives s'explique par le décollement relativement lent de la langue dû à la largeur de la surface de contact.

(d) Lorsque la partie arrière du dos de la langue forme un contact avec le voile du palais, l'occlusive est **dorso-vélaire** :

> la dorso-vélaire sourde [k], par exemple dans : *cou*
> la dorso-vélaire sonore [g], par exemple dans : *goût*
> la dorso-vélaire nasale [ŋ], en anglais : *to sing*

(e) L'occlusion **laryngale** est appelée également **coup de glotte,** ou **Knacklaut.** Elle est formée par la fermeture de la glotte suivie d'un relâchement brusque.

la laryngale sourde [ʔ], par exemple dans l'allemand : *der Abend*

4.2. Les fricatives

(1) Appelées également **constrictives** ou **spirantes,** les **fricatives** sont caractérisées par un bruit de friction causé par un rétrécissement au point d'articulation. Comme les occlusives, elles peuvent être fortes ou douces. Un simple rapprochement d'organes au point d'articulation ne suffit pas pour caractériser une fricative. La présence de **bruit,** c'est-à-dire de vibrations apériodiques, est nécessaire.

(2) Points d'articulation des fricatives
(a) Un rétrécissement labial donne lieu aux :
– fricatives **bilabiales** :

la bilabiale sourde [φ], en japonais : *Fujïyama,* en latin : *fatum*
la bilabiale sonore [ß], en espagnol : *haber*

– fricatives **labio-dentales** :

la labio-dentale sourde [f], par exemple dans : *fou*
la labio-dentale sonore [v], par exemple dans : *vous*

Les incisives supérieures touchent légèrement la lèvre inférieure. Les labio-dentales sont plus bruyantes que les bilabiales. De ce fait, les labio-dentales sont considérées comme des **stridentes.** La stridence est due au fait que l'air ne peut franchir le point d'articulation en ligne droite, mais modifie brusquement sa trajectoire d'environ 90 degrés.

(b) Lors de l'articulation des fricatives **apico-dentales** non stridentes, la partie antérieure de la langue se place le long de la face intérieure des incisives supérieures. Lors du rétrécissement buccal, les côtés de la langue sont relevés et touchent les molaires.

> l'apico-dentale sourde [θ], par exemple dans l'anglais : *think*
>
> l'apico-dentale sonore [ð], par exemple dans l'anglais : *that*

(c) Les fricatives **apico-alvéolaires** stridentes sont également appelées **sifflantes.** La couronne de la langue s'articule vers les alvéoles. La langue est incurvée en son milieu et forme un sillon étroit par lequel l'air vient heurter la face intérieure des incisives. C'est ce passage étroit et profond qui est responsable de la stridence des fricatives.

> l'apico-alvéolaire sourde [s], par exemple dans : *laisse*
>
> l'apico-alvéolaire sonore [z], par exemple dans : *lèse*

(d) Les fricatives **apico-prépalatales** stridentes sont également appelées **chuintantes** :

> l'apico-prépalatale sourde [ʃ], par exemple dans : *hache*
>
> l'apico-prépalatale sonore [ʒ], par exemple dans : *âge*

La couronne de la langue s'élève en direction de la partie antérieure du palais dur. La langue se creuse en son milieu, ce qui explique la stridence, mais l'ouverture est un peu plus large que pour les sifflantes. En outre, le dos de la langue est élevé et arrondi – il est abaissé pour [s] et [z] –, tandis que les lèvres se détachent des dents et allongent ainsi le résonateur buccal.

(e) Les fricatives **dorso-palatales** sont non stridentes :

> la dorso-palatale sourde [ç], en allemand : *ich*
> la dorso-palatale sonore [j], en allemand : *jagen*

Le dos de la langue forme un rétrécissement large au niveau du palais dur. La langue ne se creuse pas en son milieu. Ces fricatives sont très proches des semi-voyelles dorso-palatales.

(f) Les fricatives **dorso-vélaires** sont également non stridentes :

> la dorso-vélaire sourde [χ], en allemand : *ach,* en espagnol : *bajar*
> la dorso-vélaire sonore [γ], en espagnol : *luego,* en néerlandais : *geven*

Le dos de la langue forme un rétrécissement large au niveau du voile du palais. Cette fricative peut s'accompagner de la vibration de la luette.

(g) La fricative **laryngale** est produite par un rétrécissement de la glotte :

> la laryngale sourde [h], en anglais : *how*

L'air passe par la glotte, ce qui provoque un bruit de frottement. En position intervocalique, les cordes vocales peuvent vibrer et donner lieu à une fricative laryngale sonore, par exemple dans l'anglais *behind*.

(3) Tableau des consonnes entravées (occlusives et fricatives)

	occlusives			fricatives			
	pures		na-sa-les	non stri-dentes		stri-dentes	
	sd.	sn.		sd.	sn.	sd.	sn.
bilabiales	p	b	m	ʃ	ß	-	-
labio-dentales	-	-	-	-	-	f	v
apico-dentales	t	d	n	θ	ð	-	-
apico-alvéolaires	t	d	n	-	-	s	z
apico-prépalatales	-	-	-	-	-	ʃ	ʒ
dorso-palatales	c	ɟ	ɲ	ç	j	-	-
dorso-vélaires	k	g	ŋ	χ	ɣ	-	-
laryngales	ʾ	-	-	h	ɦ	-	-

sd = sourd, sn = sonore

4.3. Les consonnes vocaliques

(1) Les consonnes vocaliques sont également appelées **liquides.** Elles englobent les diverses variétés de [l] et de [r]. Avec les occlusives nasales, elles appartiennent à la catégorie des sonantes.

(2) On appelle **latérales** les diverses variétés de [l]. Lors de leur articulation, la pointe ou la couronne de la langue touche les alvéoles ou le palais dur, tandis que les bords de la langue sont abaissés, permettant ainsi à l'air de s'échapper de chaque côté du point de contact, d'où leur nom de « latérales ».
(a) Lors de l'articulation du [l] apico-alvéolaire « clair », la pointe de la langue touche les alvéoles en

leur milieu. Le dos de la langue suit le mouvement et s'élève, donnant au [l] la coloration de la voyelle palatale [i], par exemple en français : *lit*.

(b) Lors de l'articulation du [λ] dorso-palatal « mouillé », le dos de la langue s'appuie contre le palais dur et y forme un contact large provoquant l'effet de « mouillure » lors du décollement, par exemple en italien : *figlio*.

(c) Lors de l'articulation du [ł] « grave », la pointe de la langue touche les alvéoles en leur milieu comme pour le [l] clair, mais la langue se creuse légèrement. La partie arrière du dos s'élève en direction du voile du palais, donnant au [ł] une coloration vocalique vélaire proche du [u], par exemple en anglais : *call*.

Généralement voisées, les latérales peuvent s'assourdir au contact de consonnes sourdes, par exemple en français : *pli, peuple, clou*. Placées entre occlusives ou en fin de mot après des occlusives, elles peuvent former un sommet syllabique, par exemple en anglais : *bottle*. Les latérales évoluent souvent en semi-voyelles et peuvent même se vocaliser : [λ] > [j] en français : *fille,* le [o] du français *aube* est une vocalisation de [al] du latin : *alba* [al >au > o].

(3) On appelle **vibrantes** les diverses variétés de [r]. Les vibrantes sont articulées au moyen d'un organe mobile et élastique, la pointe de la langue ou la luette, susceptible de vibrer sous la pression de l'air. Les vibrations peuvent se réduire à un seul battement ou disparaître complètement, produisant ainsi une fricative de même point d'articulation.

(a) Lors de l'articulation du [r] apico-alvéolaire

« roulé », la langue, la pointe courbée vers le haut, s'élève vers les alvéoles. Le souffle pousse la pointe de la langue vers l'avant et, grâce à l'élasticité de celle-ci, la met par intervalles en contact avec les alvéoles.

(b) Le [ɹ] est une vibrante apico-alvéolaire réduite à un seul battement, par exemple dans l'espagnol : *caro.*

(c) Lors de l'articulation du [ɹ] apico-alvéolaire fricatif, la langue s'élève vers les alvéoles, la pointe courbée vers le haut, comme pour le [r]. L'air passe par cet étranglement sans faire vibrer la pointe de la langue, par exemple dans l'anglais : *arrive.*

(d) Lors de l'articulation du [R] uvulaire « grasseyé », la luette se pose sur le dos de la langue, produisant une légère augmentation de la pression de l'air qui soulève alors la luette. Celle-ci reprend automatiquement sa position initiale dès que la pression cesse. Les mouvements vibratoires de la luette se transmettent dans l'atmosphère. Ces mouvements vibratoires peuvent se réduire à un seul battement.

(e) Lors de l'articulation du [R] uvulaire fricatif, la partie postérieure du dos de la langue et la luette forment un passage étroit. L'air, qui ne peut soulever la luette, passe par les deux côtés. Le bruit de friction ainsi produit rapproche ce son des fricatives dorso-vélaires [χ] et [ɣ].

Les vibrantes peuvent s'assourdir au contact de consonnes sourdes, par exemple en français : *tri, être.* Elles peuvent se vocaliser, par exemple en anglais : *fear* [fiə], *fire* [faiə] ou en allemand : *Tür* [y : ɐ], *der* [e : ɐ].

4.4. Les voyelles

(1) Les **voyelles,** ainsi que les diphtongues et les semi-voyelles, sont produites par le ton laryngien, amplifié et modifié dans les cavités de résonance (pharynx, bouche et cavité nasale). Elles sont produites sans contact d'organes et sans rétrécissement du canal vocal susceptible de produire des vibrations non périodiques, c'est-à-dire du bruit. Le **timbre** des voyelles, appelé également **couleur vocalique,** est produit par l'action des organes mobiles modifiant la forme et le volume des cavités de résonance. Ces organes mobiles sont la mâchoire inférieure, la langue, les lèvres et le voile du palais.

(2) Degrés d'aperture. Le volume du résonateur buccal est fonction de l'aperture due à l'écartement des mâchoires. On distingue généralement quatre degrés d'aperture :
- voyelles fermées [i], [y], [u]
- voyelles mi-fermées [e], [ø], [o]
- voyelles mi-ouvertes [ɛ], [œ], [ɔ]
- voyelles ouvertes [a], [ɑ]

On peut y ajouter les degrés intermédiaires, par exemple le [æ] anglais situé entre le [ɛ] et le [a].

(3) Point d'articulation. La forme du résonateur buccal est déterminée par la position de la langue,
(a) verticalement, par le dos de la langue qui s'aplatit (pour les voyelles basses) ou s'élève (pour les voyelles hautes) et
(b) latéralement, par le dos de la langue qui se dirige vers le palais dur (pour les voyelles palatales ou antérieures), vers le voile du palais (pour les voyelles

vélaires ou postérieures) ou vers le milieu du palais (pour les voyelles centrales).

Les voyelles basses sont également des voyelles « ouvertes » et les voyelles hautes « fermées ». La distance entre l'articulation palatale et vélaire est inversement proportionnelle à l'aperture :

Voyelles fermées : [i] [u]
Voyelles ouvertes : [a] [ɑ]

(4) La longueur du résonateur buccal est délimitée par le sommet du dos de la langue et par la position des lèvres. Elle est déterminée par :
(a) le déplacement latéral du dos de la langue pour les voyelles palatales et vélaires,
(b) la projection des lèvres en avant pour les **voyelles arrondies** [u, o, ɔ, y, ø, œ] ou l'accolement des lèvres contre les dents pour les **voyelles étirées** [i, e, ɛ].

Un résonateur plus long a pour effet de produire un timbre plus grave et un résonateur court de produire un son au timbre aigu. Le [u] est une voyelle grave et [i] une aiguë. L'arrondissement des lèvres se réduit en fonction de l'aperture. Il est maximal pour les voyelles fermées, insignifiant pour les voyelles ouvertes.

(5) Lorsque le voile du palais est abaissé, l'air s'échappe à la fois par le nez et la bouche. Les voyelles articulées de cette façon sont les **voyelles nasales.** Elles s'opposent aux **voyelles orales.**

[œ̃] par exemple dans : *un*
[ɔ̃] par exemple dans : *bon*
[ɛ̃] par exemple dans : *vin*
[ɑ̃] par exemple dans : *blanc*

(6) Voyelles tendues et relâchées. Lorsque deux
voyelles ont approximativement le même timbre, on
les différencie sur la base de la tension déterminée
par la distance entre le sommet de la langue et la
position neutre et centrale. La **voyelle tendue** a un
point d'articulation plus éloigné de la position neutre
centrale que la **voyelle relâchée** correspondante.
Dans les langues germaniques, la tension s'accompagne souvent de l'allongement de la voyelle. Les différences de tension des voyelles basses ne sont guère
perceptibles. Les voyelles [i], [y], [u], [e], [ø], [o]
sont tendues tandis que [I], [Y], [U], [ɛ], [œ], [ɔ]
sont relâchées.

(7) Inventaire des voyelles. Le nombre de voyelles
est virtuellement illimité, mais chaque langue n'en
utilise qu'une partie.

		palatales		centrales	vélaires	
		étirées	rondes		étirées	rondes
hautes	tendues	i	y	ï ü		u
	relâchées	I	Y			U
	tendues	e	ø	ə	ɣ	o
	relâchées	ɛ	œ			ɔ
basses		æ a		ɐ		å α

Certaines voyelles peuvent n'apparaître qu'en syllabe non accentuée, par exemple le [ə] toujours inaccentué.

Le timbre associé aux symboles phonétiques varie selon les langues :

> Le [e] anglais se situe entre le [e] et le [ɛ] du français. Le [ə] inaccentué français est arrondi et plutôt bas, tandis que le [ə] allemand est étiré et relativement haut. Le [ɔ] français est légèrement centralisé par opposition au [ɔ] des langues germaniques.

4.5. Les diphtongues

Les **diphtongues** sont des voyelles longues accompagnées d'un déplacement d'articulation et d'une modification d'intensité. Elles appartiennent toujours à une même syllabe. Leur transcription phonétique ne note que le départ et la fin de l'articulation.

Une diphtongue est dite **croissante** lorsque son intensité augmente. Ces diphtongues sont souvent considérées comme des séquences d'une semi-voyelle et d'une voyelle : [ja]. Une diphtongue est décroissante lorsque l'intensité diminue : [aI].

La diphtongue est **montante** lorsque l'élément terminal est une voyelle fermée : [aI], [eI], [ɔY], [aU], en anglais : *time, ape, cow, road* ou en allemand : *Wein, euch, auch.*

L'élément terminal d'une diphtongue **centripète** est une voyelle centrale : [Iə], [eə], [Uə], en anglais : *here, air, poor.*

4.6. Les semi-voyelles

L'articulation des semi-voyelles est plus haute que [i], [ɥ] et [u]. Les semi-voyelles ne peuvent constituer le sommet d'une syllabe et doivent s'appuyer sur une voyelle. L'articulation très fermée et très haute provoque un rétrécissement du canal vocal et rapproche les semi-voyelles des fricatives [ß] ou [ç]. Les semi-voyelles peuvent s'assourdir après une consonne sourde.

> Le français possède trois semi-voyelles :
> le [j] dorso-palatal étiré, par exemple dans : *travail,*
> le [Ч] dorso-palatal arrondi (bilabial), par exemple dans : *lui,*
> le [w] dorso-vélaire arrondi (bilabial), par exemple dans : *oui.*

5. Enchaînement des sons

Lors de l'articulation, les organes libres, c'est-à-dire les organes dont la position est indifférente pour l'articulation d'un son donné, adoptent une position caractéristique d'un des sons voisins à l'intérieur de la même syllabe.

> L'arrondissement des lèvres est indifférent pour l'articulation de [t], mais, lors de l'articulation de [tu], par exemple dans : *tout,* les lèvres s'arrondissent, adoptant par anticipation la position labiale caractéristique de l'articulation du [u].

La plupart des modifications phonétiques sont attribuées à l'**assimilation.** Ce terme désigne l'influence exercée par un son sur un autre. L'assimilation **progressive** s'exerce vers l'avant, l'assimilation **régressive** vers l'arrière.

> Dans : *un ch'fal* (« un cheval »), le non-voisement de [ʃ] s'est transmis à la consonne suivante [v], qui s'est

dès lors transformée en [f]. Il s'agit ici d'une assimilation progressive.

Dans : *ch'crois* (« je crois »), le non-voisement a été anticipé ou, en d'autres termes, s'est transmis de [k] à la consonne précédente [ʒ] qui s'est transformée en [ʃ]. Il s'agit ici d'une assimilation régressive.

L'assimilation porte généralement sur un son contigu (assimilation de contact), mais elle peut également s'exercer à **distance.**

La transformation : tv > dv (« êtes-vous ») est une assimilation de contact. L'umlaut déclenché en allemand et en anglais par la présence d'un ancien i : gasti > gesti (« der Gast, die Gäste ») ou fo:ti > fe:ti (« foot, feet »), est un phénomène d'assimilation à distance.

L'**épenthèse** désigne l'ajout d'un son : nr > ndr (latin : *molere* > fr. *moudre*, lat. *ponere* > fr. *pondre*).

La **métathèse** est une inversion de sons. Elle affecte principalement les consonnes contiguës ou les liquides en contact avec des voyelles.

C'est ainsi que *infarctus* devient « infractus » et *astérisque* « Astérix ».

L'**amuïssement** est la disparition d'un son. Il affecte souvent les voyelles non accentuées ou les accumulations de consonnes en fin de syllabe.

Le « e caduc » français est souvent amuï. La séquence : *une bonne charcuterie* peut ainsi perdre trois syllabes. En français populaire de Belgique, *le ministre* devient « un minisse » et un architecte « un architèque ».

Les mécanismes d'assimilation et d'épenthèse sont dus à plusieurs facteurs :

(a) un rapprochement des articulations accompagné éventuellement de la suppression de certains mouvements articulatoires :

> La consonne nasale [n] devient bilabiale [m] devant une occlusive bilabiale [b]. Il s'agit d'une assimilation régressive du point d'articulation : nb > mb.

(b) un déplacement de mouvements articulatoires par anticipation ou retardement :

> L'anticipation de l'abaissement du voile du palais entraîne la nasalisation de [d] en [n] : edmi > enmi (français : *et demi*). L'anticipation du relèvement du voile du palais lors de la prononciation du [n] entraîne l'apparition d'un [d] : nr > ndr (néerlandais : *donder*, comparé à l'allemand : *Donner*). A la fin d'un mot, l'anticipation de l'écartement de la glotte provoque la transformation d'une occlusive sonore en sourde : ab > ap (allemand : *ab*).
>
> Le rapprochement des cordes vocales qui normalement suit l'occlusive sourde et doit permettre la vibration de celles-ci est retardé et entraîne le passage d'un souffle, produisant ainsi un [h] : ta > tha, en anglais : *time*.

(c) la réduction des mouvements articulatoires entre consonnes contiguës :

> Si deux consonnes de sonorité différente sont en contact, une assimilation de sonorité intervient généralement :
>
> tv > dv, par exemple dans : *êtes-vous*
>
> ds > ts, par exemple dans : *médecin*

6. Distinctivité des sons

6.1. Critères de distinctivité

Une propriété articulatoire est **distinctive** ou **pertinente** lorsqu'elle est utilisée pour différencier les contenus. La distinctivité est un phénomène variable selon les langues.

> C'est la nasalité de la voyelle qui, en français, différencie *bas* de *banc*.
>
> La stridence des fricatives est distinctive en anglais : *think* et *sink* et en allemand : *Kirsche* et *Kirche*. Elle ne l'est pas en français.

Les différences entre les sons peuvent être interprétées de trois façons.

(a) Les sons sont en **opposition** et leur différence est pertinente, c'est-à-dire distinctive, lorsque les sons sont mutuellement substituables et que la substitution a une incidence sémantique. Des sons en opposition sont interprétés comme des actualisations de phonèmes distincts.

> La substitution de [p] par [v] a, en français, une incidence sémantique, car elle produit deux mots distincts : *pain, vin*.

(b) Lorsque les sons sont mutuellement substituables et que la substitution n'a aucune incidence sémantique, ils ne sont pas en opposition et leur différence n'est pas distinctive. Ils sont considérés comme des actualisations différentes d'un même phonème et on les appelle **variantes libres** ou **variantes individuelles**.

Le remplacement, en français, d'un [R] « grasseyé »
par un [r] « roulé » n'affecte pas la signification. Le
mot reste le même, par exemple : *rat* prononcé [Ra]
ou [ra].

(c) Les sons qui se ressemblent, mais n'apparaissent
jamais dans le même environnement et ne sont donc
pas mutuellement substituables, ne sont pas en opposition. Les différences constatées sont liées à des
environnements spécifiques. On les considère
comme des actualisations d'un même phonème. Ils
représentent des **variantes contextuelles** d'un phonème. On les appelle **allophones.**

En anglais, [ph] et [p] sont des allophones. En effet,
l'occlusive aspirée apparaît en tête de syllabe devant
une voyelle accentuée, tandis que l'occlusive non
aspirée apparaît dans les autres cas, en anglais : *pill*
et *spill.*

6.2. Le phonème

Le **phonème** est l'unité qui rend compte de l'identité d'interprétation de sons différents. Le phonème
est donc une unité distinctive. Il est en outre une
unité minimale, parce qu'il est indivisible en éléments
plus petits de même nature.

Le phonème n'est pas une unité directement
observable, mais une unité théorique obtenue par
l'interprétation de phénomènes phonétiques. Il n'est
pas non plus une unité directement significative, car
un phonème n'est pas directement associé à une
signification. Ce n'est que lorsqu'il entre dans la
constitution d'une unité lexicale ou grammaticale
qu'il peut être porteur de signification. On représen-

te les phonèmes au moyen des symboles de
l'Alphabet Phonétique International placés entre
traits inclinés : /i /, /u /, /a /...

6.3. Les traits pertinents

Un **trait pertinent** est une propriété articulatoire
distinctive. Pour isoler les traits pertinents, nous
confrontons les propriétés articulatoires de deux
phonèmes. Une propriété est distinctive si la différence de ses valeurs (positive ou négative) permet
à elle seule d'opposer les deux phonèmes.

L'opposition des phonèmes /t /, /s / et / k /, / v /
est illustrée respectivement par *tout : sou,* et *cou :
vous.*

	analyse correcte		analyse incorrecte	
	/ t /	/ s /	/ k /	/ v /
continu	-	+	-	+
labial	-	-	-	+
antérieur	+	+	-	-
haut	-	-	+	-
fort	+	+	+	+

La seconde analyse est incorrecte parce qu'il y a plusieurs oppositions de propriétés et qu'il n'est donc
pas possible de décider laquelle de ces propriétés est
distinctive. La première est correcte, car elle
démontre la pertinence du trait continu.

La liste qui suit reprend les principaux traits pertinents du français.

sonant	/m/	:	/b/	*main, bain*
vocalique	/l/	:	/n/	*lin, nain*
consonantique	/l/	:	/j/	*houle, houille*
syllabique	/w/	:	/u/	*trois, trouas*
vibrant	/R/	:	/l/	*rein, lin*
labial	/p/	:	/t/	*pas, tas*
fort	/p/	:	/b/	*pont, bon*
antérieur	/y/	:	/u/	*pur, pour*
haut	/i/	:	/e/	*pris, pré*
bas	/e/	:	/a/	*thé, tas*
rond	/i/	:	/y/	*pire, pure*
tendu	/e/	:	/ɛ/	*été, étais*
nasal	/ẽ/	:	/ɛ/	*lin, laid*

Tandis qu'un son est analysable en un certain
nombre de propriétés articulatoires, un phonème est
analysable en traits pertinents. Un **phonème** peut
être défini comme un faisceau de traits pertinents
dont la valeur positive ou négative est spécifiée.

Certaines langues (langues de l'Extrême-Orient,
d'Afrique ou de Scandinavie) possèdent un type particulier de phonème appelé tonème. Un **tonème** est
un ton distinctif. La hauteur du son est distinctive et
permet d'opposer des mots distincts.

> En suédois : *tanken*, dont la première syllabe est
> plus haute que la seconde, signifie « le tank », et *tan-
> ken/*, dont la dernière syllabe est plus haute que la
> première, signifie « la pensée ».

6.4. Les traits marqués

Certains phonèmes sont plus difficiles à réaliser

que d'autres. Certaines valeurs de traits sont, dans les différentes langues, très largement répandues, tandis que les valeurs opposées sont relativement plus rares.

> La nasalité des voyelles et la non-stridence des fricatives sont des phénomènes relativement rares.

Pour rendre compte de la rareté ou de la complexité relative de certains phénomènes, on introduit la notion de **marque.** Les valeurs marquées sont ressenties comme plus rares ou moins normales et donc comme plus complexes. Les autres valeurs sont non marquées. On convient d'utiliser les lettres « m » (marked) et « u » (unmarked) pour indiquer respectivement la valeur marquée et non marquée. Nous pouvons calculer la complexité relative des phonèmes en comptant le nombre de ses valeurs marquées.

> La stridence est relativement plus fréquente que la non-stridence. C'est donc le trait [-strident] qui est marqué.
> La nasalité des voyelles est un fait beaucoup moins répandu que l'oralité des voyelles. Le trait nasal est donc marqué pour les voyelles.

La marque permet d'expliquer plusieurs phénomènes.
(a) La confusion entre sons voisins s'effectue au profit du phonème le moins marqué.

> Si on confond /i/ et /I/, c'est /i/ qui sera actualisé, parce que les formes tendues sont non marquées.

(b) Les formes marquées n'apparaissent que si les formes non marquées correspondantes existent.

Le phonème /y/ n'apparaît que si /i/ existe déjà.

(c) Les formes marquées disparaissent en premier lieu.

6.5. Les systèmes phonologiques

Après avoir dressé l'inventaire des phonèmes d'une langue, nous tenterons de découvrir l'organisation de cet inventaire, c'est-à-dire d'établir le **système phonologique.** Dans ce but, nous étudierons les relations paradigmatiques des phonèmes en nous fondant sur les traits pertinents par lesquels ils s'opposent. Pour représenter les systèmes, on utilise généralement un schéma matriciel indiquant les phonèmes en abscisse et les traits pertinents en ordonnée.

Exemple : le système d'opposition des consonnes entravées (non sonantes).

	p t k	f s ʃ	b d g	v z ʒ
continu	– – –	+ + +	– – –	+ + +
labial	+ – –	+ – –	+ – –	+ – –
haut	o – +	o – +	o – +	o – +
fort	+ + +	+ + +	– – –	– – –

Le symbole « o » indique que ce trait n'est pas pertinent.

Le système phonologique d'une langue n'exploite pas toutes les combinaisons possibles de traits. Une règle qui explicite un trait parfaitement prévisible est appelée **règle de redondance.**

Si un son n'est pas continu, alors il n'est pas sonant
non plus.

Les **traits redondants,** c'est-à-dire les traits introduits par une règle de redondance, peuvent être effa-
cés des matrices.

Il y a deux types de règles de redondance.

(a) Les unes découlent simplement de la définition
des traits :

Une voyelle est nécessairement sonante.

(b) Les autres mettent en évidence des caractéristiques propres à certaines langues :

En français, les voyelles et semi-voyelles vélaires sont
arrondies.

Lorsque les valeurs d'un trait sont déductibles de
la valeur d'un autre, ce trait ne peut être considéré
comme pertinent.

En français, toutes les fricatives sont stridentes. Le
trait [+strident] est déductible du trait « fricatif »
[+continu, -sonant] et n'est donc pas pertinent.

7. *La syllabe*

7.1. Définition

L'onde sonore présente de courtes périodes caractérisées par un sommet de sonorité. Ces périodes
centrées autour d'un sommet d'énergie sonore sont
les **syllabes.** Celles-ci font partie de la conscience
individuelle. En effet, on constate qu'en général on

éprouve moins de difficultés à reconnaître les syllabes que les sons.

> Lorsqu'on prononce successivement des voyelles
> identiques, comme le « o » dans : *coordination* ou le
> « a » dans : *Papa va à Arras,* on se rend compte des
> variations périodiques d'énergie.

On évalue le degré d'énergie sonore selon une
échelle de sonorité fondée sur le mode d'articulation.
Nous classons les sons par ordre croissant d'énergie
sonore :
– les entravées (occlusives et fricatives),
– les sonantes non vocaliques (occlusives nasales),
– les consonnes vocaliques (liquides),
– les semi-voyelles,
– les voyelles.

En outre, la syllabe est le plus petit segment prononçable isolément. Lors de la dictée lente, la syllabe
est le plus petit segment qui puisse être entouré de
pauses. Vue sous l'angle phonétique, la syllabe est
caractérisée par un sommet d'énergie sonore. Du
point de vue phonologique, la syllabe est une séquence régie par des règles de bonne formation propres à
chaque langue.

> La syllabe anglaise ne peut commencer par : ps..,
> kn.., nd.., ʃt...

7.2. Structure de la syllabe

La syllabe comporte trois positions fondamentales :
(a) la position prévocalique correspondant à la phase
ascendante appelée **attaque** syllabique,

(b) la position vocalique correspondant au **sommet** syllabique,

(c) la position postvocalique ou phase descendante appelée **fermeture** syllabique.

Une **syllabe ouverte** est une syllabe dont la position postvocalique est inoccupée. Si cette position est occupée, on parle de **syllabe fermée.**

> /pa/, /kRi/, /su/ sont des syllabes ouvertes.
> /pa:R/, /fis/, /sut/ sont des syllabes fermées.

7.3. La frontière de syllabes

On convient d'utiliser le symbole « § » pour indiquer une **frontière syllabique,** c'est-à-dire la séparation entre deux syllabes.

> Par exemple : *la vitalité* /§ la § vi § ta § li § té § /

Il n'y a pas de correspondance nécessaire entre les frontières de mots et les frontières de syllabes. Le découpage syllabique ne correspond pas davantage à la structure du mot.

> La séquence française : *j'ai* est formée de deux mots, mais constitue une seule syllabe. Lorsqu'on fait la liaison, par exemple dans : *les autos,* le phonème /z/ appartient à la deuxième syllabe.
> La forme verbale : *chantais* est constituée d'un radical : *chant-* et de la désinence : *-ais.* Cependant, le découpage syllabique attache le /t/ du radical à la deuxième syllabe.

7.4. Règles de syllabation

La structure de la syllabe est décrite au moyen

de **règles de syllabation** propres à chaque langue et qui établissent les conditions de bonne formation des syllabes.

(1) Règles concernant l'attaque de la syllabe

> Les consonnes sonantes /n/, /l/ et /r/ suivent les autres consonnes et se placent immédiatement devant la position vocalique : *pneu, plus, trop.*
>
> La consonne /h/ occupe seule la position prévocalique.
>
> Une occlusive peut être précédée d'une consonne d'attaque, généralement /s/ ou /ʃ/, et suivie d'une consonne de relâchement (fricative, liquide), en français : *splendide*, en anglais : *stew*, en allemand : *sprechen.*

(2) Règles concernant le sommet syllabique

La voyelle est éventuellement précédée d'une phase montante occupée par une semi-voyelle ou suivie d'une phase descendante occupée soit par la partie non accentuée d'une diphtongue, soit par une semi-voyelle.

> En anglais et en néerlandais, on rencontre des positions vocaliques possédant les trois phases (montante, sommet, descendante) : anglais : *why,* néerlandais : *jij.*
>
> En français, une phase vocalique montante peut être précédée d'une consonne de relâchement occupée par une liquide /l/ ou /r/ : *pluie, croient.*

(3) Règles concernant la fermeture de la syllabe

> Les liquides précèdent les nasales et les sonantes précèdent normalement les entravées, en allemand : *lernt, fern.*

Dans certaines langues, la syllabe est toujours ouverte. D'autres langues admettent des accumulations de consonnes en position finale.

7.5. Contrastes et évolution

Les mots d'origine étrangère ont souvent une structure syllabique différente des mots indigènes.

Le français a emprunté des mots dont la structure syllabique n'est manifestement pas française : *snob, gnome.*

Lorsque l'accumulation de consonnes est impossible dans la langue indigène, on a recours aux **voyelles d'appui.**

Le mot français *diplôme* devient *dipoloma* dans certains langues africaines.

Certaines difficultés d'apprentissage ne sont pas dues aux sons eux-mêmes, mais à leur agencement.

Les francophones éprouvent des difficultés à prononcer certaines suites de consonnes comme [tst] ou [sts].

La disparition de certains sons s'explique souvent par leur position dans la syllabe. Les consonnes en position postvocalique sont faibles et disparaissent en premier lieu.

8. Règles phonologiques

Les **règles phonologiques** ont pour objectif d'expliquer la diversité des sons. Elles transforment les phonèmes en séquences de sons et sont censées reproduire les opérations d'encodage.

> En français, la voyelle accentuée s'allonge devant une fricative sonore : *neige, grave, chose*. En allemand, le phonème /x/ se réalise en [ç] après une sonante antérieure [n, l, r, i, e, y, ø] : *Mönch, welch, durch, nicht, Bücher.*

Les règles phonologiques doivent exprimer des lois naturelles et correspondre à un phénomène phonétique réel. On considère qu'une règle phonologique est naturelle lorsqu'elle aboutit à une simplification facilitant l'expression ou à une différenciation facilitant la compréhension.

> Les phénomènes pouvant faire l'objet de règles sont nombreux :
> – les amalgames, par exemple l'amalgame de /n/ et /j/ en une consonne nasale palatale [ɲ] en français : i'n'y a,
> – la gémination de consonnes ou de semi-voyelles identiques, par exemple /j/+/j/ en [j:] en français : *croyions,*
> – les assimilations,
> – l'assourdissement d'occlusives ou de fricatives en fin de syllabe,
> – l'effacement de phonèmes, par exemple du phonème /ə/ (« e » caduc) en français,
> – la formation d'allophones,
> – les épenthèses : insertion de voyelles d'appui ou de semi-voyelles entre les voyelles.

Les règles phonologiques permettent de calculer les séquences de sons qui actualisent les suites de phonèmes au moyen d'une succession d'opérations simples.

> Soit la phrase : *Elle l'a trouvée très malade,* représentée par une suite de phonèmes constituant les données du calcul. A cette suite s'applique une première règle dont le résultat fournit les données de la règle suivante, et ainsi de suite jusqu'à l'obtention du résultat final (cf. Chap. 4, § 6.4). Les règles à appliquer sont :
> R1 : l'effacement du /ə/ atone « caduc »,
> R2 : la gémination de consonnes identiques (/l/).

On peut ainsi comprendre la genèse de fautes. En effet, les **fautes,** comme les formes correctes, s'expliquent par une application successive de règles, mais en l'occurrence la faute est due à l'absence de règles « correctes », à la présence de règles « incorrectes », à l'interversion de règles, etc.

> Prenons comme exemple la prononciation incorrecte de : *nuage* « nuwâch' »
> Outre une règle d'allongement de la voyelle devant une syllabe possédant un /ə/ atone (R1) et la règle d'effacement du /ə/ "caduc" (R2), deux règles régionales incorrectes en français standard s'y appliquent : l'insertion épenthétique d'une semi-voyelle arrondie [w] après une voyelle arrondie (R3) et l'assourdissement des consonnes sonores en fin de mot (R4). La forme incorrecte s'obtient par l'application successive de ces quatre règles.

On explique de la même manière les fautes dues à l'interférence de la langue maternelle lors de la prononciation d'une langue étrangère. On « calcule » les

fautes d'interférence en appliquant aux phonèmes
étrangers les règles de la langue maternelle.

9. L'accentuation

9.1. Définitions

On appelle **accentuation** la mise en relief d'une syllabe par rapport à ses voisines. Les procédés de mise en
relief sont : (a) l'intensité, responsable de l'accent dynamique, (b) la hauteur, responsable de l'accent tonal, et
(c) la durée. Généralement, ces facteurs contribuent
ensemble à la mise en relief d'une syllabe.

Les syllabes **toniques** sont accentuées. Elles s'opposent aux syllabes **atones,** qui ne le sont pas. Les syllabes
toniques peuvent se distinguer à la fois par leur accent
dynamique, leur accent tonal et leur durée. Les syllabes
atones sont souvent plus brèves et articulées avec moins
de précision que les syllabes toniques.

Un mot fondamentalement inaccentuable est
appelé **clitique.** Il s'appuie sur un mot ou groupe de
mot accentué. Le clitique qui précède le mot d'appui
est appelé **proclitique.** Le mot inaccentué est **encli-
tique** lorsqu'il s'appuie sur le mot précédent.

> Dans : *Je t' l' ai dit,* le mot d'appui est : *dit,* tandis
> que : *Je t' l' ai* sont proclitiques.
> Dans : *Que dis-je ?,* le mot d'appui est : *dis,* tandis
> que : *que* est proclitique et : *je* est enclitique.

9.2. L'accent de mot

On distingue trois niveaux d'accentuation des syllabes du mot : (a) l'accent principal, (b) l'accent

secondaire et (c) l'absence d'accent. Lors de la transcription phonétique, on fait précéder la syllabe accentuée d'une apostrophe suscrite ['] (accent principal) ou souscrite [,] (accent secondaire), par exemple en anglais : ˌoppoˈsition ou ˌoptiˈmistic.

Selon les langues, la place de l'accent est fixe ou variable. La fonction de l'accent varie également. En effet, l'accent sert à marquer la frontière entre les formes de mots (fonction démarcative), à marquer la structure du mot, à distinguer les homonymes, il possède une valeur grammaticale (en russe), etc.

L'accentuation est régie par des règles différentes selon les langues :

– La forme du mot est accentuée sur la même syllabe, quelle que soit sa structure.

– C'est toujours la même syllabe du radical qui reçoit l'accent, quelles que soient les désinences.

– La place de l'accent a une valeur grammaticale et varie selon la catégorie grammaticale exprimée (en russe).

> En hongrois et en tchèque, les mots sont accentués sur la première syllabe, en polonais sur l'avant-dernière, en français sur la dernière syllabe ou sur l'avant-dernière lorsque le mot se termine par un [ə] caduc.
>
> En anglais, la place de l'accent a pour effet de changer la catégorie lexicale : ˈimport est un nom et imˈport est un verbe. En allemand, la place de l'accent a une valeur lexicale : ˈübersetzen signifie « faire passer » et überˈsetzen « traduire ».
>
> En français, l'accent de mot a une fonction essentiellement démarcative. Si on le déplace, la phrase devient incompréhensible. On peut ainsi s'amuser à

déplacer l'accent des mots. Si on déplace l'accent final de laitues sur la première syllabe dans : *Sous les arbres, vos laitues naissent-elles ?* on produit une phrase perçue comme : *Sous les arbres, volait une estelle.*

9.3. Groupes rythmiques ou accentuels

Un **groupe rythmique** est une séquence de syllabes délimitée par des pauses. Il constitue l'unité de base de l'intonation et détermine le contour intonatoire. Comme il comprend au moins un accent, on l'appelle également **groupe accentuel.** La segmentation d'un énoncé en groupes rythmiques est déterminée par plusieurs facteurs : la structure syntaxique de la phrase, la longueur des groupes syntaxiques et la perspective communicative.

La phrase : *Depuis deux jours, le fils de mon voisin refuse de m'adresser la parole* admet les découpages suivants :
Depuis deux jours / le fils de mon voisin refuse (...)
Depuis deux jours / le fils de mon voisin / refuse (...)
mais non :
Depuis deux jours le fils / de mon voisin refuse (...)
Un sujet ne forme un groupe rythmique que s'il contient un accent. La première segmentation est correcte, la seconde ne l'est pas, car *il(s)* est normalement atone :
Les arbres du verger / sont déjà en fleur.
??? Ils / sont déjà en fleur.
La proposition relative a une valeur explicative dans la première des phrases suivantes et restrictive dans la seconde :

> *Les enfants, / qui jouaient dehors, / ont été admonestés par un passant.*
> *Les enfants qui jouaient dehors / ont été admonestés par un passant.*

Le nombre et la durée des pauses dépendent essentiellement du débit du discours. Celui-ci est lui-même déterminé par plusieurs facteurs, comme l'importance de l'activité cérébrale nécessaire à l'élaboration du contenu, l'émotivité, le désir de faciliter la compréhension par un large public, le souci de permettre la prise de notes, etc.

9.4. L'accent de phrase

L'**accent de phrase** se caractérise par une mise en relief d'une syllabe accentuée par rapport aux autres syllabes accentuées. Il varie en fonction de la perspective communicative, contrairement à l'accent de mot, qui est lié aux formes de mots.

On distingue :
– l'**accent focal** ou **rhématique** qui sert à marquer le contenu communicatif de la phrase sur lequel porte l'intention communicative du locuteur (rhème),
– l'**accent topical**, légèrement moins marqué, signalant le topique de la phrase.

L'accent focal peut être **emphatique.** Cet accent peut affecter une syllabe qui ne peut recevoir l'accent de mot. Il a une fonction expressive ou contrastive.

> – *J'ai dit DEvenir et non REvenir.*

Contrairement aux langues germaniques qui utilisent fréquemment l'accent focal et topical, le français préfère les constructions périphrastiques : *ce ...*

> *qui/que (C'est à toi que j'ai donné ce document) ou il y a ... qui/que (Il y a quelqu'un qui t'attend en bas).*

Une phrase qui apporte plusieurs informations a plusieurs rhèmes et reçoit autant d'accents rhématiques. Une phrase peut également avoir plusieurs topiques et donc avoir plusieurs accents topicaux.

> *L'année dernière* (premier topique), *nos vacances à la mer* (deuxième topique) *ont été particulièrement réussies* (premier rhème) *parce que le temps a été magnifique* (deuxième rhème).

On peut représenter la **structure accentuelle** d'une phrase en utilisant l'astérisque (★) pour l'accent de phrase, le cercle (o) pour l'accent de mot et le point (•) pour la syllabe non accentuée.

> *Le chien du voisin a aboyé toute la nuit.*
> [• o • • ★ • • • o • •• ★]

9.5. La période

Les segments rythmiques font partie d'ensembles plus grands appelés **périodes,** véritables unités prosodiques pouvant s'étendre sur plusieurs phrases jusqu'à englober un paragraphe entier. La période incarne les qualités prosodiques des textes. Elle se signale par une impression d'équilibre et d'unité.

10. L'intonation

L'intonation, ou mélodie de la phrase, se définit comme la variation de hauteur de la voix à l'intérieur de groupes rythmiques. Ces variations peuvent se représenter au moyen d'une portée de trois ou cinq lignes sur laquelle on inscrit les syllabes identifiées par leur type accentuel [• o ★]. Les lignes de la portée correspondent aux différents niveaux allant de l'aigu au grave.

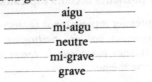

Le choix du niveau de voix semble libre, mais il peut être occasionnellement chargé d'émotivité. Le mode grave est associé à l'expression de la tristesse ou de la consternation, tandis que le mode aigu convient pour l'expression du bonheur et de la joie.

> Comparez :
> *J'ai reçu un rappel de mon contrôleur des contributions.* (mode grave)
> *Je vais recevoir une augmentation le mois prochain.* (mode aigu)

Une rupture de niveau suivie d'une reprise du niveau antérieur caractérise les différents types de **parenthèses** : propositions incises et incidentes, certaines appositions, propositions relatives explicatives, etc.

> *La sœur de Jean — je viens de l'apprendre — a mis au monde une ravissante petite fille.*

On appelle **contour intonatoire** la courbe mélodique des groupes rythmiques. Les contours ont une valeur sémantique reconnue, c'est pourquoi ils constituent de véritables morphèmes. On les appelle dès lors **morphèmes intonatoires** ou **intonèmes.**

Le contour intonatoire a de nombreuses fonctions.

(a) Il indique le type illocutif de la phrase : assertion, interrogation, requête, etc. (cf. Chap. 5, § 4).

(b) Il sépare le topique de son propos (cf. Chap. 5, § 3).

(c) Il met en évidence la proposition focale par rapport à l'arrière-plan (cf. Chap. 5, § 6).

(d) Il exprime la modalité (la certitude est marquée par une courbe nettement descendante, l'incertitude par un contour légèrement ascendant).

(e) Il est chargé d'expressivité (de grands écarts de hauteur de voix caractérisent les émotions fortes, tandis que des écarts insignifiants rendent le discours monotone et peuvent exprimer l'indifférence).

Le contour intonatoire des groupes rythmiques est analysable en constituants dont le plus important est la **cadence,** c'est-à-dire la terminaison musicale qui indique le type illocutif de la phrase.

Les deux mouvements intonatoires fondamentaux sont la montée et la descente.

La courbe ascendante exprime en général une incomplétude. Elle apparaît en particulier lorsque le segment ne termine pas la phrase ou lorsqu'on attend une réponse ou une réaction, par exemple à la suite d'une question. Elle apparaît également lorsque l'information contenue dans le segment rythmique est considérée comme accessoire, c'est-à-dire si elle appartient à l'arrière-plan (cf. Chap. 5, § 6.2.) et qu'on doit encore attendre l'information essentielle qui constitue le véritable contenu communicatif de la phrase.

La courbe descendante signale la complétude. Elle termine généralement les assertions, mais on la trouve également dans les impératives catégoriques qui n'admettent aucune contestation et dans certaines exclamatives qui ne font pas appel à la participation affective de l'interlocuteur, etc.

(Quand aura-t-il vingt ans?) *Il aura vingt ans / au mois d'août* \
Le premier segment représente l'arrière-plan. Le contenu informatif (rhème) se trouve dans le dernier segment.
(Nous allons fêter son anniversaire en août. Quel âge aura-t-il?) *Il aura vingt ans* \ *en août.* Le premier segment contient le contenu informatif de la phrase (rhème) et le dernier, l'arrière-plan.
— *On a finalement retrouvé sa voiture* \ *sous un pont près de la gare* \
Cette phrase contient deux informations : (a) la voiture est retrouvée, (b) elle se trouvait sous un pont près de la gare.
— *Est-ce qu'elle est allée en Pologne / en voiture /*
Cette phrase comporte deux interrogations : (a) est-elle allée en Pologne ? (b) a-t-elle utilisé la voiture ?

11. *La ponctuation*

Les **signes de ponctuation** ont pour fonction essentielle de représenter graphiquement les faits prosodiques.
La fonction démarcative est assumée par
(a) les **blancs,** qui séparent graphiquement les mots,
(b) les **virgules,** qui séparent les groupes rythmiques,

(c) les **points-virgules** et **points,** qui séparent les propositions ou les phrases,

(d) les **alinéas,** qui séparent les paragraphes ou périodes du texte.

La cohésion du groupe rythmique et plus particulièrement la présence de clitiques peut être signalée conventionnellement par un **trait d'union** : *que sais-je, dit-il, allez-vous-en.*

Le type illocutif est marqué par le **point d'interrogation,** qui signale une phrase de type interrogatif, et le **point d'exclamation,** qui clôture les énoncés expressifs.

La rupture du niveau de voix est signalée par des **tirets,** des **parenthèses** ou des **virgules.**

CHAPITRE IX

LA FORME DES MOTS

Plan

1. *La morphologie*

La **morphologie** est la partie de la grammaire qui étudie la forme des mots. Elle a le morphème pour unité minimale et la forme de mot pour unité maximale. Elle est étroitement liée à la lexicologie, à la syntaxe et à la prosodie, car ces disciplines concourent toutes à l'expression de contenus sémantiques.

> La pluralité s'exprime aussi bien par des procédés morphologiques (le pluriel) que lexicaux (affixe collectif) : *les feuilles : le feuillage.* L'interrogation utilise aussi bien des procédés morphologiques (une unité grammaticale : *est-ce que ?*) que syntaxiques (l'ordre des mots) ou prosodiques (l'intonation) : *Est-ce qu'il est malade ? Est-il malade ? Il est malade ?*

2. *Les formes de mots*

Dans les phrases, les morphèmes s'agglutinent en masses plus ou moins compactes appelées **formes de mots.** La frontière qui sépare les formes de mots est établie par les lieux où l'insertion d'autres morphèmes est possible [BLOOMFIELD 1933 : 180].

> La phrase : *Paul pense à toi* comporte trois points d'insertion de morphèmes : *Paul (...) pense (...) à (...) toi,* par exemple : *Paul ne pense jamais à Pierre ni à toi.* Ces points d'insertion constituent les frontières des mots.

A l'écrit, les frontières de mots sont représentées par des **blancs**. En principe, une forme de mot ne doit pas être interrompue par des blancs. Le **trait d'union** est utilisé lorsqu'une forme de mot contient des éléments qui sont de véritables formes de mots dans un autre contexte.

> Ce principe, très simple, n'est que rarement respecté. On devrait écrire *aujourdhui* et non *aujourd'hui,* *tout-à-coup* et non *tout à coup.* Le principe est respecté dans *irai-je.*
>
> En anglais, l'absence de possibilité d'insertion entre l'auxiliaire et la négation explique l'agglutination des formes enclitiques : *doesn't, cannot, can't,* etc.

Une difficulté apparaît lorsque l'insertion de morphèmes est possible, mais strictement limitée. En principe, les points d'insertion limitée ne constituent pas des frontières de mots. Toutefois, l'usage est parfois incertain, ce qui explique certaines bizarreries de l'orthographe.

> *Nous chantons* admet l'insertion de la désinence *-er-* du futur : *Nous chanterons.* Cette insertion est limitée au morphème *-er-* et n'affecte pas la cohésion graphique du mot.
>
> En allemand, les verbes à particules admettent l'insertion de *-zu-* à l'infinitif sans faire éclater la forme de mot. Il en est autrement en néerlandais, où l'insertion de *te* à l'intérieur d'un verbe à particule s'accompagne de « blancs » : *opgaan : op te gaan.*

3. *Mots grammaticaux et mots lexicaux*

Les formes de mots constituées exclusivement de grammèmes sont appelés **mots grammaticaux** ou **mots-outils.** Comme leur nombre est limité, on peut en faire l'inventaire. Ils comprennent les **classes grammaticales** suivantes :
– les déterminants,
– les pronoms,
– les verbes auxiliaires,
– les verbes copules,
– les prépositions,
– les conjonctions de subordination,
– les conjonctions de coordination.

Les mots grammaticaux s'opposent aux **mots pleins,** formés à partir d'une unité lexicale, et appelés également **mots lexicaux.** Ceux-ci sont tellement nombreux qu'il est quasiment impossible de les énumérer [MARTINET 1960 : 117]. Alors qu'on ne peut inventer de nouveaux mots grammaticaux, on crée constamment de nouveaux mots pleins. Ces derniers appartiennent aux quatre **classes lexicales** suivantes (cf. Chap. 10, § 3) :
– les verbes à l'exception des verbes auxiliaires et des verbes copules,
– les noms,
– les adjectifs,
– les adverbes.

Les mots qui ont toujours la même forme quelle que soit la phrase sont **invariables** (adverbes, prépositions, conjonctions). Ils s'opposent aux **mots variables,** dont la forme diffère selon la phrase.

En français, le nom varie en nombre tandis que l'adjectif varie en genre et en nombre. Le verbe varie en voix, mode, temps, personne et nombre.

4. *La flexion*

4.1. Définitions

La variation des formes de mots est la **flexion.** Celle-ci comprend :
(a) la **conjugaison,** ou variation des formes du verbe,
(b) la **déclinaison,** ou variation des noms, adjectifs, déterminants et pronoms en genre, nombre et cas,
(c) les **degrés de comparaison** des adjectifs et des adverbes.

Les **flexifs** sont des morphèmes grammaticaux qui s'ajoutent à une unité lexicale avec laquelle ils constituent une forme de mot. L'unité lexicale à laquelle s'ajoutent les flexifs est le **radical.**

RADICAL + FLEXIF(S) = FORME DE MOT

On appelle **unité grammaticale** tout morphème utilisé pour la flexion, c'est-à-dire un flexif ou un mot grammatical. Comme une unité grammaticale est formée de morphèmes, elle est comme ces derniers constituée par l'association d'un signifié avec un signifiant.

4.2. Types de flexion

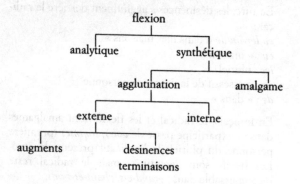

(1) La flexion est **analytique** ou **synthétique** selon qu'elle s'effectue au moyen de mots grammaticaux ou de flexifs.

> En français, le futur simple (*il chantera*) est synthétique, car *-era* est un flexif, mais le futur immédiat (*il va chanter*) est analytique, car l'auxiliaire *va* est un mot grammatical. En anglais, le comparatif est tantôt synthétique : *easier,* tantôt analytique : *more difficult.*

(2) Les flexifs peuvent s'agglutiner au radical ou s'amalgamer avec lui. On parle d'**agglutination** lorsque les unités grammaticales sont réunies en une seule forme de mot et sont clairement distinctes du radical. On parle d'**amalgame** lorsque le radical et les flexifs forment un seul signifiant.

> En swahili, les augments s'agglutinent devant le radical : *ha-wa-ta-imba* « ils ne chanteront pas »
> *ha* : négation
> *wa* : troisième personne du pluriel
> *ta* : futur

imba : « chanter »

En turc, les désinences s'agglutinent derrière le radical :

ev-ler-im-de « dans mes maisons »

ev : « maison »

ler : pluriel

im : possessif de la première personne

de : « dans »

En français, le radical et les flexifs sont amalgamés dans : *vu* (participe passé de *voir*), *sommes* (première personne du pluriel de l'indicatif présent de *être*). Les flexifs sont agglutinés, mais le radical reste reconnaissable dans : *grand-e-s, chant-er-i-ons.*

(3) L'agglutination est **externe** lorsque les flexifs se placent à la périphérie du radical. Les **augments** sont des flexifs qui se placent devant le radical. Les **désinences,** appelées également **terminaisons,** se placent après lui.

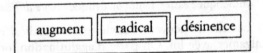

L'agglutination est **interne** lorsqu'elle s'effectue à l'intérieur du radical, par exemple par l'alternance ou par une quelconque modification de voyelles.

En anglais, l'**alternance vocalique** suffit à indiquer la forme temporelle : *sing, sang, sung*. En allemand, l'**Umlaut** est une modification de la voyelle du radical utilisée à des fins morphologiques, notamment pour indiquer le pluriel : *Vater* « père », *Väter* « pères ».

En arabe, la racine *ktb* « écrire » devient *katab* « il a écrit », *kitab* « ce qui est écrit ». Le même procédé est utilisé pour la dérivation lexicale : *katib* « écrivain ».

(4) Les différents types de flexion peuvent se combiner entre eux.

En allemand, le participe passé des verbes faibles utilise à la fois un augment et une désinence : *ge-* et *-t* dans le participe passé : *ge-sag-t* « dit ». Le pluriel du nom peut s'exprimer à la fois par une flexion interne (l'Umlaut) et externe (une désinence) : *der Gott* « le dieu », *die Götter* « les dieux ».

Un procédé flexionnel moins connu est la **réduplication** totale ou partielle du radical.

La réduplication totale existe en indonésien pour la formation du pluriel : *gadzah* « éléphant », *gadzah-gadzah* « éléphants ». En tagalog, une langue des Philippines, on forme le futur en répétant la première syllabe du radical (réduplication partielle) : *pasok* « entrer », *papasok* « entrera ».

4.3. Confusions possibles

On se gardera de confondre radical et racine. La **racine** est le noyau lexical auquel s'ajoutent les affixes. L'ajout d'un affixe à une racine a pour effet la création d'une nouvelle unité lexicale (un nouveau mot), tandis que l'ajout d'un flexif à un radical ne crée pas de nouvelle unité lexicale, mais crée uniquement une forme de mot utilisable dans une phrase. On ne confondra pas les **préfixes** avec les **augments** ni les **suffixes** avec les **désinences**.

Si, à l'adjectif *égal* on ajoute le suffixe *-is-* on obtient une nouvelle unité lexicale, le verbe *égaliser*. Ce dernier est composé du radical *égalis-* accompagné de la désinence de l'infinitif *-er*. Si on modifie la désinence, on obtient une autre forme de mot (par exemple : *égaliserions*), mais l'unité lexicale reste la même (il s'agit toujours du même verbe).

RACINE	: *égal-*
+ **SUFFIXE**	: *-is-*
= **RADICAL**	: *égalis-*
+ **DÉSINENCES**	: *-erions*
= **FORME DE MOT**	: *égaliserions*

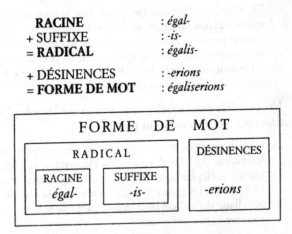

On évitera également de confondre verbe composé et forme verbale complexe. Un **verbe composé** est une unité lexicale complexe formée à partir de deux unités lexicales, tandis qu'une **forme verbale complexe** est une forme de mot analytique composée d'un verbe plein et d'un ou plusieurs auxiliaires.

Les « phrasal verbs » de l'anglais sont des verbes composés, par exemple : *to turn on*. En français, *il a chanté* est une forme verbale complexe.

5. *Le signifié des unités grammaticales*

5.1. Définition

Le **signifié d'une unité grammaticale** est formé par les significations particulières (acceptions) de cette unité. Le discours n'actualise jamais l'ensemble du signifié, mais uniquement l'une ou l'autre de ses acceptions (cf. Chap. 3, § 3).

5.2. Polysémie

Le signifié qui ne possède qu'une acception est **monosémique.** Il est **polysémique** lorsqu'il en possède de plusieurs.

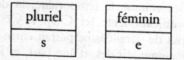

pluriel	féminin
s	e

Le temps grammatical du présent est susceptible d'avoir plusieurs significations : atemporalité ou temps général, temps d'énonciation (présent actuel), temps du récit (présent historique), etc.

La terre tourne autour du soleil (temps général),
La voisin travaille dans son jardin (présent actuel),
En 44 avant J.-C., Brutus assassine César (présent historique).

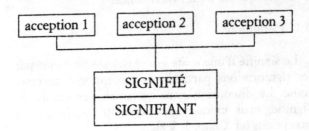

5.3. Concepts exprimés par les unités grammaticales

Les significations particulières exprimées par les unités lexicales et grammaticales sont des concepts ou des assemblages de concepts (cf. Chap. 4). Tandis que les classes génériques sont par nature exprimées par des unités lexicales, les unités grammaticales sont naturellement destinées à exprimer les fonctions conceptuelles comme la temporalité, la détermination, le quantification, etc. (cf. Chap. 7, § 7).

Il n'y a pas de parallélisme parfait entre les unités lexicales et grammaticales, d'une part, et les classes génériques et les fonctions conceptuelles, d'autre part. En effet, une relation sémantique, comme par exemple l'antériorité, peut être exprimée par une unité lexicale, par un affixe ou par une unité grammaticale : *précéder, ex-époux, avant de partir, il fumait autrefois.*

5.4. L'anaphore

Un mot grammatical dont la fonction est de renvoyer à un autre segment de la phrase ou du texte est appelé **anaphorique**. Le segment auquel il renvoie est son **antécédent**.

> Les pronoms personnels, démonstratifs et relatifs sont des mots grammaticaux anaphoriques :
> *J'ai rencontré Pierre. Il* (→ Pierre) *m'a parlé de toi.*
> *Je préfère la cravate* **que** (→ la cravate) *tu m'as offerte.*

L'anaphore est le procédé par lequel une unité grammaticale renvoie à une information connue, soit parce qu'elle a été introduite dans la phrase ou le texte et est de ce fait présente à l'esprit, soit parce qu'elle fait partie de l'univers du discours (cf. Chap. 2, § 5) [REICHLER 1988 : 18]. L'anaphore est une relation de coréférence orientée d'un référent représenté par un mot anaphorique vers son antécédent. La **deixis** est une forme particulière d'anaphore renvoyant au contexte d'énonciation : interlocuteurs, espace-temps de l'énonciation (cf. Chap. 2, § 6.3.).

5.5. Marqueurs

Certaines unités grammaticales servent à marquer la fonction grammaticale du groupe syntaxique auquel elles sont attachées.

> Les langues qui possèdent des cas, comme le latin et l'allemand, les utilisent pour exprimer les principales fonctions grammaticales : sujet (nominatif), objet direct (accusatif), objet indirect (datif), complément

circonstanciel (divers cas), complément du nom (génitif).

D'autres unités grammaticales servent à marquer l'enchâssement.

L'enchâssement est marqué par la conjonction de subordination française *que* qui introduit une proposition complétive. Les pronoms relatifs sont des amalgames du marqueur d'enchâssement *que* avec un pronom personnel. La plupart des conjonctions de subordination sont des locutions composées du marqueur d'enchâssement *que* et d'un terme à valeur sémantique : *afin que, après que, lorsque, à condition que*, etc.

5.6. Formes explétives

Les contraintes syntaxiques imposent parfois la présence d'unités grammaticales purement formelles dénuées de toute valeur sémantique, mais indispensables au respect des règles syntaxiques. On les appelle généralement **formes explétives.**

L'absence de sujet avec certains verbes (notamment avec les verbes exprimant les précipitations atmosphériques) donne lieu à la formation d'un sujet purement formel appelé **sujet impersonnel** : *Il pleut.*
Dans la phrase allemande déclarative, le verbe conjugué à un mode personnel doit se trouver en seconde position. Si la tête de phrase est vide, on emploie un **tenant-lieu** *es* : *Es sind viele Leute gekommen* (« Il est arrivé beaucoup de monde »).

6. *Les formants grammaticaux*

Le signifié des unités grammaticales est analysable en éléments constitutifs appelés **formants grammaticaux** : pluriel, présent, passif, comparatif... Ces formants grammaticaux servent à définir les identités de comportement des formes de mots au moyen de règles.

> On peut décrire le comportement spécifique des formes de l'article : *le, la, un, une* en disant que *le* se comporte vis-à-vis de *un* comme *la* vis-à-vis de *une,* ou *le* vis-à-vis de *la* comme un vis-à-vis de *une*. On exprimera mieux ces identités de fonctionnement en disant que l'article *le* est « défini » et « masculin », que *la* est « défini » et « féminin », que *un* est « indéfini » et « masculin », etc.

$$\frac{le}{un} = \frac{la}{une}$$

le	: défini + masculin
un	: indéfini + masculin
la	: défini + féminin
une	: indéfini + féminin

Dans les langues occidentales, les formants grammaticaux s'amalgament souvent et sont associés à un signifiant unique :

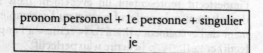

pronom personnel + 1e personne + singulier
je

7. *Les catégories grammaticales*

Les formants mutuellement substituables s'organisent en **catégories grammaticales** : le singulier et le pluriel constituent la catégorie du nombre, le masculin, le féminin et le neutre constituent la catégorie du genre, etc.

catégories	formants
nombre	singulier, pluriel
genre	masculin, féminin, neutre
cas	nominatif, génitif, datif, accusatif...
personne	première, deuxième, troisième
voix	active, passive
mode	indicatif, impératif, subjonctif...
temps	présent, passé simple, futur...
comparaison	positif, comparatif, superlatif
etc.	

Les langues varient considérablement selon le nombre et la composition de leurs catégories grammaticales.

Certaines langues, comme le français et l'anglais, ne possèdent plus de véritables cas. Celles qui en possèdent en ont un nombre variable. Le polonais en a sept, le latin six, le grec ancien cinq, l'allemand quatre, le grec moderne trois, etc.

Le russe possède une catégorie d'aspect comprenant l'imperfectif représentant un événement dans son déroulement et le perfectif exprimant l'accomplissement de l'événement : ПИСáТЬ (« écrire » à l'imperfectif) et НаПИСáТЬ (« écrire » au perfectif).

C'est à tort qu'on considère parfois les formants comme de véritables entités sémantiques. Cette confusion est entretenue par les étiquettes sémantiques généralement utilisées pour les identifier.

> Le formant « pluriel » ne doit pas être confondu avec la notion sémantique de « pluralité ». Entre le formant et la notion sémantique il n'existe pas de relation biunivoque. En effet, le pluriel (formant grammatical) peut ne pas exprimer la pluralité (notion sémantique) : *les funérailles, les fiançailles,* tandis que la pluralité peut être exprimée autrement que par un formant du pluriel : *une foule, un troupeau.*
>
> La notion sémantique d'aspect est, selon les langues, exprimée de diverses façons. En russe, elle est grammaticalisée, c'est-à-dire exprimée par une catégorie grammaticale spécifique. Dans d'autres langues, par exemple en allemand, cette même notion est lexicalisée, c'est-à-dire exprimée par des procédés lexicaux (dérivation, composition).

Un formant grammatical peut être monosémique ou polysémique.

> En français, le formant « imparfait » est polysémique. Il exprime non seulement la notion sémantique du passé, mais aussi celle de l'irréalité : *J'étais malade hier. Ah, si j'étais à ta place !*

Les formants grammaticaux sont synonymes lorsqu'ils expriment la même notion sémantique, c'est-à-dire lorsqu'ils ont la même acception.

> Les formants « passé simple » et « passé composé » en français peuvent être synonymes. *Lorsqu'il arriva, il pleuvait. Lorsqu'il est arrivé, il pleuvait.*

8. Morphèmes et morphes zéro

Un **morphème zéro** est un morphème constitué par un formant associé à un signifiant vide, c'est-à-dire dénué de forme d'expression.

> Le singulier, le masculin, le temps du présent, le mode indicatif sont souvent exprimés par une absence de désinence.

Les morphèmes zéro ne créent pas d'ambiguïté, parce que les formants grammaticaux qui leurs sont associés forment une classe petite et fermée.

> Puisque, en anglais, *books* exprime un pluriel, alors *book* exprime nécessairement un singulier.

Il existe également des **morphes zéro.** On dit qu'un morphe est un morphe zéro lorsqu'un signifiant disparaît dans certains environnements.

> En français parlé, le pluriel est associé à un signifiant que nous pourrions représenter par /z/. Celui-ci apparaît sous la forme de deux allomorphes : /z/, lorsqu'on fait la liaison devant une voyelle (par exemple dans : *les arbres*), et zéro lorsqu'il se trouve devant une consonne ou à la fin d'un groupe rythmique (par exemple dans : *les fleurs*).

9. Règles morpho-phonologiques

Le **signifiant d'une unité grammaticale** est la forme théorique qui permet d'expliquer la diversité des formes grammaticales rencontrées dans les phrases, c'est-à-dire des morphes.

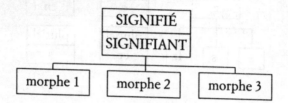

La forme théorique du signifiant est celle qui permet d'obtenir les différents morphes par l'application de simples règles de transformation. Si on ne peut pas formuler de telles règles générales, on considère que les morphes appartiennent à des morphèmes distincts.

> En anglais, les désinences du pluriel (morphes) sont, phonétiquement, /s/, /z/ et /Iz/ (par exemple : *books, glasses, boys*). On peut expliquer les trois désinences par deux règles simples :
> (1) l'alternance s/z par un phénomène d'assimilation,
> (2) la forme /-Iz/ par l'épenthèse (insertion) de /I/ qui bloque l'assimilation de la désinence après une sifflante ou une chuintante. Les trois désinences anglaises sont donc dérivables d'un même signifiant dont la forme peut être /z/.
> En allemand, les désinences du pluriel sont très différentes : *-e, -en, -er, -s*, etc. Il n'est manifestement pas possible de faire dériver des formes aussi différentes d'une forme théorique unique. Par conséquent, nous dirons que l'allemand possède plusieurs flexifs du pluriel.

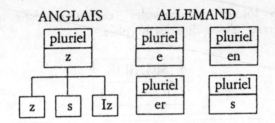

Une **règle morpho-phonologique** est une règle qui explique la constitution phonologique des morphes. Elle s'applique aussi bien aux mots grammaticaux qu'aux radicaux et aux flexifs. Les règles morpho-phonologiques ont une origine phonétique (assimilations, insertion de voyelles d'appui, amuïssements, etc.) dont le mécanisme originel est figé et soumis à des contraintes précises.

Les morphes sont des **allomorphes** lorsqu'ils sont dérivés d'un même signifiant et que leur diversité est liée à des environnements spécifiques. Les morphes mutuellement substituables dans le même environnement sont des **variantes libres.**

L'article défini pluriel français apparaît sous la forme de deux allomorphes : /lɛz/ devant une voyelle et /lɛ/ dans les autres cas. Il s'agit d'allomorphes d'un signifiant qui pourrait être /lɛz/. La règle dite de « liaison » a pour effet d'effacer une consonne finale devant la consonne initiale du mot suivant et a pour fonction d'empêcher les accumulations de consonnes à la frontière de syllabes : /lɛz/ → /lɛ/ devant consonne : *les trains.*

Le radical du verbe régulier *semer* apparaît sous deux formes : /səm-/ devant une syllabe accentuée et

/sɛm-/ dans les autres cas : *je sème, nous semons, je semais, je sèmerai,* etc. Il s'agit également d'allomorphes.

En turc, le pluriel du nom est *-ler* lorsque la voyelle du radical est palatale et *-lar* dans les autres cas : *kedi* « chat », *kediler* « chats » ; *masa* « table », *masalar* « tables ». Ces allomorphes s'expliquent par une règle d'harmonie vocalique.

10. Règles morphologiques

10.1. Définitions

Les **règles morphologiques** sont des règles qui attribuent un signifiant aux formants grammaticaux. Du point de vue de leur généralité, on distingue trois types de règles :

(1) Les **règles générales** s'appliquent par défaut, c'est-à-dire dans tous les cas où il n'existe ni règle d'exception ni règle particulière.

On forme le pluriel des noms et des adjectifs au moyen de la désinence *-s*.

(2) Les **règles particulières** s'appliquent également à un nombre virtuellement illimité de formes, mais dans des conditions bien précises.

Les adjectifs français en *-al* forment leur pluriel en *-aux*. La condition d'application de la règle est que le radical de l'adjectif se termine en *-al*. Le nombre d'adjectifs auxquels la règle s'applique est indéterminé.

(3) Les **exceptions** sont des règles qui s'appliquent à un nombre limité de formes particulières. Elles ne posent en principe aucun problème si on sait exactement à quels mots elles s'appliquent.

> Le pluriel du nom *ciel* est *cieux*. Le pluriel de *œil* est *yeux*. Le pluriel de *aïeul* est *aïeux*. Le pluriel de *œuf* est *œufs* /ø/. Le pluriel de *bœuf* est *bœufs* /ø/.
> Les six noms en *-ail* suivants : *bail, corail, émail, soupirail, travail, vitrail* forment leur pluriel en *-aux*.

Pour obtenir sans risque d'erreur la forme correcte, nous devons procéder dans un ordre strict : (a) vérifier si la forme concernée apparaît parmi les exceptions ; si oui, appliquer la règle d'exception ; sinon, (b) vérifier si la forme est soumise à une règle particulière ; si oui, l'appliquer ; sinon, (c) appliquer la règle générale. La règle générale est appliquée en dernier lieu.

> Pour des raisons bien compréhensibles, l'étude d'une langue commence par l'apprentissage des règles générales. Cette méthode engendre des fautes qui découragent souvent l'étudiant. On les évite en appliquant les règles dans l'ordre précité.

10.2. Primauté de l'oral sur l'écrit

La plupart des grammaires formulent les règles morphologiques en vue de l'écriture sans se préoccuper de la primauté de la parole sur l'écriture.

> Du point de vue oral, les verbes en *-er* du type *manger* et *placer* suivent la règle générale et se comportent aussi régulièrement que le verbe *chanter*. Les particularités de leur conjugaison (ajout d'un *-e-* ou

l'usage de la cédille devant *a* et *o*) sont la conséquence directe des principes d'orthographe. Cet exemple parmi d'autres montre comment l'orthographe peut compliquer une grammaire naturellement simple.

10.3. Les paradigmes morphologiques

Les flexifs apparaissent généralement à la même position à l'intérieur des formes de mots où ils constituent des **paradigmes,** c'est-à-dire des inventaires (cf. Chap. 4, § 3). Il existe souvent plusieurs paradigmes concurrents dont le choix est déterminé par la classe morphologique des unités lexicales.

> En latin, les désinences *-a, -a, -ae, -am, -a* au singulier et *-ae, -ae, -arum, -is, -as, -is* au pluriel constituent le paradigme de la première déclinaison du nom.
> Le latin possède cinq déclinaisons nominales, c'est-à-dire cinq paradigmes distincts.

Une **classe morphologique** est une sous-classe lexicale définie par les contraintes morphologiques qu'elle exerce et plus particulièrement sur le choix des paradigmes admissibles, par exemple : la classe morphologique des noms masculins, la classe des noms latins de la première déclinaison, la classe des verbes français du premier groupe en *-er,* la classe des noms allemands formant leur pluriel en *-en,* etc.

A l'intérieur d'une même langue, les paradigmes concurrents ne s'opposent pas par la signification.

> Il n'y a pas de différence de signification entre le passé simple d'un verbe conjugué en *-er* et celui d'un verbe en *-ir/issant : chant-ai, -as, -a, -âmes, -âtes, -èrent; sent-is, -is, -it, -îmes, -îtes, -irent.*

10.4. Cas particuliers

Les mots grammaticaux peuvent former des amalgames.

> En français, *à* et *le* fusionnent en *au, de* et *le* en *du*.
> En allemand, *zu* et *der* fusionnent en *zur*.

Les mots grammaticaux dont le signifiant est dis-
continu ou dédoublé sont appelés **corrélatifs**.

> En français, la négation totale est exprimée par *ne...pas*
> encadrant le verbe conjugué à une forme personnelle.

11. *Orthographe morphologique*

L'écriture est dite **phonologique** lorsque les lettres
reproduisent la structure phonologique des morphes.
L'écriture est dite **morphologique** lorsque les lettres
reproduisent une structure phonologique théorique
correspondant aux signifiants. L'écriture morphologique a l'avantage de faire apparaître l'unicité des
unités lexicales et grammaticales face à la diversité
des allomorphes.

> L'article défini pluriel français est toujours écrit les,
> bien qu'il possède deux allomorphes : /lɛ/ et /lɛz/.
> Dans ce cas, l'écriture est morphologique. Le verbe
> semer possède deux allomorphes : /səm-/ et /sɛm-/.
> L'écriture fait apparaître la structure phonologique
> des allomorphes. Elle est alors phonologique.

Il n'est pas rare que l'écriture ne soit ni phonolo-

gique ni morphologique. Lorsque le mot a été
emprunté à une autre langue, elle reflète souvent la
structure phonologique de la langue d'origine.

CHAPITRE X

LA STRUCTURE DES MOTS

Plan

1. *La lexicologie*

La **lexicologie** a pour objet l'étude des unités lexicales. Elle définit les différents types d'unités lexicales et leurs règles de formation. Prise dans une acception plus large, elle englobe la **sémantique lexicale** et l'étude du **vocabulaire** (cf. Chap. 6) et, vue sous l'angle historique, l'**histoire du vocabulaire,** l'**étymologie** décrivant l'origine et l'évolution de la forme des mots et la **sémantique historique** décrivant l'évolution du sens des mots.

Il ne faut pas confondre la lexicologie avec la **lexicographie.** Cette dernière étudie les principes aboutissant à l'élaboration des dictionnaires de langue. Les problèmes majeurs de la lexicographie sont le recensement des unités lexicales, la définition de leurs significations et la structure des dictionnaires.

La lexicologie englobe une partie importante du domaine de la **phraséologie.** Cette discipline a pour objet l'étude des expressions figées propres à une langue, c'est-à-dire l'étude de toutes les combinaisons de mots remarquables par leur grande stabilité. Parmi ces expressions figurent les stéréotypes lexicaux ou locutions, qui se comportent comme de véritables unités lexicales et qui relèvent donc à la fois de la phraséologie et de la lexicologie. Par ailleurs, la phraséologie étudie les stéréotypes phrastiques, c'est-à-dire les phrases et les segments de phrases stéréotypés. Parmi ceux-ci figurent les proverbes étudiés dans le cadre de la **parémiologie**.

2. *Les unités lexicales*

Selon la tradition, le **mot** est l'unité lexicale par excellence. Cependant, ce terme recouvre une notion relativement imprécise (cf. Chap. 3, § 4). C'est pourquoi la lexicologie évite ce terme et se donne pour premier objectif d'établir une terminologie scientifique rigoureuse.

L'unité fondamentale de la grammaire et de la lexicologie est le morphème, lequel est soit un morphème lexical ou **lexème,** soit un morphème grammatical ou **grammème.** Contrairement aux grammèmes, les lexèmes constituent des classes ouvertes, susceptibles d'accueillir de nouvelles unités. De ce fait, les lexèmes sont virtuellement illimités en nombre (cf. Chap. 3, § 3 et 4).

Les **unités lexicales,** appelées également **lexies** [POTTIER 1973], sont simples lorsqu'elles sont représentées par des lexèmes et complexes lorsqu'elles sont représentées par des **expressions lexicales.** Celles-ci se définissent comme des assemblages plus ou moins stéréotypés fonctionnant dans la phrase de la même manière qu'un lexème.

UNITÉS LEXICALES	
lexèmes simples	expressions lexicales

3. Les catégories lexicales

Les unités lexicales sont organisées en **catégories lexicales.** Celles-ci font partie de ce qu'on appelle traditionnellement les **classes de mots.** Elles sont au nombre de quatre et comprennent (a) les verbes « pleins », c'est-à-dire les verbes à l'exception des auxiliaires et copules, (b) les noms, (c) les adjectifs et (d) les adverbes.

CATÉGORIES LEXICALES			
VERBES	NOMS	ADJECTIFS	ADVERBES

Les catégories lexicales ne sont pas établies sur la base de leurs caractéristiques sémantiques, mais uniquement de leurs propriétés d'agencement dans la phrase. Il n'est donc pas indispensable de connaître la signification des unités lexicales pour en identifier la catégorie. S'il est vrai que les adjectifs expriment des qualités et les verbes des actions ou des événements, ces propriétés ne sont spécifiques ni aux adjectifs ni aux verbes puisqu'elles peuvent aussi bien s'exprimer par des noms. Les qualités s'expri-

ment par : *beauté, courage, vitesse,* les actions par :
attaque, achat, réparations, les événements par : *pluie,
chute, perte.*

> TEST. On peut parfaitement reconnaître la catégo-
> rie lexicale d'un mot dont on ignore totalement la
> signification. On s'en rend compte au moyen d'une
> phrase formée de mots inventés et donc dépourvus
> de sens : *Il l'emparouille, l'endosque et lui baraffle les
> ouillais.* [D'après H. Michaux dans GLEASON
> 1969 : 122].

(1) Le **verbe** est reconnaissable à ses désinences.
En français, c'est la seule catégorie lexicale capable
de varier en personne, nombre, temps, mode et voix :
*connaître, connais, connaissons, connaissais, que je
connaisse, être connu.*

(2) Le nom comporte deux sous-classes :

(a) Le **nom commun** a un genre grammatical propre
(masculin ou féminin en français, de nombreuses
langues y ajoutent le neutre) qui détermine la forme
des mots qui l'accompagnent (déterminant, adjectif
épithète). Il varie en nombre et, en français, ne possède que deux formes : le singulier et le pluriel : *l'arbre,
les arbres.*

(b) Le **nom propre** ne varie pas en nombre. A lui
seul, il équivaut à un groupe nominal. On peut en
effet le remplacer par un nom commun accompagné
d'un déterminant : *Mélanie = mon amie, Toulouse =
la ville.*

(3) En français, les **adjectifs** varient en nombre,
mais, à la différence des noms communs, ils varient
également en genre. Ils ont donc généralement

quatre formes : *petit, petite, petits, petites.* Ils ont en outre pour propriété de se joindre à une base nominale (déterminant + nom) ou à un verbe copule : *le soleil radieux, le soleil est radieux.*

(4) L'**adverbe** est en français la seule catégorie lexicale invariable. L'adverbe ne s'accompagne d'aucun flexif, mais possède néanmoins des propriétés syntaxiques spécifiques. En effet, l'adverbe peut s'unir aux verbes, aux adjectifs, aux phrases ou à un autre adverbe : *Il chante **bien**. Elle est **très** triste. Il pleut **souvent**. Il pleut très souvent.*

4. *Les expressions lexicales*

Les **expressions lexicales** sont des unités lexicales complexes formées par des assemblages plus ou moins stéréotypés fonctionnant comme des lexèmes et en possédant les propriétés.

> TEST. On peut s'en assurer au moyen d'un test de substitution. Il est en effet possible de remplacer les expressions lexicales par des lexèmes simples approximativement synonymes : *le clocher (la tour), multimillionnaire (riche), défleurir (faner), une poule mouillée (un poltron), à plusieurs reprises (souvent), hors cadre (spécial), s'en aller (partir), prendre fin (finir), mettre les pieds dans le plat (gaffer).*

Les expressions lexicales sont formées par dérivation, composition ou par assemblage syntaxique.

(1) La **dérivation** est la formation d'une unité

lexicale par adjonction ou substitution d'affixe. Les
unités lexicales formées de cette façon sont appelées
dérivés : *natur-el, im-pur*. Les **affixes** (cf. Chap. 3,
§ 5) sont des grammèmes qui s'attachent à une
unité lexicale préexistante, appelée **base dérivationnelle,** pour constituer une nouvelle unité lexicale
plus complexe (le dérivé). Ils comprennent les **préfixes,** placés avant la base, et les **suffixes** placés
après celle-ci. On se gardera de confondre les
affixes avec les flexifs (augments et désinences). Ces
derniers ne forment pas de nouvelles unités lexicales, mais servent à créer des formes de mots (cf.
Chap. 9).

(2) Les **composés** sont des expressions formées à
partir de plusieurs unités lexicales préexistantes :
*nœud-papillon, autoroute, sourd-muet, pomme de
terre.*

(3) Une **locution** est une expression formée par
assemblage syntaxique se présentant sous les apparences d'un groupe figé de mots : *tout à coup, se
mettre en colère, avoir le cafard.*

Ces trois procédés sont combinables entre eux.
On peut, par exemple, dériver une expression
d'une locution : *prendre conscience > prise de
conscience,* ou former un composé comprenant un
dérivé : *tremblement de terre.* En outre, la dérivation et la composition sont **récursives**, ce qui veut
dire qu'on peut former un nouveau dérivé à partir
d'un dérivé préexistant ou un composé à partir
d'un composé préexistant : *respectable > respectabilité, autoroute > autoroute urbaine.*

5. *Idiomaticité*

Tandis que toute phrase est une construction originale et éphémère que le locuteur renouvelle à chaque fois, une expression lexicale est un assemblage fixe toujours prêt à l'emploi. Une expression lexicale n'est pas assemblée par le locuteur au moment de l'énonciation, mais, étant formée d'avance et mémorisée comme telle, elle est simplement reproduite par l'usager.

> Le locuteur francophone qui utilise le composé *quatre-vingt(s)* ne doit pas effectuer mentalement la multiplication de vingt par quatre.

Les possibilités de formation des mots ne sont exploitées que dans la mesure où l'expression lexicale correspond à un besoin. En matière lexicale, l'usage prévaut sur le système.

> A partir du verbe *captur(er)*, on peut théoriquement former *??capturage,* mais ce dérivé ne correspond à aucun besoin lexical, car le nom *capture* existe. Par contre, nous pouvons former *mûrissement* à partir de *mûrir* malgré l'existence de *maturation* parce que *mûrissement* introduit une différenciation sémantique et répond ainsi à un besoin lexical.

Les expressions lexicales ont pour caractéristique commune que leurs parties constitutives ont perdu totalement ou partiellement leurs propriétés sémantiques, lexicales ou syntaxiques. Le stade plus ou moins avancé de figement permet de définir le **degré d'idiomaticité** des expressions lexicales.

(1) **Figement sémantique.** La signification est attribuée en bloc à l'expression lexicale. Le figement sémantique s'exprime par le fait que la signification de l'expression n'est que partiellement déductible de la signification des constituants ou ne l'est pas du tout.

> L'expression *poisson rouge* est généralement utilisée pour désigner le carassin ou le cyprin doré et non pour désigner un poisson quelconque de couleur rouge. Aucun des constituants de la locution *prendre la mouche* ne nous permet d'accéder à la signification « s'emporter ».

(2) **Figement lexical.** Les éléments constitutifs des expressions lexicales ont perdu leurs propriétés paradigmatiques, car les modalités de substitution sont réduites ou inexistantes.

> On ne peut substituer un mot à un autre sans détruire la locution. Comparez : *mettre les pieds dans le plat* et : *???mettre les pieds dans l'assiette*. Dans un dérivé, on ne peut pas remplacer librement une base par une autre. Comparez : *noirâtre* et : *???orangeâtre*.

(3) **Figement syntaxique.** La capacité d'association n'appartient plus aux parties, mais uniquement à l'expression lexicale prise en bloc. C'est cette dernière qui impose les contraintes à son environnement : accord en genre, rection de compléments, etc. Les parties constituantes perdent leur genre grammatical propre, leur aptitude à recevoir des compléments, leur faculté de coordination, l'accès à la voix passive, la possibilité de servir d'antécédents à une relative, etc.

On forme *rouge-gorge,* qui est masculin, à partir de *gorge,* qui est féminin.On dit *prendre* la mouche au sens de « s'emporter », mais il n'est pas possible de transformer cette locution en proposition relative ou une phrase passive : *???la mouche qu'il a prise* ou : *???la mouche fut prise.*

Les expressions lexicales diffèrent considérablement entre elles par leur degré d'idiomaticité. D'une part, le figement peut affecter simultanément les domaines sémantique, lexical et syntaxique ou seulement l'un ou l'autre de ceux-ci. D'autre part, le stade de figement dans un domaine donné peut être total ou partiel.

6. *La dérivation*

6.1. Définitions

La dérivation d'une expression lexicale nouvelle s'effectue à partir d'une unité lexicale préexistante appelée **base dérivationnelle** (a) par l'adjonction d'un affixe : *poli > poliment,* (b) par la substitution d'un affixe : *sécurité > sécuriser,* (c) sans adjonction d'affixe : *clou > clou(er).*

La base dérivationnelle est dite **autonome** lorsqu'elle s'emploie également sans affixes : *égal* dans *égaliser.* Lorsque la dérivation s'effectue par voie de substitution, il arrive que la base ne soit pas autonome. Dans *sécuriser,* formé à partir de *sécurité* par la substitution de l'affixe *-ité* par *-is-* (à laquelle on ajoute la désinence de l'infinitif *-er*), la base *sécur-* n'est pas autonome. Bien que les affixes soient par nature non autonomes, la dérivation peut s'effectuer également par voie d'adjonction de mots grammaticaux comme *avant, après, non, sous, sur,* qui par nature sont autonomes : *après-ski, surdoué.*

La dérivation sans affixe est une dérivation avec **affixe zéro,** si on peut postuler l'existence d'un affixe dépourvu de signifiant, mais doté d'un véritable signifié.

> Si on compare la signification des dérivés verbaux *clou(er), sci(er)* avec celle de leurs bases *clou* et *scie,* on constate que la dérivation a enrichi le sens. En l'occurrence, l'affixe de signifiant zéro a pour signifié « exécuter une action au moyen d'un instrument ».

Lorsqu'un dérivé comporte plusieurs affixes (*inconsolable, dépoussiéreur, respectabilité, égalisation*), le processus de dérivation s'est effectué plusieurs fois. Un premier dérivé fournit la base d'un deuxième, et ainsi de suite. La propriété d'un phénomène de se répéter de façon virtuellement infinie est appelé **récursivité.** La dérivation est donc **récursive.**

> La racine *respect* forme un premier dérivé (sans affixe) : *respect(er),* celui-ci est la base à laquelle s'ajoute l'affixe *-able* formant ainsi un deuxième dérivé, lequel est la base d'un troisième dérivé : *respectabilité.*

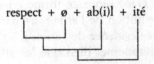

respect + ø + ab(i)l + ité

La base dérivationnelle minimale est appelée **racine**. Elle correspond à un lexème simple. Par exemple, *poli* est la racine de *poliment,* mais *supportable* n'est pas la racine de *insupportable,* car *supportable* est lui-même dérivé de *support(er)* qui en est la racine.

Le schéma suivant illustre le principe de la récursivité :

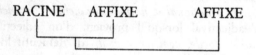

RACINE   AFFIXE   AFFIXE

On peut également représenter la structure dérivationnelle au moyen de parenthèses ou de crochets :
[[RACINE + AFFIXE] + AFFIXE]
La dérivation peut donc être :
– simple : *admirable* [ADMIR + able],
– double : *sportivité* [[SPORT + iv] + ité],
– triple : *inviabilité* [[in + [VI(E) + abil]] + ité]
La dérivation double est toutefois interprétée comme une dérivation simple au moyen d'un double affixe lorsque la base dérivationnelle intermédiaire est inexistante ou inusitée. On peut ainsi dériver *introuvable* directement à partir de *trouv(er)* au moyen du **circonfixe** *in-....-able* si on considère que *trouvable* est inusité.

La succession des dérivations permet d'établir la **structure du dérivé**. Chaque étape de la dérivation correspond à une règle de dérivation lexicale.

schéma 1 :   verbe + *able* > adjectif
schéma 2 :   *in* + adjectif > adjectif

schéma 3 :   adjectif + *ité* > nom
structure :   [[*in* + [verbe + *able*]] + *ité*]

On classe les dérivés selon la catégorie lexicale auxquelles ils appartiennent : verbe, nom, adjectif ou adverbe. En outre, on introduit une sous-catégorisation fondée sur la catégorie lexicale de la base dérivationnelle. Un dérivé est (a) **déverbal** lorsqu'il provient d'un verbe : *arrosage < arroser, réparable < réparer*, (b) **dénominal** lorsqu'il provient d'un nom : *national < nation, ébrancher < branche*, (c) **déadjectival** lorsqu'il provient d'un adjectif : *docilité < docile, égaliser < égal*, (d) **délocutif** lorsqu'il provient d'un composé ou d'une locution : *grand-ducal < grand-duc, metteur en scène < mettre en scène*.

6.2. Transparence

Les bases dérivationnelles ainsi que leurs affixes sont dotés chacun d'un signifiant et d'un signifié reconnaissables. Leur structure lexicale est sémantiquement **transparente.**

> TEST. Chaque constituant du dérivé possède une forme et une signification. La signification associée à chaque constituant doit se retrouver dans la signification du dérivé : le dérivé *bouilloire* « ustensile de cuisine destiné à faire bouillir de l'eau » est constitué de *bouill-* et de *-oire*, le premier signifiant « bouillir » et le second « instrument ».

Lorsque la décomposition d'une unité lexicale en constituants de forme et de sens reconnaissables est impossible, l'unité lexicale est inanalysable et sa structure lexicale est sémantiquement **opaque.** De telles unités sont à assimiler aux unités lexicales simples.

> Les noms *courage, belette* sont opaques, par opposition à *lavage* et *fillette* dont la structure lexicale est transparente.

De nombreux dérivés opaques en français contemporain avaient à l'origine une structure lexicale transparente : *intrépide* est un emprunt au latin où on reconnaît la racine *trepidus* « inquiet ».

6.3. Récurrence

On appelle **récurrence** la propriété d'une unité d'entrer dans un certain nombre de formations différentes. Les constituants d'un dérivé sont récurrents si chaque constituant apparaît dans d'autres formations en y conservant ses propriétés formelles et sémantiques.

> TEST. On vérifie la récurrence au moyen d'un double test de substitution. Soit le dérivé *cordialement*. On démontre la récurrence du premier constituant en remplaçant le second. On obtient par exemple : *cordialité*. On démontre la récurrence du second constituant en remplaçant le premier. On obtient par exemple : *sincèrement*.

Ce test est très utile, car il révèle un grand nombre d'interprétations incorrectes. En effet, certaines récurrences sont purement formelles et n'ont aucune justification sémantique. Les verbes *professer, confes-*

ser, prostituer ne peuvent être considérés comme des dérivés, car, bien que leurs différentes composantes (*pro-, con-, -fesser, -stituer*) entrent apparemment dans d'autres formations, il n'est guère possible d'attribuer un signifié récurrent à chacune de ces composantes. A la suite du test de transparence, de telles formes se révèlent opaques et sont de ce fait inanalysables. Il s'agit tout au plus de **dérivés fossilisés** contenant des segments dont le sens n'est plus reconnaissable.

La récurrence est **unilatérale** lorsqu'un seul des constituants est récurrent.

> Dans *bavard,* le suffixe est récurrent (cf. *traînard*), mais *bav-* n'a pas le même sens dans *baver.* Dans *navire,* on reconnaît une base *nav-* présente dans *naval* et *naviguer,* mais le *-ire* de *navire* n'a pas de sens propre.

Lorsque la récurrence est unilatérale, les conditions de transparence et de récurrence ne sont pas entièrement respectées. Dans les exemples suivants, nous encadrons les formes récurrentes et transparentes.

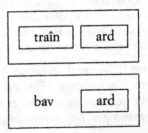

6.4. Forme des constituants

Les constituants des dérivés sont actualisés par une ou plusieurs formes appelées **morphes** (cf. Chap. 3, § 3). Dans de nombreux cas, si on fait abstraction de légères différences dues aux règles générales d'accentuation, le signifiant est représenté par un même morphe. Ainsi, la racine *pur-* a la même forme dans *pureté* ou *purisme,* et le suffixe *-erie* dans *drôlerie, flânerie,* etc. Cependant, la forme d'un constituant varie souvent en fonction de l'environnement. Les formes variables selon le contexte sont appelées **allomorphes.** Lorsqu'elles sont régulières, ces variations font l'objet de règles.

> Dans *durable* et *durabilité,* le même suffixe se présente sous deux formes : *-able* et *-abil,* qui sont des allomorphes du même suffixe : *-ab(i)l(e).*

Les formes d'expression peuvent toutefois être différentes au point qu'il est impossible d'expliquer leur variation par une règle. Dans ce cas, on ne peut que constater l'existence de morphèmes distincts : *fleuve : fluvial, école : scolaire, foie : hépatique.*

6.5. Règles de dérivation lexicale

Un affixe ne s'ajoute pas à n'importe quelle base.
(a) L'emploi d'un affixe peut être déterminé par l'environnement phonique.

> Le suffixe *-ise* n'apparaît que lorsque la base se termine par *-d : gourmandise, vantardise.*

(b) L'affixe s'ajoute aux bases d'une classe lexicale particulière.

> Le suffixe *-ité* forme un nom à partir d'une base adjectivale. Le suffixe *-able* forme un adjectif à partir d'une base verbale. Parfois, base et dérivé appartiennent à la même classe lexicale. Le suffixe *-aie* forme un nom à partir d'une base nominale : *chêne > chênaie*. Le préfixe *in-* forme un adjectif à partir d'une base adjectivale : *égal > inégal*.

(c) L'affixation est souvent limitée à une classe sémantique et les dérivés obtenus constituent des classes sémantiques relativement homogènes.

> Le suffixe *-âtre* s'applique aux noms de couleur et forme des dérivés exprimant une nuance : *bleuâtre, jaunâtre*. Le suffixe *-erie* s'applique aux noms de produit et forme des dérivés désignant une industrie ou une boutique : *sucrerie, parfumerie, poissonnerie*.

Les règles de dérivation lexicale contiennent les informations suivantes :
– la classe lexicale de base,
– la catégorie sémantique de la base,
– l'affixe,
– l'apport sémantique de l'affixe,
– la classe lexicale du dérivé,
– la catégorie sémantique du dérivé.

Adjectif (couleur)
+ *âtre* (approximation)
= Adjectif (nuance de couleur)

6.6. Sémantisme de la dérivation

(1) Globalité. La signification d'un dérivé est

apprise globalement comme celle d'un lexème simple. La rétention mémorielle est fortement renforcée par la transparence sémantique.

> La signification du dérivé *bouilloire* est apprise de la même façon que celle de *cafetière*, *poêlon* ou *casserole*, mais sa structure indique clairement qu'il s'agit d'un instrument servant à bouillir.

(2) Types sémantiques. Les dérivés dont la structure sémantique est transparente appartiennent à trois types distincts selon l'apport sémantique de la dérivation. Cet apport est estimé par une comparaison entre la classe sémantique de la base et celle du dérivé.

(a) L'apport sémantique de la dérivation est totalement **explicite** lorsque la signification du dérivé est entièrement contenue dans ses constituants. Ces dérivés ne présentent aucune difficulté d'interprétation. Comme ils sont de surcroît éminemment productifs, les dictionnaires ne les mentionnent généralement pas : *rechanter*, *retricoter*.

(b) La dérivation s'accompagne d'un apport sémantique **implicite** lorsqu'elle apporte un supplément de signification non déductible de la signification des composantes.

> Le dérivé *bouilloire* désigne un « récipient métallique de forme généralement pansue », cette partie de la signification n'est contenue ni dans la base ni dans le suffixe.

Lorsque la dérivation s'effectue sans affixe, on constate des modifications sémantiques semblables.

> Le verbe *clou(er)* « fixer avec des clous » a une signi-

fication plus précise que *clou*. Il en est de même pour *vitr(er)* « garnir de vitres » par rapport à *vitre* et *aveugl(er)* « rendre aveugle » a un sémantisme plus riche que *aveugle*. Dans chacun de ces cas, l'apport sémantique de la dérivation sans affixe est implicite.

(c) La dérivation s'effectue **sans apport sémantique** lorsque la dérivation a pour seul effet de permettre la **translation,** c'est-à-dire le passage d'une classe lexicale à une autre : *lavage, dignité, courageux*. Dans ce cas, le signifié de l'affixe est vide. La dérivation sans affixe peut également effectuer une simple translation d'une classe lexicale vers une autre sans apport sémantique : *nag(er)* > *nage*.

(3) Spécialisation. Généralement, la dérivation n'affecte qu'une seule des acceptions de la base.

> L'adjectif *inhumain* « qui manque de bienveillance ou de compréhension » est dérivé de l'acception « compréhensif » de *humain* et non de son acception « propre à l'homme ». On constate le même type de restriction sémantique dans : *sauvage* > *sauvagerie* ou *élever* > *élevage*.

Parfois, des dérivés de la même base utilisent des acceptions différentes.

> Les noms *tendresse* et *tendreté* sont dérivés de deux sens différents de l'adjectif *tendre*. Le verbe *prolonger* sert à former *prolongation* et *prolongement*. L'adjectif *propre* forme les adjectifs *malpropre* et *impropre* à partir d'acceptions distinctes de *propre*.

Comme le dérivé ne conserve généralement qu'une partie des acceptions de la base, l'ambiguïté s'en trouve réduite ou supprimée. On ne s'étonnera donc pas que les sciences et les techniques, qui attachent une importance primordiale à l'univocité du vocabulaire, recourent volontiers à la dérivation.

6.7. Productivité de la dérivation

La **productivité** d'un procédé dérivationnel est en proportion inverse de son idiomaticité. En effet, la transparence sémantique des dérivés les rend disponibles pour de nouvelles créations et a donc une incidence directe sur la productivité. Toutefois, les formes sémantiquement transparentes ne sont pas toutes également productives. Comparez *laver* et *lavage* (productif) ou *chat* et *chaton* (improductif). Les formes improductives mais transparentes restent cependant disponibles et peuvent être réactivées en fonction des besoins langagiers. C'est pourquoi il est parfois difficile de se prononcer définitivement sur l'improductivité d'un affixe. Le suffixe *-ette* de *maisonnette* ou *fillette* a été réactivé dans le domaine des produits de consommation : *superette, tranchette,* etc.

> TEST. La meilleure façon d'évaluer correctement le degré de productivité des affixes et d'autres procédés de formation lexicale nous est fournie par l'examen attentif des néologismes, principalement dans les domaines techniques et scientifiques. En effet, les néologismes ne mettent en œuvre que des règles productives : *occidentalité, ogivalité, végétalité.*

Les règles de dérivation lexicale ne s'appliquent pas de façon automatique et aveugle comme les règles de grammaire.

On peut nier tout adjectif au moyen de *ne... pas,* mais il n'est pas toujours possible de le nier par le préfixe *in-* : *???incoupable, ???insoigneux.*

La dérivation est généralement bloquée s'il y a **collision synonymique,** c'est-à-dire si le dérivé se heurte à l'existence d'une unité lexicale de même signification : *???incoupable* et *innocent, ???capturage* et *capture.* En vertu du principe général d'économie, la langue rejette les dérivés qui alourdissent inutilement le vocabulaire. La dérivation est cependant admise lorsqu'elle introduit une différence sémantique ou une valeur expressive originale : *domination, dominance* ; *francité, francitude.*

Les règles de dérivation productives sont des règles générales. Par contre, une dérivation improductive ne s'explique que par l'existence d'une règle applicable à un nombre strictement limité de formes.

> TEST. Si on peut faire facilement l'inventaire des formes auxquelles une règle s'applique, il s'agit d'une règle d'exception. La dérivation est alors sans doute improductive. Les adjectifs en *-al* forment des dérivés en *-auté* (*royauté*) et *-alité* (*centralité*). La dérivation en *-auté* est toutefois limitée à trois dérivés : *loyauté, papauté, royauté* et est donc improductive. Par contre, la dérivation en *-alité* est générale et productive.

7. La composition

7.1. Définition

On appelle **composition** la formation d'une unité

lexicale à partir de plusieurs unités lexicales préexistantes. Les unités lexicales ainsi formées sont appelées des **composés** : *timbre-poste, chef de gare, moulin à vent, sourd-muet*. La composition est distincte de la dérivation qui s'opère à partir d'une seule unité lexicale préexistante : *porteur* est un dérivé, mais *porte-bagages* est un composé. Contrairement aux assemblages syntaxiques libres, les composés contiennent des irrégularités d'ordre morphosyntaxique ou sémantique.

La graphie des composés nous est imposée par la tradition et n'est apparemment régie par aucune règle systématique. Les termes de la composition peuvent être (a) soudés : *portefeuille, autoroute,* (b) reliés par un trait d'union : *chou-fleur, porte-monnaie,* (c) séparés par des blancs : *chou rouge, petit four, pomme de terre.*

7.2. Classement

On classe les composés selon la catégorie lexicale à laquelle ils appartiennent. On y trouve essentiellement des **composés nominaux** et des **composés adjectivaux,** tandis que les composés verbaux et adverbiaux sont traditionnellement rangés parmi les locutions. Parmi les composés nominaux, on distingue les sous-classes suivantes :
– verbe et nom : *un compte-gouttes, un coupe-papier, un porte-avions,*
– nom et nom : *une moissonneuse-batteuse, un ouvrier peintre,*
– nom et adjectif : *un coffre-fort, un vote blanc,*
– nom + *à* + verbe : *une chambre à coucher, du bois à brûler,*

– nom + *de* + nom : *une dent de lait, un vin de table*.

Parmi les composés adjectivaux, on distingue les assemblages suivants :
– adjectif et adjectif, lesquels sont unis par un lien de coordination : *clair-obscur, franco-allemand,* ou de qualification : *gris-vert, bleu clair, court-vêtu,*
– adjectif et nom où le nom introduit une comparaison : *bleu ciel*.

7.3. Transparence

La structure sémantique du composé est **transparente** lorsque chacune de ses parties constitutives possède une forme et un sens reconnaissables et qu'en outre le sens des constituants se retrouve dans la signification globale : *un porte-bagages, une vache laitière*.

La structure est **opaque** lorsque aucun des deux constituants ne possède de lien sémantique avec la signification globale : *blanc-bec, cordon-bleu, fleur bleue, pied-noir, poule mouillée*.

La structure est **partiellement opaque** lorsqu'on y retrouve la signification d'une seule des ses parties constituantes seulement : *bateau-mouche, sage-femme, mariage blanc*.

L'opacité totale ou partielle s'explique généralement par un procédé métonymique ou métaphorique : (a) métonymie : *rouge-gorge, deux-roues,* (b) métaphore : *gueule de loup, langue-de-chat, pied-de-biche*.

7.4. Idiomaticité des composés

Les constituants des composés perdent leurs propriétés grammaticales. Cette perte se manifeste par diverses irrégularités.

(a) Les constituants nominaux ne servent plus à identifier, déterminer, individualiser les personnes ou les choses. Ils ne peuvent recevoir de déterminant, ni être qualifiés par un adjectif épithète. Les adjectifs entrant dans des composés ne peuvent devenir attributs. Ils n'admettent ni comparaison, ni intensification, ni questionnement.

> Dans *pomme de terre* ou *chemin de fer,* il est absurde de demander de quelle pomme, de quelle terre, de quel chemin il s'agit. A propos de *production laitière* et de *chaise longue,* on ne dira ni : *???la production est laitière,* ni : *???la chaise est longue.*

(b) L'adjectif épithète ne peut s'enchâsser dans un composé. Il doit le suivre ou le précéder : On dit : *une machine à laver défectueuse,* mais non *une machine défectueuse à laver.* Parfois, la place de l'adjectif s'écarte de la norme grammaticale : *un nombre premier, un blanc-bec, des long-courriers.*

(c) Souvent, le nom commun utilisé dans un composé n'est pas accompagné de déterminant, par exemple : *une porte de cuisine* (composé), par opposition à : *la porte de la cuisine* (assemblage syntaxique libre).

(d) Les composés ne peuvent être interrompus par une pause.

> Il n'y a pas de pause entre *ferme* et *château* dans : *Nous avons visité une ferme-château.* La pause est

cependant possible dans un assemblage syntaxique libre : *Nous avons tout visité : fermes, châteaux, églises.*

(e) Les accords en genre sont parfois supprimés : *grand-mère, grand-route.* Le nombre du composé n'est pas celui du constituant nominal : *un rouge-gorge, une deux-chevaux.*

7.5. Sémantisme de la composition

(1) **Globalité.** Tandis qu'une phrase doit être construite par le locuteur et analysée par l'auditeur, le composé est prêt à l'emploi et ne doit être ni construit ni analysé. Il possède une signification globale apprise directement par l'expérience. Tandis que la signification des mots simples est arbitraire, la signification du composé est souvent motivée par une structure sémantique transparente. Il en va de même pour les dérivés (cf. § 6.6.(1)).

(2) **Hyponymie.** Le composé noue des relations d'hyponymie avec des unités lexicales plus générales. En cela il se comporte exactement comme les unités simples et non comme les assemblages syntaxiques libres.

> Un *rouge-gorge* (composé) est une espèce d'oiseau, de même qu'une tulipe (unité lexicale simple) est une sorte de fleur. *Rouge-gorge* est hyponyme d'*oiseau* comme *tulipe* est hyponyme de *fleur*.
> Une *robe de nuit* (composé) est un type de vêtement et non une robe qu'on porte la nuit. On peut en effet passer la nuit en robe de soirée ou passer sa journée en robe de nuit! Par contre, une *robe verte* (assem-

blage syntaxique libre) n'est pas un type particulier de robe, mais un vêtement de couleur verte.

(3) **Figement.** Les constituants du composé n'ont plus le pouvoir de désigner des personnes ou des objets concrets.

Dans le composé *chambre d'enfant,* il n'est pas possible de préciser si un ou plusieurs enfants dorment dans la chambre.

(4) **Monosémie.** Le processus de composition élimine la polysémie. Alors que les constituants du composé sont souvent polysémiques, le composé est généralement univoque (monosémique).

Le composé *fil de fer* est univoque, bien que ses constituants *fil* et *fer* aient chacun plusieurs significations.

(5) **Transparence.** La signification des composés de structure transparente résulte à la fois de la signification de ses parties et du lien qui les unit.

Souvent, le composé contient des éléments sémantiques qui ne sont pas présents dans la signification des constituants. Dans ce cas, la signification du composé n'est pas entièrement déductible de la signification de ses constituants.

Un *bulletin blanc* (bulletin vierge en signe d'abstention) n'est pas à proprement parler un bulletin de couleur blanche. Ce qui coupe le papier n'est pas nécessairement un *coupe-papier.*

Parfois, les constituants sont reliés entre eux par un lien sémantique non explicite. Dans les exemples qui suivent, les crochets encadrent les éléments qui explicitent les liens sémantiques entre les constituants.

> Une *assurance incendie* est une *assurance* [destinée à couvrir les risques d'] *incendie,* une *sauce tomate* est une *sauce* [dans la composition de laquelle entre la] *tomate,* une *pause café* est une *pause* [pour prendre le] *café.*

Lorsque la signification du composé est totalement déductible de la signification de ses constituants, il n'y a aucune marque sémantique de figement : *machine à laver, tremblement de terre.* Lorsque de tels composés ne présentent aucune difficulté d'interprétation, les dictionnaires ne les mentionnent généralement pas.

(6) L'analyse sémantique des composés consiste à déterminer la catégorie sémantique du dérivé pris globalement, la catégorie sémantique de chaque constituant et la relation sémantique unissant les constituants. Comme cette relation n'est généralement pas explicitée, l'analyste ne peut l'identifier qu'en faisant appel à ses connaissances structurelles ou culturelles.

> Dans les composés *pull bateau* et *lit-bateau,* la relation sémantique unissant *pull* ou *lit* à *bateau* n'est analysable que si nous disposons d'informations supplémentaires. L'interprétation sémantique du composé *lait de vache* n'est facile que parce que nous savons que les vaches produisent du lait.

> TEST. Nous pouvons reconnaître les relations sémantiques entre les parties du composé au moyen d'une simple paraphrase explicative :

un *journal féminin* = un journal destiné aux femmes,
une *provocation policière* = une provocation dont les policiers sont les auteurs,
un *moulin à vent* = un moulin actionné par le vent,
des *visites nocturnes* = des visites qui ont lieu au cours de la nuit,
les *honoraires médicaux* = les honoraires perçus par les médecins.

7.6. La composition savante

On entend par **composition savante** la formation d'unités lexicales à partir d'éléments d'origine grecque ou latine. La plupart des éléments qui entrent dans la formation des composés savants ne s'utilisent pas en dehors de ceux-ci et ne possèdent aucune autonomie. Dans ce domaine, il n'est guère possible d'établir une distinction nette entre dérivation et composition. Si l'on y rencontre d'incontestables préfixes comme : *hexa-*, *micro-*, *néo-*, *poly-*, *pseudo-*, ou des suffixes comme : *-ite*, *-oïde*, *-ose*, on trouve également de nombreux éléments qui ne peuvent être que des racines et qui souvent peuvent occuper différents positions dans le composé :

anthrope (homme) :	*anthropophage*	*philanthrope*
chrone (temps) :	*chronomètre*	*synchronie*
dactyle (doigt) :	*dactylographie*	*ptérodactyle*
graphe (écriture) :	*graphologue*	*calligraphie*
lithe (pierre) :	*lithographie*	*aérolithe*
morphe (forme) :	*morphologie*	*isomorphe*
pathe (douleur) :	*pathogène*	*psychopathe*
phone (son) :	*phonétique*	*cacophonie*
therme (chaleur) :	*thermomètre*	*isotherme*

La composition savante se caractérise aussi par l'usage de voyelles de liaison. La voyelle *o* s'utilise généralement avec les racines d'origine grecque, tandis que le *i* apparaît avec les racines d'origine latine : *anthropophage, herbivore.*

Les composés savants sont, comme tous les dérivés ou composés, susceptibles de perdre leur transparence sémantique pour les utilisateurs peu familiarisés avec l'étymologie. Ils sont alors perçus comme des unités lexicales simples : *hélicoptère, mastodonte, rhinocéros, sarcophage.*

De nombreux préfixes, suffixes et racines d'origine savante sont passés dans l'usage courant. Certaines racines sont devenues autonomes et s'utilisent en dehors de composés : *graphie, manie, thérapie.* D'autres s'unissent à une racine française et forment des composés hybrides : *aérogare, cyclotourisme, héliogravure.* Les préfixes d'origine savante sont souvent associés à des racines françaises : *hypermarché, microfiche, monoplace, similicuir.*

8. La réduction lexicale

Par un souci d'économie et d'efficacité, les formes lexicales jugées trop longues ou trop complexes sont réduites. Les procédés de simplification sont nombreux.

(a) Le composé et la locution peuvent se transformer en dérivés : *appareil de télévision > téléviseur, faire le gendarme > gendarmer.*

(b) La **troncation** est l'ablation des syllabes finales, soit avec une coupure conforme à la structure du mot :

météo, stéréo, soit avec une coupure sauvage : *accu, expo, manif.* La troncation peut s'accompagner de l'ajout d'une nouvelle finale en *-o* : *dirlo, hosto, prolo.*

(c) L'**acronymie** est une forme de télescopage ou de réduction obtenue à partir du début du premier constituant et de la finale du second : *Eurovision < Europe + télévision, informatique < information + automatique.* Les acronymes sont aussi appelés **mots-valises.**

(d) L'**ellipse** consiste à supprimer un mot sans que la structure syntaxique en soit affectée : *un [journal] quotidien, la première [représentation].*

(e) La **siglaison** est formation de sigles constitués par les initiales d'une expression lexicale complexe, certains sigles se prononçant lettre par lettre comme : *SNCF, ULM, TVA,* d'autres se lisant comme de véritables mots : *ONU, OVNI, UNESCO.* Dans la plupart des cas, il n'est pas nécessaire de déchiffrer les sigles pour les utiliser correctement. Ils se comportent comme des unités lexicales normales, car ils possèdent à la fois une forme prononçable et une signification.

Il ne faut pas confondre la réduction d'unités lexicales avec l'**abréviation,** qui est un phénomène exclusivement graphique n'affectant en rien la nature linguistique de l'unité lexicale : *m., nᵒ, etc., km, ...*

9. *Les locutions*

9.1. Définition

Les **locutions** sont des expressions lexicales qui se présentent sous les apparences d'un assemblage syntaxique figé. Elles constituent de véritables unités lexicales.

> TEST. Les locutions peuvent être remplacées par des unités lexicales plus simples : *mettre en ordre (= ranger), prendre fin (= finir), mettre les voiles (= partir), sans coup férir (= facilement), à l'aide de (= avec).*

Les locutions ne sont pas assemblées par le locuteur au moment de l'énonciation, mais sont mémorisées comme telles et reproduites globalement par le locuteur de la même façon que les autres expressions lexicales.

Les locutions appartiennent à diverses catégories lexicales. On y trouve des locutions verbales : *rendre visite, poser un lapin,* des locutions nominales : *la bonne volonté, la mauvaise foi,* des locutions adjectivales : *bon marché, comme il faut,* des locutions adverbiales : *à bride abattue, bon gré mal gré.* On y trouve également des locutions prépositives : *en guise de, au lieu de,* et conjonctives : *à condition que, à moins que.*

La distinction entre les composés et les locutions est difficile à établir et est de ce fait souvent arbitraire. Généralement, les locutions nominales sont assimilées aux composés et les composés verbaux aux locutions verbales.

Les locutions ne doivent pas être confondues avec les divers stéréotypes routiniers, les sentences ou les proverbes, qui ne sont pas des unités lexicales, mais des phrases ou segments de phrases : *Tu ne perds rien pour attendre ! Toutes mes félicitations ! Pas de nouvelles, bonnes nouvelles.*

Un **idiotisme** est une forme linguistique (mot,

expression, construction) propre à une langue donnée et ne possédant pas de correspondant dans une autre langue. On distingue ainsi des gallicismes, anglicismes, germanismes, latinismes, etc. Les idiotismes ne sont donc pas nécessairement des locutions.

On a souvent négligé les locutions en raison de leur grande diversité. En fait, un examen plus approfondi fait apparaître des facteurs récurrents sur lesquels l'analyse des locutions pourra utilement se fonder : la transparence de leur signification, leur valeur expressive, l'ambiguïté ou l'univocité, leur degré d'idiomaticité : figement sémantique (opacité), lexical (absence de séries, présence de mots disparus) ou syntaxique (irrégularités, archaïsmes).

De l'énorme diversité des locutions trois types émergent : (a) l'analytisme ou locution analytique, (b) le phraséologisme ou locution phraséologique, (c) la locution idiomatique.

9.2. Les locutions analytiques

Les **locutions analytiques** ou **analytismes** sont des expressions lexicales unissant un verbe opérateur à un nom, un groupe nominal ou un groupe prépositionnel figé : *prendre peur, donner l'alarme, mettre en application* [à propos de ce terme, voir LIPSHIPZ 1981].

Un **verbe opérateur** est un verbe ayant perdu la signification qui lui est normalement attachée et ayant acquis une valeur sémantique autre, par exemple une valeur causative : *mettre (en danger), donner (l'alarme)*. Le verbe opérateur peut indiquer les phases du procès, c'est-à-dire le commencement, la continuation, la fin ou la permanence d'un état : *arriver (au pouvoir), entrer (en contact), prendre (connaissance), rester (à l'écoute), perdre (courage), être (en service), avoir (confiance)*. Enfin, il peut avoir une valeur purement translative lorsqu'il sert uniquement de support verbal à un nom (cf. § 6.6 (c)) : *donner (un conseil), faire (un aveu), poser (une question), rendre (visite)*.

Les **noms** apparaissant dans les analytismes expriment des états, des procès ou des actions. Ils sont souvent dérivés de verbes : *mettre en application, prendre connaissance*.

Les locutions analytiques ont quatre fonctions caractéristiques :

(a) Elles permettent l'utilisation d'un nom pour assumer une fonction verbale (valeur translative).

> Le nom *faim* associé au verbe opérateur *avoir* crée un analytisme qui fonctionne comme un véritable verbe : *avoir faim*.

(b) Elles permettent à une expression verbale de disposer des expansions caractéristiques du nom. Elles rendent possible la quantification par le pluriel ou par des déterminants et la qualification par des épithètes ou des compléments du nom, etc.

> Si nous remplaçons le verbe *crier* par l'analytisme *pousser un cri*, nous pouvons lui ajouter un pluriel ainsi que toutes les expansions caractéristiques du nom : *pousser des cris, pousser un cri perçant, pousser un cri de douleur*, etc.

(c) Grâce au verbe opérateur, les locutions analytiques permettent l'expression de l'aspect, des phases du procès et de la cause.

> Comparez : *avoir connaissance, prendre connaissance, donner connaissance,* ou : *être en observation, mettre en observation, entrer en observation, rester en observation.*

(d) Elles présentent sur le verbe simple l'avantage de ne pas obliger le locuteur à spécifier certains compléments.

> Le verbe *permettre* exige un complément direct obligatoire et un complément indirect facultatif : *permettre qqc à qqn.* Grâce à l'analytisme *donner la permission à qqn,* il n'est plus nécessaire de mentionner la chose permise.

La structure sémantique des locutions analytiques est transparente, car on peut aisément attribuer une signification à chacun de leurs deux constituants (verbe opérateur et nom).

> Dans *tomber malade,* le verbe opérateur *tomber* signifie « devenir » et malade garde sa signification normale.

Généralement, les constituants d'une locution analytique forment des séries obtenues par voie de substitution : *entrer en contact/liaison/service/application/collision ; avoir/prendre/faire peur.*

Les locutions analytiques portent certaines marques de figement grammatical. On peut constater l'absence fréquente de l'article : *avoir peur, mener à bonne fin,* l'existence d'expansions irrégulières : *avoir très peur, faire bien attention.* Leurs constituants ne peuvent assumer de fonction grammaticale, ils ne peuvent faire l'objet d'une question, etc.

9.3. Les locutions phraséologiques

Les **locutions phraséologiques** ou **phraséologismes** sont des groupes de mots qui se présentent sous la forme d'assemblages syntaxiques tout à fait réguliers, mais dont la signification littérale est incompatible avec le reste de la phrase. Elles sont chargées d'une signification globale indépendante de la signification de leurs constituants : *se fourrer le doigt dans l'œil, monter sur ses grands chevaux, passer l'arme à gauche.*

La plupart des locutions phraséologiques se distinguent des autres unités lexicales par leur grande richesse sémantique et leur sens extrêmement précis. Pour en décrire la signification, on doit souvent avoir recours à des paraphrases complexes : *poser un lapin à qqn = ne pas venir au rendez-vous que qqn vous a donné.*

Les locutions phraséologiques sont en outre dotées d'une grande puissance expressive et sont employées pour animer et colorer le discours. De ce fait, leur usage est soumis à des contraintes d'ordre stylistique. Elles conviennent souvent mieux au langage familier qu'au discours académique.

Elles se prêtent volontiers aux jeux de mots, car elles deviennent ambiguës lorsqu'on active leur sens littéral.

> Comme sa femme ne trouvait pas la solution à ses problèmes, le garde-barrière a décidé de la *mettre sur la voie.*

Dans une locution phraséologique, il n'est pas possible de remplacer un mot par un autre sans détruire le sens de la locution :

On peut *couper l'herbe sous le pied de qqn,* mais peut-on *couper le gazon sous son pied* ?

9.4. Les locutions idiomatiques

Les **locutions idiomatiques** sont des assemblages figés qui ne sont porteurs de signification que lorsqu'ils sont pris en bloc : *savoir gré, d'ores et déjà, tout à coup.* A la différence des locutions analytiques, la structure sémantique des locutions idiomatiques est généralement opaque et leurs constituants ne forment pas de séries. A la différence des locutions phraséologiques, elles ne possèdent pas de signification littérale et n'ont pas de valeur expressive particulière.

Les locutions idiomatiques contiennent de très nombreux archaïsmes : *sans coup férir, au fur et à mesure, d'ores et déjà, savoir gré, avoir maille à partir, avoir beau faire, sans bourse délier.*

9.5. Les locutions prépositives et conjonctives

Elles se distinguent des locutions idiomatiques par leur sémantisme généralement transparent : *à l'aide de, au-dessous de, au lieu de, après que, à condition que.*

CHAPITRE XI

LA PHRASE

Plan

1. *Définitions*

La **syntaxe** étudie la façon dont les formes de mots s'agencent pour former des phrases. Elle se propose d'expliquer la structure des phrases au moyen de règles.

La plus petite unité syntaxique est la **forme de mot.** Celle-ci se définit comme une séquence compacte de morphèmes à l'intérieur de laquelle on ne peut pas insérer librement d'autres morphèmes. A l'écrit, les formes de mots sont en principe séparées par des blancs (cf. Chap. 9, § 2).

Dans *confort-able-ment* ou *chant-er-i-ons*, on ne peut rien insérer entre les morphèmes. Ceux-ci constituent donc une seule forme de mot. La séquence *le beau livre* comporte trois formes de mots, car on peut les séparer en y insérant d'autres morphèmes : *le très beau petit livre.*

La **phrase** est l'unité maximale de la syntaxe. Elle se définit comme une suite organisée de formes de mots. Elle est caractérisée (a) par sa cohésion interne, car chacun de ses constituants y exerce une fonction, et (b) par son autonomie, car elle est indépendante des phrases voisines. A l'écrit, la phrase se termine par un point, un point-virgule, un point d'interrogation ou un point d'exclamation. A l'oral, elle se termine par un contour intonatoire caractéristique (cf. Chap. 8, § 10).

Il ne faut pas confondre phrase et **énoncé**. Un énoncé est nécessairement produit dans un contexte (cf. Chap. 2, § 2). Chaque énoncé est unique en son genre, tandis que la phrase est indépendante du contexte d'énonciation ; c'est pourquoi une même phrase peut servir dans des énoncés distincts. Quand on dit ou écrit quelque chose, on produit un énoncé.

> Dans les exemples suivants, la même phrase est utilisée dans des énoncés distincts :
> (Pierre va trouver le médecin et lui dit :) *J'ai mal au genou.*
> (Jean n'a pas envie d'aller promener et dit :) *J'ai mal au genou.*

Il existe un grand nombre de **phrases réduites** dont certaines n'ont pas de verbe. Une phrase constituée d'un seul mot est un **mot-phrase**.

> *Dommage !*

Aïe !

(Quand viendras-tu ?) *Demain.*

2. Le syntagme

2.1. Cohérence du syntagme

Le **syntagme,** appelé également **groupe de mots,** est une séquence cohérente de formes de mots. Cette cohérence se manifeste de multiples façons :

(a) les composants du syntagme peuvent ensemble être remplacés par une forme simple,

(b) ils exercent ensemble une même fonction grammaticale,

(c) ils forment ensemble l'antécédent d'une anaphore,

(d) ils subissent ensemble l'ellipse,

(e) ils se déplacent ensemble dans la phrase, etc.

> Dans : *Dès huit heures* (= alors), *la secrétaire* (= elle) *range les dossiers* (= travaille), les séquences qu'on peut remplacer par des formes simples sont des syntagmes.
>
> Dans les phrases suivantes, les anaphores (en grasses) renvoient à des antécédents (entre crochets). Ces derniers sont des syntagmes.
>
> [*Le fils de mon voisin*] *est malade.* **Il** *doit garder le lit.*
> *Autrefois, Jean* [*fumait au lit*]. *Il ne* **le fait** *plus maintenant.*
> [*Sébastien est tombé de l'échelle*]. **Cela** *s'est passé hier.*
>
> Dans : *Pierre a dessiné un château et Paul un train,* le syntagme *a dessiné* a été élidé dans la seconde proposition.

On peut modifier l'ordre des mots en déplaçant des syntagmes entiers :

(a) *Mon voisin travaille depuis deux jours dans son jardin.*

(b) *Mon voisin travaille dans son jardin depuis deux jours.*

(c) *Depuis deux jours, mon voisin travaille dans son jardin.*

(d) *Depuis deux jours, dans son jardin, mon voisin travaille.*

(e) *Mon voisin, depuis deux jours, travaille dans son jardin.*

2.2. Complexité des syntagmes

Un syntagme est minimal lorsqu'il est constitué exclusivement de formes de mots, il est complexe lorsqu'il est constitué de syntagmes plus petits.

Un syntagme comme *un arbre* est minimal, car il est constitué de deux formes de mots et n'est pas divisible en syntagmes plus petits, car le déterminant et le nom commun ne sont pas des syntagmes.

Dans la phrase : *L'enfant dort profondément,* l'adverbe *profondément* constitue à lui seul un syntagme (minimal).

La phrase : *Pierre lit un livre* comporte trois syntagmes minimaux : [*Pierre*], [*lit*] et [*un livre*]. Ces deux derniers syntagmes forment ensemble un syntagme complexe : [[*lit*] [*un livre*]].

2.3. Structure en constituants

Les syntagmes s'enchâssent les uns dans les autres

pour former des structures parfois très complexes.
Pour établir la hiérarchie des constituants, on procède du tout vers les parties. On part du syntagme
maximal, la phrase, et on en recherche les constituants immédiats. Ces derniers sont à leur tour ana-
lysés en constituants, et ainsi de suite jusqu'aux syntagmes minimaux. Une telle analyse fournit une
structure en constituants.

Pour reconnaître les modalités d'enchâssement des
syntagmes, nous recherchons les manifestations de
leur cohérence, par exemple au moyen d'un test de
substitution pronominale ou anaphorique.

Soit la phrase : *Pierre lit un livre,* que nous soumettons à un test de substitution anaphorique consistant à nier la phrase. Nous obtenons notamment :
Ce n'est pas vrai, où le pronom *Ce* a pour antécédent la phrase entière. Par conséquent, la phrase
précitée est elle-même un syntagme : [*Pierre lit un
livre*]. La question : **Qui** *lit un livre ?,* où le pronom interrogatif porte sur *Pierre,* permet d'identifier celui-ci comme syntagme. Dans la question :
Que fait *Pierre ?,* le groupe *Que fait* a *lit un livre*
pour antécédent, tandis que dans : **Que** *lit-il ?* le
pronom *Que* a *un livre* comme antécédent. Au
terme de ces tests se dégagent les syntagmes :
[*Pierre lit un livre*], [*Pierre*], [*lit un livre*] et [*un
livre*] formant ensemble une structure enchâssée :
[[*Pierre*] [*lit* [*un livre*]]].

Les principaux procédés graphiques de représentation des structures en constituants sont le paren-
thésage, les emboîtements et les diagrammes arborescents communément appelés « arbres ».

[[un livre] [intéressant]]

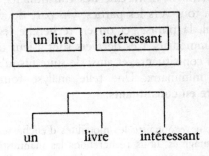

3. *Les classes de mots*

Les formes de mots sont classées en catégories appelées traditionnellement **classes de mots.** Celles-ci sont divisées en deux grands groupes : les **mots lexicaux,** ou mots pleins, qui contiennent un nombre virtuellement illimité d'unités et les **mots grammaticaux,** ou mots-outils, qui constituent des inventaires fermés (cf. Chap. 9, § 3). Les critères d'identification des classes de mots varient selon les langues et selon qu'il s'agit de mots lexicaux ou de mots grammaticaux. Ces critères sont morphologiques lorsque les mots sont pourvus de désinences reconnaissables et syntaxiques lorsqu'il existe des contraintes de construction.

3.1. Les classes lexicales

Les mots lexicaux appartiennent aux quatre grandes **classes lexicales** (verbe, nom, adjectif, adverbe) qui se distinguent par leurs propriétés d'agencement avec les unités grammaticales (cf. Chap. 10, § 3). Le diagramme suivant est applicable au français.

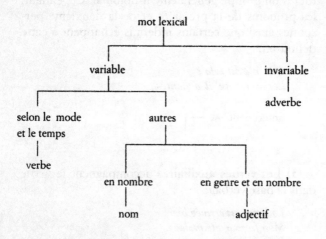

3.2. Les classes grammaticales

Comme les mots grammaticaux constituent des classes fermées, on définit leurs classes par extension, c'est-à-dire par l'énumération de leurs membres. On préfère cependant citer leurs propriétés typiques, même si celles-ci ne sont pas strictement définitoires.

(1) Les **déterminants** accompagnent le nom commun dans une base nominale.

> *la* neige
> **nos** amis
> **plusieurs** accidents

trois obstacles.
[DET + N]

(2) Les **pronoms** sont susceptibles de se substituer à un groupe généralement nominal. Cependant, les pronoms de la première et de la deuxième personnes ainsi que certains indéfinis échappent à cette définition.

Qui n'a dit **cela** ?
Les arbres **qu' il** *a plantés.*

antécédent ◄────┐

.... PRO ...

(3) Les **verbes auxiliaires** accompagnent le verbe dans la base verbale.

La lettre **est** *arrivée hier.*
Mon frère **a** *été malade.*
Il **va** *neiger aujourd'hui.*
[Aux + V]

(4) Les **verbes copules** accompagnent un syntagme désignant nécessairement la même personne ou chose que le sujet.

Monsieur Dupont **est** *mon voisin.*
Mélanie **semble** *triste aujourd'hui.*

sujet ◄────┐

.... [Vcop + X]

(5) Les **prépositions** sont des mots-outils invariables accompagnant un syntagme autre qu'une pro-

position, avec lequel elles constituent un groupe prépositionnel.

> **Derrière** le mur
> **Après** avoir soigneusement fermé la porte.
> [Prép + X] (X ≠ proposition)

(6) Les **conjonctions de subordination** sont également invariables. Elles accompagnent une proposition avec laquelle elles forment un syntagme. Elles
servent à intégrer des propositions dans une phrase.

> Il pleuvait **lorsque** nous sommes arrivés.
> Je crois **que** je suis malade.
> [Csub + proposition]

(7) Les **conjonctions de coordination** sont également invariables. Elles unissent des formes de mots
ou des syntagmes de même fonction.

> Nous avons visité Rome **et** Florence.
> [[X] Coord [Y]]

(8) A cette liste traditionnelle il convient d'ajouter
les **indicateurs illocutifs,** qui ont pour fonction
d'indiquer le type illocutif de la phrase : assertion,
interrogation, injonction, exclamation, etc. Ils se présentent non seulement sous la forme de locutions ou
de mots, mais également sous la forme de morphèmes intonatoires (cf. Chap. 5, § 4). Les **présentatifs** sont des indicateurs illocutifs placés en tête de
phrase.

> Dans la phrase : Le directeur est absent, l'indicateur
> illocutif est représenté par l'intonation terminale
> descendante. Dans : **Est-ce que** tu as le temps de
> m'aider ?, l'indicateur illocutif est double : le présen-

tatif *est-ce que* et l'intonation terminale ascendante. Dans les phrases suivantes, les présentatifs *comme* et *vive* sont des indicateurs illocutifs : **Comme** *tu es jolie aujourd'hui !* **Vive** *la république !*

Les **interjections** sont des indicateurs illocutifs qui sont en même temps des mots-phrases : *Bravo ! Chut ! Bonjour. Merci.*

4. Construction des syntagmes

4.1. Définition

Une **construction** est formée par l'agencement de constituants en un constitué. Les constructions sont des ensembles significatifs et récurrents qui rendent compte des régularités syntaxiques observables.

Les constituants A et B forment ensemble le constitué C.

Comme toute entité dotée de signification, une construction est susceptible d'exprimer des acceptions différentes selon le contexte (polysémie) et, inversement, une même valeur sémantique peut s'exprimer par des constructions totalement différentes.

Le fait que [*l'enfant*] se construise avec [*dort*] exprime que [*dort*] s'applique à [*l'enfant*].

Dans les phrases suivantes, une même construction a des valeurs sémantiques manifestement différentes : 1. *Le cuisinier épaissit la sauce* (le cuisinier est un agent responsable). 2. *La farine épaissit la sauce* (la farine n'est qu'un moyen).

Les phrases suivantes expriment les mêmes valeurs sémantiques bien que leur construction soit différente : *Le garagiste a réparé le véhicule. Le garagiste a effectué la réparation du véhicule.*

Une construction reste la même lorsque l'ordre des constituants est inversé. La construction est donc indépendante de l'ordre des constituants.

L'**ellipse** est sans effet sur la structure en constituants. Un syntagme élidé conserve sa place dans la construction. Les ellipses sont facilement reconnaissables, car nous pouvons les restituer à la lumière de l'environnement immédiat.

Les phrases coordonnées : *Pierre aime les pommes et Véronique les poires* sont construites de la même façon bien que le verbe de la seconde ait été élidé.

4.2. Les bases

Les constituants d'un syntagme n'ont pas le même poids. L'un d'eux en est la **base** (ou la **tête**) et l'autre une **expansion.** C'est la base qui confère son identité au syntagme tout entier, tandis que l'expansion vient se greffer sur elle pour la compléter ou la caractériser. Tandis que la suppression de la base compromet la cohérence syntaxique de la phrase, la suppression d'une expansion (si elle est structurellement possible) n'a pas un tel effet.

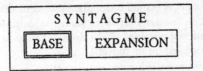

Dans :
[[*sans*] [*son parapluie*]] dont la base est [*sans*] et
[[*très*] [*fatigué*]] dont la base est [*fatigué*],
la suppression de la base fournit des phrases incohérentes :
? ? ? Il est venu son parapluie. ? ? ? Il était très.
La suppression de l'expansion ne détruit pas la cohérence structurelle de la phrase :
Il est venu sans. Il était fatigué.

Les mots lexicaux ont pour propriété d'occuper la base des syntagmes. Les prépositions, les conjonctions de subordination ainsi que les indicateurs illocutifs sont également des bases. Les premiers sont des **bases lexicales**, les seconds des **bases grammaticales.**

4.3. La complémentation ou construction exocentrique

Les unités lexicales et grammaticales sélectionnent leur environnement morpho-syntaxique. Ces contraintes d'ordre morpho-syntaxique sont appelées communément valence syntaxique (cf. Chap. 6, § 3).

Les expansions sélectionnées par une base lexicale ou grammaticale sont appelées **compléments.** La

forme et le nombre des compléments ne sont pas
libres, mais imposés par la base. Les compléments
sont donc des expansions liées. La construction formée par une base accompagnée de son ou de ses
compléments est souvent appelée **construction exo-
centrique** [BLOOMFIELD 1933 : 194, HOCKETT 1965 :
191].

Dans la terminologie française traditionnelle, une
expansion est généralement appelée « complément ».
Nous utilisons ici le terme de complément dans un
sens plus restreint, correspondant approximativement à la notion traditionnelle de « complément
d'objet », opposée aux « compléments circonstanciels » pour lesquels nous utiliserons le terme
« adjonction ».

4.4. Les niveaux hiérarchiques

Les propriétés combinatoires d'une base consti-
tuante et d'un syntagme constitué sont fondamentalement différentes. En effet, une base syntaxique est
incomplète ou non saturée aussi longtemps qu'elle
n'a pas reçu ses compléments. Lorsque la base est
accompagnée des compléments qu'elle réclame, elle
est **saturée.** Nous rendons compte de cette différence
distributionnelle en introduisant la notion de **niveau
hiérarchique.** Une base non saturée se situe au
niveau zéro, tandis que le syntagme saturé constitué
se situe à un niveau supérieur, appelé **niveau un.** On
marque généralement cette différence en indiquant le
niveau par un exposant. Une base nominale sera dès
lors notée N^0 et le syntagme nominal N^1. On peut
également se contenter de marquer le niveau au

moyen de l'opposition terminologique entre **base** et **syntagme** (ou **groupe**). On oppose ainsi une base nominale (BN) de niveau zéro au syntagme (ou groupe) nominal (SN) de niveau un.

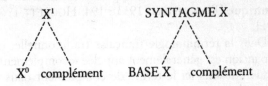

4.5. Les catégories syntaxiques

Les syntagmes sont classés en **catégories syntaxiques** selon la classe lexicale ou grammaticale de leur base. Un syntagme donné appartient toujours à une seule et même catégorie syntaxique. Celle-ci représente la **nature syntaxique** d'un syntagme, qui est constante par opposition à sa fonction grammaticale variable selon la phrase.

Le syntagme appartient à la même catégorie que sa base. Ainsi un **syntagme** ou **groupe nominal** est un syntagme dont la base contient le nom. Un **syntagme** ou **groupe verbal** est un syntagme dont la base contient le verbe. Un **syntagme** ou **groupe adjectival** se construit autour d'un adjectif, un **syntagme** ou **groupe adverbial** autour d'un adverbe, un **syntagme** ou **groupe prépositionnel** autour d'une préposition et un **syntagme** ou **groupe conjonctionnel** autour d'une conjonction de subordination.

[[la découverte]base nominale [de l'Amérique]]syntagme nominal
[[réparer]base verbale [les voitures]]syntagme verbal

Souvent, la base équivaut à une unité lexicale ou grammaticale simple.

[[satisfait]$_{adjectif}$ [de mon travail]]$_{syntagme\ adjectival}$
[[devant]$_{préposition}$ [la maison]]$_{syntagme\ prépositionnel}$

Le complément peut être anonyme, c'est-à-dire non exprimé.

[[manger]$_{base\ verbale}$ [ ]]$_{syntagme\ verbal}$

Lorsque la base n'a pas de complément, le syntagme est égal à la base.

[[briller]$_{base\ verbale}$]$_{syntagme\ verbal}$

4.6. L'adjonction ou construction endocentrique

Toutes les expansions ne sont pas des compléments. L'ajout d'une expansion libre, c'est-à-dire non sélectionnée par la base, est une **adjonction**. La construction formée par adjonction est souvent appelée **construction endocentrique.** Cette construction possède trois propriétés remarquables [BLOOMFIELD 1933 : 194, HOCKETT 1958 : 183] :

(a) Contrairement à la complémentation, l'adjonction ne change en rien les propriétés distributionnelles de l'unité syntaxique à laquelle elle se joint. En d'autres termes, l'adjonction n'a d'incidence ni sur le niveau hiérarchique ni sur la catégorie syntaxique.

*Un livre **intéressant***
*Aimer **passionnément***

(b) L'adjonction peut être répétée sans inconvénient. Elle est donc est **récursive**.

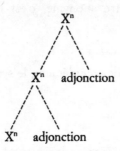

*Une **jolie petite** maison **blanche***

(c) L'adjonction est possible à chacun des deux niveaux hiérarchiques : au niveau zéro ou niveau de base (X^0) et au niveau un ou niveau du syntagme (X^1).

[[un livre]$_{\text{base nominale}}$ [intéressant]]$_{\text{base nominale}}$
[[l'assassinat de Kennedy]$_{\text{syntagme nominal}}$ [en 1963]]$_{\text{syntagme nominal}}$

[[aimer]$_{\text{base verbale}}$ [passionnément]]$_{\text{base verbale}}$
[[écrire une lettre]$_{\text{syntagme verbal}}$ [avec un stylo]]$_{\text{syntagme verbal}}$

4.7. La coordination et la juxtaposition

La coordination et la juxtaposition consistent à réunir deux syntagmes de même nature ou de même fonction. Comme l'adjonction, elles n'ont aucune incidence sur le niveau hiérarchique et sont récursives. La coordination est en principe possible à chacun des niveaux.

*Pierre est architecte **et** sa femme est avocate.*
*Il faut **soit** ôter les mauvaises herbes, **soit** utiliser un herbicide puissant.*

L'apposition détachée se présente comme une juxtaposition de syntagmes nominaux.

Monsieur Legrand, notre nouveau chef d'atelier.

4.8. Les spécificateurs

Les bases sont non seulement lexicales, mais également grammaticales comme les déterminants, les quantificateurs, les différents types d'auxiliaires (temporels, aspectuels, modaux), les prépositions, etc. Le nombre relativement élevé de bases différentes augmente le nombre de catégories syntaxiques. C'est pourquoi, les langues réduisent ce nombre en intégrant les bases grammaticales dans les bases lexicales. Ces bases grammaticales intégrées dans une base lexicale sont appelées **spécificateurs**.

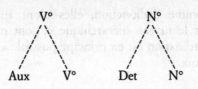

En français, les déterminants et les auxiliaires sont des spécificateurs. Certaines langues peuvent pousser l'intégration des spécificateurs plus loin encore et les agglutiner dans les formes de mots.

> Dans : *le marin,* le déterminant *le* est *le* spécificateur du nom *marin.* Dans : *avait chanté,* l'auxiliaire *avait* est le spécificateur du verbe *chanté.*
>
> En norvégien, *mannen* résulte de l'agglutination du nom *mann* (« homme ») et du déterminant *-en* (« le »). En turc, la préposition s'agglutine au radical après les autres désinences : *ev-ler-im-de* « maison-pluriel-possessif-dans ».

4.9. Noyaux syntaxiques et noyaux sémantiques

Comme une base syntaxique peut s'entourer à la fois d'adjonctions et de spécificateurs, il est utile d'introduire le terme **noyau** pour désigner le centre de la base.

> La base verbale *avoir roulé rapidement* a pour noyau *roulé.* La base nominale *un livre intéressant* a pour noyau *livre.*

Le noyau a une fonction à la fois catégorielle et conceptuelle. D'une part, il fournit la classe lexicale ou grammaticale (nom, verbe, adjectif, adverbe, etc.)

qui détermine la catégorie syntaxique et, d'autre part, il exprime le concept responsable du choix des compléments.

Il arrive que ces deux fonctions soient dissociées. La base est **binucléaire** lorsqu'elle possède un **noyau syntaxique** (ou catégoriel) et un **noyau sémantique** (ou conceptuel) distincts. Ce genre de construction est utilisé lorsque le mot porteur du concept n'appartient pas à la classe lexicale exigée par la structure de la phrase. Dans une base binucléaire, la catégorie syntaxique du noyau sémantique est sans incidence sur la construction hiérarchique de la phrase.

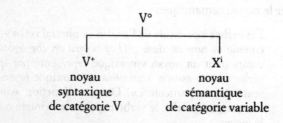

Le français, contrairement au latin, ne possède pas de verbe signifiant « être malade », mais dispose par contre de l'adjectif *malade*. Pour pallier l'absence de verbe adéquat, il utilise le **verbe copule** *être,* qui a pour fonction de supporter les marques de temps. L'ensemble *être malade* comporte un noyau syntaxique de catégorie verbale (*être*) et un noyau sémantique représenté par un adjectif (*malade*).

Les **locutions analytiques** comme *pousser un cri, prendre connaissance, entrer en contact* sont formées d'un verbe opérateur *pousser, prendre, entrer* qui supporte les marques du temps et exprime éventuellement les phases du procès (noyau syntaxique) et d'un nom *cri, connaissance, contact* servant de support au concept (noyau sémantique).

Les **compléments internes** du type *mourir d'une mort atroce* ont pour particularité de dédoubler la base en un verbe *mourir* qui supporte les marques de temps et un nom *mort* qui permet l'accrochage de l'adjectif *atroce*.

Outre leur fonction catégorielle, les noyaux syntaxiques peuvent également se charger d'un contenu sémantique. Ils sont alors souvent utilisés pour qualifier le noyau sémantique.

> Les **verbes à particule** de l'anglais (« phrasal verbs ») comme *to turn on* dans : *They turned on the lights* comportent un noyau syntaxique représenté par le verbe *to turn* associé à un noyau sémantique représenté par la particule *on*. Outre sa fonction syntaxique catégorielle, le verbe exprime la manière ou le moyen.
>
> Les **verbes de déplacement** comme *aller, courir, se rendre à, venir de* se complètent naturellement par la mention de la destination, de l'itinéraire ou de l'origine. Ce sont ces mentions qui constituent le noyau sémantique de la base. Dans les langues germaniques, la base syntaxique indique le mode de déplacement, tandis que la base sémantique fournit l'information essentielle, c'est-à-dire la destination, l'itinéraire ou l'origine du déplacement : *The train crawled into Russia* « Le train entra en Russie à faible allure ».
>
> Les **appositions internes** du type *l'île de Chypre, le cri de « Sauve qui peut »* sont des bases binu-

cléaires comprenant un noyau sémantique *(Chypre,* « *Sauve qui peut* ») et un noyau syntaxique formé par un nom *(île, cri)* dont la fonction est essentiellement syntaxique, mais qui ajoute une information sémantique.

5. Construction de la phrase et du texte

5.1. La proposition syntaxique

Les syntagmes que nous avons étudiés jusqu'ici étaient construits à partir d'une base lexicale ou grammaticale. Il nous faut à présent rendre compte d'entités de plus grande dimension comme la proposition, la phrase et le texte.

Selon la tradition, une **proposition syntaxique** (à ne pas confondre avec la proposition sémantique exposée au Chap. 7, § 4.9.) a pour base un « prédicat » qui affirme quelque chose à propos d'un « sujet ». Ce que la tradition appelle « prédicat » est en fait un syntagme verbal dont le verbe est conjugué à une forme personnelle. Les propriétés distributionnelles d'un syntagme verbal conjugué, appelé **syntagme** ou **groupe infléchi,** diffèrent fondamentalement du syntagme verbal non conjugué. En effet, ce dernier apparaît sous la forme de « propositions infinitives » ou «participiales » susceptibles d'assumer diverses fonctions dans la phrase, tandis que seul le syntagme infléchi peut constituer la base d'une proposition syntaxique.

La **base propositionnelle** ($Prop^0$) sera naturelle-

ment complétée par un **sujet** formant avec la base
une proposition saturée (Prop^1). En outre, la proposition syntaxique admet un certain nombre
d'adjonctions comme la négation et des compléments circonstanciels.

$$\text{Prop}^1$$

$$\text{Prop}^0 \qquad \text{sujet}$$

Parmi les expansions sélectionnées par le verbe, le
sujet occupe une position particulière, car, à la différence des autres compléments, il ne se trouve pas à
l'intérieur du syntagme verbal, mais à l'extérieur de
celui-ci ; c'est pourquoi le sujet est parfois appelé
complément externe.

5.2. La phrase

La **phrase** est centrée autour d'une **base illocutive**
constituée par un indicateur illocutif portant générale-
lement sur une proposition : *Est-ce que tu as faim ?*
Comme c'est beau !, parfois sur un groupe nominal :
Vive la République !, ou utilisé de façon absolue dans
le cas des interjections : *Ah ! Zut !* La base illocutive
(Ill^0) est donc saturée par un complément (généralement une proposition) avec lequel elle constitue une
phrase (Ill^1). La base illocutive admet en outre des

adjonctions spécifiques, appelées généralement **modalisateurs,** comme *un peu* dans : *Viens **un peu** ici.*

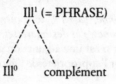

$$\text{Ill}^1 \text{ (= PHRASE)}$$

$$\text{Ill}^0 \qquad \text{complément}$$

5.3. Le texte

Dans un **texte,** les phrases s'organisent autour d'une phrase directrice qui en constitue la base. Dans sa forme la plus simple, un texte est composé d'une phrase directrice et de **phrases connectées** en nombre variable.

Les phrases connectées ont pour base un **connecteur** (C^0) qui peut être explicite : *La chanteuse est malade. La représentation n'aura **donc** pas lieu,* ou implicite : *Ferme la fenêtre. Il y a un courant d'air.* Le connecteur est naturellement complété par une proposition. Ensemble, ils forment une phrase connectée (C^1), à laquelle peuvent s'adjoindre d'autres phrases connectées.

$$C^1 \text{ (= PHRASE CONNECTÉE)}$$

$$C^0 \qquad \text{complément (= PROPOSITION)}$$
$$\text{(= CONNECTEUR)}$$

Une phrase qui n'est accompagnée d'aucune phrase connectée est évidemment une **phrase-texte.** Celle-ci admet néanmoins diverses adjonctions, comme le topique ou le complément d'appropriété.

> Dans : *Ta jambe, ça va ?*, le topique est *ta jambe.*
> Dans : *Si tu fumes, j'ai des cigarettes,* la subordonnée introduite par *si* est une adjonction ayant pour fonction de vérifier l'appropriété de l'énoncé.

6. *Les fonctions grammaticales*

On constate que, pour une base donnée, les expansions admissibles (compléments, adjonctions) appartiennent à des catégories syntaxiques généralement diverses.

> Le « sujet » (expansion d'une base propositionnelle) peut être réalisé en un syntagme nominal [*la mort du poète*], un syntagme verbal [*boire un petit verre*] ou un syntagme conjonctionnel [*qu'il ait eu un accident*] dans :
> **La mort du poète** *suscita la consternation.*
> **Boire un petit verre** *est bien agréable.*
> **Qu'il ait eu un accident** *ne m'a pas étonné.*

Ces syntagmes de catégories différentes sont mutuellement substituables à une même position de la construction. Par **fonction grammaticale** on entend simplement la position d'un syntagme dans une construction. Cette position se définit (a) par rapport à l'unité adjacente et (b) par rapport à l'unité constituée.

Dans la construction :

la fonction grammaticale de B se définit comme
adjacent à A et constituant de C.

Nous appellerons **centre** tout groupe, base ou
noyau syntaxique et nous dirons que la fonction
dépend d'un centre. L'expression traditionnelle « se
rapporte à » est ambiguë, car elle peut exprimer aussi
bien une relation de dépendance (« l'adverbe se rapporte au verbe ») qu'une identité référentielle
(« l'attribut se rapporte à son sujet »).

Dans : *Pierre est venu hier,* le syntagme *hier* dépend
du centre *Pierre est venu.* Dans : *Véronique danse
merveilleusement,* l'adverbe *merveilleusement* dépend de son centre *danse.*

Les syntagmes dépendants appartiennent à trois
types fonctionnels : (a) complément, (b) adjonction et
(c) noyau sémantique. On utilise parfois le terme
« essentiel » pour désigner conjointement les compléments et les noyaux sémantiques, par opposition aux
adjonctions considérées comme « non essentielles ».

On observe que certaines catégories conviennent
mieux que d'autres pour assumer une fonction donnée. Nous dirons qu'à chaque fonction est associé un
prototype catégoriel. Ainsi, la catégorie prototypique
du sujet est le groupe nominal. L'épithète (adjoint à
la base nominale) est représentée typiquement par un
adjectif, etc.

L'inventaire et les appellations des fonctions grammaticales résultent de choix terminologiques liés à l'usage d'une grammaire et motivés par des besoins explicatifs spécifiques. Ces besoins varient selon les langues et ne sont donc pas les mêmes pour le français et pour l'anglais. Pour une langue donnée, ils diffèrent également selon qu'il s'agit d'apprendre à écrire sa langue maternelle ou à s'exprimer dans une langue seconde. Généralement, il s'agit de décrire les mécanismes d'accord ou de rection, la fixation des cas ou l'ordre des syntagmes dans la phrase.

La définition précise d'une fonction grammaticale inclut :

(a) son type fonctionnel (complément, adjonction, noyau sémantique),

(b) le centre dont elle dépend,

(c) la catégorie syntaxique qu'elle sert à constituer (cette information est superflue lorsqu'il s'agit d'adjoints),

(d) sa catégorie syntaxique prototypique,

(e) les autres catégories syntaxiques admissibles.

Pour identifier les attributs et les appositions, on précisera en outre la relation de coréférence obligatoire.

Une définition précise et complète du **sujet** comprend les données suivantes. Le sujet est (a) le complément (b) de la base propositionnelle représentée par un syntagme infléchi (syntagme dont le verbe est à une forme personnelle) (c) avec laquelle il constitue une proposition. (d) Il se présente généralement sous la forme d'un syntagme nominal, (e) mais on rencontre également des syntagmes conjonctionnels et des syntagmes verbaux (syntagmes dont le verbe est à une forme impersonnelle). Dans : *Le chat a renversé le vase*, le syntagme infléchi est : *a renversé le vase* et *le chat* en est le sujet. Lorsqu'on dit que le sujet « est un syntagme nominal » désignant « celui qui fait l'action » exprimée par le verbe, on fonde la définition sur un prototype catégoriel (le syntagme nominal) qu'on associe à un prototype sémantique (la relation d'agent).

Les compléments de la base verbale sont les **compléments du verbe** ou plus exactement les **compléments d'objet** subdivisés en compléments directs, indirects et prépositionnels selon qu'ils se construisent sans préposition, avec une préposition caduque ou avec une préposition stable.

> *Véronique a mis **sa nouvelle robe*** (complément direct).
> *Pierre ressemble **à son frère**. Il **lui** ressemble* (complément indirect).
> *Sébastien pense **à son amie**. Il pense **à elle*** (complément prépositionnel).

Le **complément circonstanciel** est un terme générique englobant les adjonctions du verbe ou de la proposition.

Le **complément du nom** est un terme générique englobant les expansions du nom à l'exclusion des adjectifs et des appositions.

Le terme **apposition** englobe un ensemble hétérogène de fonctions. On ne peut définir avec précision que les types particuliers d'apposition.

L'**attribut du sujet** est le noyau sémantique d'un verbe copule. Il est nécessairement coréférentiel avec le sujet. L'**attribut du complément direct** est un noyau sémantique nécessairement coréférentiel avec le complément direct.

*Les crocodiles sont **des animaux dangereux*** (attribut du sujet).

*Je trouve cela **injuste*** (attribut du complément direct).

Le **complément de l'adjectif** est un terme englobant les expansions de l'adjectif.

*Sois gentil **envers eux**.*

Le **complément de l'adverbe** est un terme englobant les expansions de l'adverbe.

Dans : *J'ai assez de charbon **pour l'hiver**,* le syntagme prépositionnel *pour l'hiver* est un complément de *l'adverbe assez*.

A ces fonctions traditionnelles il convient d'ajouter le **connecteur**, qui relie une phrase à une autre, et le **modalisateur**, qui, au sens strict, désigne une adjonction de l'indicateur illocutif et qui sert également à désigner l'indicateur illocutif lui-même ainsi que les spécificateurs de la proposition comme la négation, les adverbes modaux, etc.

*Que fait-il **donc** ?*
*C'est vrai, **quoi** ?*
***Dans le fond**, tu as raison.*
*Jean est **probablement** malade.*
*Il **ne** viendra **pas**.*

7. Les structures fonctionnelles

D'un point de vue scientifique, il importe de rechercher les généralisations les plus fécondes capables de rendre compte de la totalité des

constructions et d'expliquer la formation des phrases
correctes au moyen de règles simples en nombre limité. A cette fin, les **structures en constituants** décrites
jusqu'ici sont interprétées comme des projections de
structures plus abstraites appelées généralement
structures fonctionnelles et caractérisées de la façon
suivante :

(1) Les structures fonctionnelles font totalement
abstraction de l'ordre linéaire des constituants adjacents et se fondent exclusivement sur les relations
fonctionnelles. Elles peuvent en outre comporter des
positions vides.

(2) Les unités ne sont pas nécessairement des
formes de mots, mais elles peuvent constituer des
bases grammaticales, c'est le cas des déterminants
(définis, indéfinis), des quantifiants (singulier, pluriel,
numéral), des temps, de l'aspect, etc. Dès lors, la
fonction de spécificateur est sans objet et les structures fonctionnelles sont donc plus simples. Dans les
structures en constituants, les bases grammaticales
abstraites s'intègrent dans les bases lexicales, où elles
fonctionnent comme spécificateurs.

> Dans une structure fonctionnelle, le temps n'est pas
> représenté par un spécificateur du verbe, mais par
> une base infléchie (Infl^0) ayant un syntagme verbal
> comme complément. Ensemble, ils forment le syn-
> tagme infléchi (Infl^1) qui forme la base de la proposi-
> tion (Infl^1 = Prop^0) et qui, avec le sujet, constituera
> la proposition (Prop^1). Le syntagme infléchi rend
> compte de la différence entre les syntagmes verbaux
> dont le verbe est à une forme personnelle et ceux
> dont le verbe est à l'infinitif. Il explique également

les modalités d'accord du verbe en personne et nombre avec son sujet.

La structure fonctionnelle d'un syntagme comme *les deux chaises* comprend trois bases : un déterminant (D^0), un quantificateur (Q^0) et un nom (N^0), tandis que la structure en constituants comporte une seule base (N^0) enrichie de deux spécificateurs.

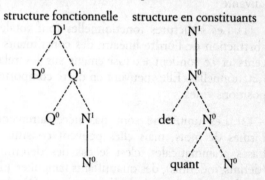

Les deux niveaux de structuration n'ont pas le même pouvoir explicatif et se complètent mutuellement. Tandis que les structures en constituants sont en mesure d'expliquer les phénomènes linéaires et la constitution des formes de mots, les structures fonctionnelles ont le pouvoir d'expliquer les phénomènes motivés par la sémantique.

8. L'ordre linéaire

8.1. Définition

L'**ordre linéaire** détermine la position réciproque des constituants d'un constitué et, plus généralement, (a) l'ordre des formes de mots dans le syntagme, (b) l'ordre des syntagmes dans la phrase et (c) l'ordre des phrases dans le texte.

8.2. Ordre centripète et centrifuge

L'ordre linéaire est dit **centrifuge** lorsque le centre se trouve en tête du syntagme et **centripète** dans le cas contraire.

ordre centrifuge   ordre centripète

L'ordre linéaire est centrifuge dans : *avec un bâton* ou *étudier la géométrie* (la base précède son complément), *il a plu hier* (l'adjonction *hier* suit la proposition *il a plu*), *maison blanche* (l'adjonction suit la base).

L'ordre linéaire est centripète dans : *un chemin* ou *va chanter* (le spécificateur précède le noyau), *très intéressant, jolie maison, tout contre* (l'adjonction de la base précède celle-ci), *il parle* (le sujet précède le syntagme infléchi).

8.3. Syntagmes disjoints

Le plan linéaire respecte généralement la cohésion du syntagme. Toutefois, il n'est pas rare que les syntagmes soient **disjoints.** Un syntagme qui vient s'insérer entre les parties disjointes est appelé **syntagme incident.**

> Dans : *Pierre est probablement malade,* l'adverbe modalisateur *probablement* est un syntagme incident venant s'insérer dans la proposition : *Pierre est malade.*

Les interruptions du cours de la phrase sont souvent appelées **parenthèses.** A l'écrit, elles sont encadrées de virgules, de tirets ou de parenthèses.

> *Il était, **hélas,** trop tard.*
> *La sœur de Jean – **je viens de l'apprendre** – a mis au monde une ravissante petite fille.*

Les éléments disjoints, appelés **pôles,** forment un cadre où viennent se placer d'autres unités. Ce type d'encadrement a pour effet de créer une certaine tension. Le premier pôle « ouvre » un syntagme et est mis en attente jusqu'à ce que le second pôle permette de le « fermer ».

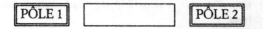

La construction encadrée est typique des langues germaniques.

> Dans : *A very beautiful day,* le déterminant *A* et le noyau nominal *day* constituent les deux pôles du cadre.
> Dans l'allemand : *Ich habe gestern den Stuhl repariert,* l'auxiliaire *habe* et le noyau verbal *repariert* forment les deux pôles du cadre.

Certaines unités syntaxiques sont extraites d'un syntagme et placées à la périphérie de celui-ci, soit en

tête – on parle alors d'**antéposition** –, soit en finale –
on parle alors de **postposition.**

| TÊTE | | FINALE |

> En français, les pronoms compléments du verbe sont
> généralement antéposés, c'est-à-dire placés en tête
> du syntagme verbal : *Le médecin **le leur** a dit,* tandis
> que les syntagmes conjonctionnels sont générale-
> ment postposés en raison de leur complexité : *J'ai dit
> à mon patron **que je devrais m'absenter.***

8.4. Clitisation

Les mots et groupes syntaxiques inaccentués ont
tendance à s'appuyer sur un mot ou groupe accentué
avec lequel ils forment un **groupe rythmique** (cf.
Chap. 8, § 9.3.). Ce phénomène est appelé **clitisation.**
Elle s'effectue à gauche ou à droite selon la place de
l'accent. La clitisation provoque la fusion de syntagmes en groupes rythmiques.

> Un sujet non accentué ne peut constituer à lui seul
> un groupe rythmique, il s'appuie sur le verbe avec
> lequel il forme un groupe rythmique. Comparez (1)
> *Le fils du voisin / joue dans le jardin* et (2) *Il joue
> dans le jardin.* En (2), le sujet *il* s'appuie sur le verbe
> *joue* avec lequel il forme un groupe rythmique. Il
> n'est pas possible d'insérer une pause entre *il* et *joue.*

8.5. Extraposition

L'**extraposition** est le placement d'un segment
hors du corps de la phrase, soit devant, soit derrière

celui-ci. Les segments extraposés sont séparés du corps de la phrase par une courte pause ou par une rupture intonatoire habituellement représentée à l'écrit par une virgule. La position devant le corps de la phrase est l'**amorce de la phrase,** les segments placés à l'arrière sont les **prolongements.**

AMORCE	,	CORPS DE LA PHRASE	,	PROLONGEMENT

L'amorce et le prolongement accueillent des ajouts divers, souvent non intégrés dans la structure de la phrase. Ce type de construction est caractéristique de la langue parlée.

> *Ma jambe, ça va mieux depuis hier.*
> *Monsieur, le courrier est arrivé.*
> *C'est beau, hein ?*
> *Il a réussi, ce à quoi personne ne s'attendait.*

Il ne faut pas confondre l'amorce de la phrase avec la position de tête, ni le prolongement avec une finale. L'amorce et le prolongement sont extérieurs au corps de la phrase, dont ils sont clairement séparés par le rythme et l'intonation, tandis que la tête et la finale font partie du corps de la phrase.

9. *Les règles syntaxiques*

9.1. La rection (le régime)

La **rection** (ou le **régime**) est la propriété qu'ont certaines bases lexicales ou grammaticales de déterminer la forme morphosyntaxique de leur complément. Elle constitue un des aspects essentiels de la **valence syntaxique** (cf. Chap. 6, § 3). Les classes porteuses de la rection comprennent les verbes, les adjectifs, les noms, les prépositions et les conjonctions de subordination. La rection est, au point de départ, une contrainte associée à une des classes précitées. Elle s'applique entre syntagmes adjacents, c'est-à-dire entre syntagmes appartenant au même constitué. Par l'opération de rection la contrainte émanant de la base est transportée vers le groupe syntaxique qui la complète, c'est-à-dire vers son complément. On peut classer les phénomènes de rection selon la nature des contraintes. Les principales sont la rection casuelle, la rection prépositionnelle et la rection modale.

> Le verbe latin *studere* (« étudier ») régit le datif, la préposition latine *ad* régit l'accusatif (*ad urbem*), le verbe français *penser* régit la préposition *à* (*penser à quelqu'un*), la conjonction de subordination *avant que* régit le subjonctif (*avant qu'il vienne*).

On ne confondra pas la rection avec les contraintes agissant à l'intérieur des bases binucléaires (cf. § 4.9.). Lorsque le noyau syntaxique est dissocié du noyau sémantique, le noyau syntaxique est par nature incomplet s'il n'est pas accompagné d'un noyau sémantique. Cette **complémentation interne** est de nature essentiellement sémantique, à la différence de la rection qui exerce des contraintes de nature morphosyntaxique.

> Un verbe de déplacement est naturellement « complété » par une indication de l'origine, de l'itinéraire

ou de la destination. Les verbes copules *être, devenir, rester,* indiquant l'état, le changement d'état ou la permanence d'un état, sont naturellement « complétés » par la mention de cet état. Si nous comparons : *Caesar Romam profectus est* « César est parti pour Rome » et *Caesar in urbem profectus est* « César est parti pour la ville », nous constatons que la complémentation est exclusivement sémantique puisqu'on utilise indifféremment un accusatif *Romam* ou un syntagme prépositionnel *in urbem*.

9.2. L'accord (la concordance)

L'**accord** est un phénomène de copiage d'une catégorie grammaticale (genre, nombre, personne, cas, temps, etc.) destiné à marquer soit l'appartenance de constituants à un même constitué, soit l'identité référentielle entre unités appartenant à des syntagmes distincts. On parle d'**accord grammatical** dans le premier cas et d'**accord anaphorique** dans le second.

(1) L'accord grammatical a une source interne lorsque l'accord trouve son origine à l'intérieur du syntagme et externe lorsqu'il provient de l'extérieur.

> Lorsque le déterminant et l'adjectif épithète s'accordent en genre avec le substantif, c'est la classe morphologique (le genre) du substantif qui se transmet à l'intérieur de la base nominale. La source de l'accord est interne.
>
> L'accord en cas trouve son origine à l'extérieur du syntagme. Il affecte le syntagme nominal et se transmet vers son noyau, d'où il se propage dans les limites de la base nominale.

L'accord de la forme personnelle du verbe conjugué avec son sujet exprime l'appartenance du sujet et du syntagme infléchi à la même proposition. L'accord émanant du sujet affecte le syntagme infléchi et se transmet vers la base infléchie porteuse des marques du temps. L'accord exprime ainsi la solidarité fondamentale entre le sujet et son « prédicat », c'est-à-dire le verbe conjugué.

L'accord du participe passé avec l'objet direct qui le précède exprime l'appartenance du verbe et du complément au même syntagme verbal. Cette règle est toutefois soumise à une contrainte d'ordre linéaire.

(2) L'accord anaphorique exprime l'identité référentielle d'un pronom ou d'un syntagme nominal avec son antécédent. Contrairement à l'accord grammatical, l'accord anaphorique apparaît entre syntagmes distincts.

En latin et en allemand, l'attribut s'accorde en cas avec le sujet ou avec le complément direct. Le pronom relatif s'accorde en genre et en nombre avec son antécédent.

La concordance des temps est apparentée à l'accord anaphorique. Elle exprime l'identité de repère temporel (cf. Chap. 7, § 7.4.).

Le repère temporel est le même dans chacune des deux phrases : (1) *Je sais qu'il est malade.* (2) *Je savais qu'il était malade.*

9.3. Les cas

Le cas joue un rôle non négligeable en syntaxe et son fonctionnement est relativement complexe.

(a) Il a une fonction structurelle lorsqu'il exprime une fonction grammaticale déterminée : le nominatif pour le sujet, l'accusatif pour le complément du verbe, le génitif pour le complément du nom. Ces cas sont fixés indépendamment des unités lexicales.

(b) Il a une origine lexicale ou grammaticale lorsqu'il émane de la rection d'une unité lexicale ou grammaticale. Par le fait même de la rection, le cas d'origine lexicale ou grammaticale a également une fonction structurelle puisque les expansions régies sont par nature des compléments.

> Les verbes latins *persuadeo, faueo, studeo* régissent le datif, les verbes *utor, fungor, potior* l'ablatif. Un verbe comme *donare* se construit avec un accusatif et un datif de l'animé : *donare aliquid alicui* ou avec l'accusatif et l'ablatif de l'inanimé : *donare aliquem aliqua re.* L'accusatif est le cas structurel caractéristique des compléments du verbe en général tandis que le datif est un cas lexical imposé par le verbe selon sa signification.

> Dans *ad Caesaris castra,* l'accusatif *castra* régi par la préposition *ad* indique clairement la construction syntaxique. Le cas a donc également une fonction structurelle.

(c) Il a une origine sémantique lorsqu'il est porteur d'un contenu sémantique.

> En latin, l'accusatif exprime le but ; l'ablatif le lieu, l'origine et l'instrument : *Caesar Romam profectus est* (« César est parti pour Rome »). *Caesar rure rediit* (« César est revenu de la campagne »).

(d) Il peut exprimer une identité de référent.

C'est parce que l'attribut « se rapporte » à son sujet (ou à son objet) qu'il a le même cas que lui.

(e) Le cas peut exprimer également une identité de fonction.

Le deuxième terme d'une comparaison se met au même cas que le premier, par exemple en allemand : *Der Film hat meinem Freund besser gefallen als meiner Schwester* (« Le film a plu davantage à mon ami qu'à ma sœur »).
Les appositions externes ont non seulement la même fonction que leur antécédent, mais sont également coréférentielles.

BIBLIOGRAPHIE

Dans la présente bibliographie, le lecteur trouvera, outre les travaux qui ont servi à l'élaboration de notre « Linguistique générale », de nombreux ouvrages susceptibles de l'informer sur la diversité des orientations en linguistique ou de l'aider à poursuivre son information. Nous n'avons pas voulu présenter ici une bibliographie sélective, ce qui nous aurait amené à faire des choix forcément subjectifs. Nous engageons le lecteur à consulter les bibliographies courantes, les recueils terminologiques ainsi que les ouvrages généraux repris ci-dessous.

1. Linguistique générale (terminologie, langues)

ABRAHAM, W. (1988) : *Terminologie zur neueren Linguistik.* Tübingen : Niemeyer.

ARRIVE, M./CHEVALIER, J.-Cl. (1970) : *La grammaire, lectures.* Paris : Klincksieck.

ARRIVE, M./GADET, F./GALMICHE, M. (1986) : *La grammaire d'aujourd'hui. Guide alphabétique de linguistique française.* Paris : Flammarion.

BENVENISTE, E. (1966) : *Problèmes de linguistique générale.* Paris : Gallimard.

BLOOMFIELD, L. (1933) : *Language.* London : Allen & Unwin. Traduction française (1970) : *Le langage.* Paris : Payot.

BRIGHT, W. (ed.) (1992) : *International Encyclopaedia of Linguistics.* Oxford : O.U.P.

BUSSMANN, H. (1990) : Lexikon der Sprachwissenschaft. Stuttgart : Kröner.

DROSTE, F.G./JOSEPH, J.E. (eds.) (1991) : *Linguistic Theory and Grammatical Description.* Amsterdam : Benjamins (= Current Issues in Linguistic Theory 75).

DUBOIS, J. et al. (1973) : *Dictionnaire de linguistique.* Paris : Larousse.

ELUERD, P. (1977) : *Pour aborder la linguistique.* Paris : ESF.

HAGEGE, C. (1982) : *La structure des langues.* Paris : P.U.F. (= Que sais-je ? 2006).

HJELMSLEV, L. (1968) : *Prolégomènes à une théorie du langage.* Paris : Minuit (original danois 1943).

LEROT, J. (1973) : *Grammaire à niveaux multiples. 1. Structures morphologiques et superficielles. 2. Structures lexicales et profondes.* (2 vols.). Louvain (= Cours et documents de l'Institut de Linguistique 4 et 5).

— (1983) : *Abrégé de linguistique générale.* Louvain-la-Neuve : Cabay.

LEWANDOWSKI, T. (1976) : *Linguistisches Wörterbuch.* (3 vols.). Heidelberg : Quelle & Meyer.

LYONS, J. (1968) : *Introduction to Theoretical Linguistics.* Cambridge : CUP. Traduction française (1970) : *Linguistique générale.* Paris : Larousse.

MARTINET, A. (1960) : *Eléments de linguistique générale.* Paris : Colin.

— (1962) : *A Functional View of Language.* Oxford : Clarendon.

— (1969) : *La linguistique. Guide alphabétique.* Paris : Denoël.

MILNER, J.-Cl. (1973) : *Arguments linguistiques.* Paris : Mame.

— (1989) : *Introduction à une science du langage.* Paris : Seuil.

POTTIER, B. (ed.) (1973) : *Le langage.* Paris : Retz.

— (1974) : *Linguistique générale. Théorie et description.* Paris : Klincksieck.

RUHLEN, M. (1987) : *A guide to the world's languages.* Stanford : Stanford University Press.

SAUSSURE, F. de (1962) : *Cours de linguistique générale* (5ᵉ éd.). Paris : Payot.

SERBAT, G. (1988) : *Linguistique latine et linguistique générale.* Louvain-la-Neuve : Peeters (=Biblio-thèque des Cahiers de l'Institut de Linguistique de Louvain 39).

TROIKE, R.C. (1990) : *Bibliography of bibliographies of the languages of the world.* (2 vols). Amsterdam : Benjamins.

VOEGELIN, C.F./VOEGELIN, F.M. (1977) : *Classification and index of the world's languages.* Amster-dam : Elsevier.

2. Disciplines annexes

BORGMANN, A. (1974) : *The philosophy of language.* The Hague : Nijhoff.

CAPLAN, D. (1987) : *Neurolinguistics and linguistic aphasiology.* Cambridge : C.U.P.

COSTERMANS, J. (1980) : *Psychologie du langage.* Bruxelles : Mardaga.

HÖRMANN, H. (1970) : *Psychologie der Sprache.* Berlin.

— (1972) : *Introduction à la psycholinguistique*. Paris : Larousse.

JESPERSEN, O. (1924) : *The philosophy of grammar*. London : Allen & Unwin. Traduction française (1971) : *La philosophie de la grammaire*. Paris : Minuit. Réédition (1992) : Gallimard.

HUDSON, R.A. (1980) : *Sociolinguistics*. Cambridge : C.U.P.

KINTSCH, W. (1974) : *The representation of meaning in memory*. Hillsdale, N.J.: Erlbaum.

KUTSCHERA, F. von (1971) : *Sprachphilosophie*. München : Fink.

LABOV, W. (1977) : *Sociolinguistique*. Paris : Minuit.

LADRIÈRE, J. (1970) : *L'articulation du sens*. Paris : Editions du Cerf.

LE NY, J.F. (1979) : *La sémantique psychologique*. Paris : P.U.F.

LEVELT, W.J.M. (1989) : *Speaking: From intention to articulation*. Cambridge, Mass.: The MIT Press.

MARCELLESI, J.-B./Gardin B. (1974) : *Introduction à la sociolinguistique*. Paris : Larousse.

WARDHAUGH, R. (1986) : *An introduction to sociolinguistics*. Oxford : Blackwell.

3. La communication (pragmatique)

ANSCOMBRE, J.C. (1985) : *L'argumentation dans la langue*. Bruxelles : Mardaga.

ANSCOMBRE, J.C./DUCROT, O. (1981) : Interrogation et argumentation. In : *Langue française 52*, 5-22.

AUSTIN, J.L. (1962) : *How to do Things with Words*. Oxford : Oxford University Press. Traduit en français (1970) : *Quand dire, c'est faire*. Paris : Seuil.

BAR-HILLEL, Y. (1971) : *Pragmatics of Natural Languages*. Dordrecht : Reidel.

BERENDONNER, A. (1981) : *Eléments de pragmatique linguistique*. Paris : Minuit.

COULTHARD, M. (1985) : *An Introduction to Discourse Analysis*. London : Longman.

DILLER, A.-M./RECANATI F. (eds.) (1979) : *La pragmatique*. In : *Langue française 42*, Paris : Larousse.

DUCROT, O. (1972) : *Dire et ne pas dire. Principes de sémantique linguistique*. Paris : Hermann.

— (1980) : *Les échelles argumentatives*. Paris : Minuit.

ELUERD, R. (1985) : *La pragmatique linguistique*. Paris : Nathan.

GARDINER, A.H. (1990) : *Langage et acte de langage. Aux sources de la pragmatique*. Lille : Presses Universitaires de Lille.

GAZDAR, G. (1979) : *Pragmatics. Implicature, Presupposition, and Logical Form.* New York : Academic Press.

GOFFMAN, E. (1967) : *Interaction ritual : essays on face to face behaviour.* New York : Anchor. Traduc-tion française (1974) : *Les rites d'interaction.* Paris : Minuit.

GRICE, H.P. (1975) : Logic and Conversation. In : Cole, P./Morgan, J. : *Speech Acts. Syntax and Semantics.* New York, 41-58.

JAYEZ, J. (1988) : *L'inférence en langue naturelle.* Paris : Hermes.

LEVINSON, S.C. (1983) : *Pragmatics.* Cambridge : Cambridge University Press.

PARRET, H. et al. (eds.) (1980) : *Le Langage en Contexte.* Amsterdam : Benjamins.

RECANATI, F. (1982) : *Les énoncés performatifs. Contribution à la pragmatique.* Paris : Minuit.

SEARLE, J.R. (1969) : *Speech Acts. An Essay in the Philosophy of Language.* Cambridge : Cambridge University Press.

— (1977) : A classification of illocutionary acts. In : Rogers, A./Wall, B./Miurphy, J.P. (eds.) : *Proceedings of the Texas Conference on Performatives, Presuppositions and Implicatures.* Arlington, 27-45.

SÖKELAND, W. (1980) : *Indirektheit von Sprechhandlungen. Eine linguistische Untersuchung.* Tübingen : Niemeyer.

VAN OVERBEKE, M. (1960) : Analyse de l'énonciation. In : Parret, H. et al. (eds.) : *Le Langage en Contexte.* Amsterdam : Benjamins, 389-486.

4. Les unités de la grammaire

BONNARD, H. (1983) : *Code du français courant.* Paris : Magnard.

CHEVALIER, J.-C. et al. (1964) : *Grammaire Larousse du français contemporain.* Paris : Larousse.

ECO, U. (1988) : *Le signe.* Bruxelles : Labor.

GREVISSE, M./GOOSSE A. (1980) : *Nouvelle grammaire française.* Gembloux : Duculot.

HAGEGE, C. (1982) : *La structure des langues.* Paris : P.U.F.

HARNISCH/FARMER (1984) : Pragmatics and the Modularity of the Linguistic System. In: *Lingua 63,* 255-277.

HOCKETT, C.F. (1958) : *A Course in Modern Linguistics.* New York : Macmillan.

LEVINE, R. (ed.) (1992) : *Formal grammar. Theory and Implementation.* Oxford : O.U.P.

LYONS, J. (1977) : *Semantics* (2 vols). Cambridge : C.U.P.

MARTINET, A. (1969) : *La linguistique. Guide alphabétique.* Paris : Denoël.
NIQUE., C. (1974) : *Initiation méthodique à la grammaire générative.* Paris : Cedic.
WILSON, D./SPERBER, D. (1986) : Pragmatics and Modularity. In : Farley et al. (eds.) : *Papers from the Parasession on Pragmatics and Grammatical Theory at the 22nd Regional Meeting.* Chicago, Ill.: Chicago Linguistic Society.

5. Texte *(grammaire du texte)*

BEAUGRANDE, R. de/DRESSLER, W. (1980) : *Introduction to Textlinguistics.* London : Longman.
BELLERT, I. (1972) : *On the logico-semantic structure of utterances.* Wrocklaw (= Polska akademia nauk komitet jezykoznawskwa 66).
BROWN, G./YULE G. (1983) : *Discourse Analysis.* Cambridge : Cambridge University Press.
COMBETTES, B. (1983) : *Pour une grammaire textuelle. La progression thématique.* Bruxelles : De Boeck-Duculot.
DANES, E. (ed.) (1974) : *Papers on functional sentence perspective.* Prague : Academia.
EDMONSON, W.J. (1981) : *Spoken Discourse. A Model for Analysis.* London : Longman.
HATEKEYAMA, K./PETÖFI, J.S./SÖZER, E. (1989) : Text, Konnexität, Kohärenz. In : Conte, M.-E. (ed.) : *Kontinuität und Diskontinuität in Texten und Sachverhaltskonfigurationen.* Hamburg : Buske, 1-55.
JACOBS, J. (1988) : Fokus-Hintergrund-Gliederung und Grammatik. In : Altmann, H. (ed.) : *Intonationsforschungen.* Tübingen, 89-134.
JAYEZ, J. (1988) : *L'inférence en langue naturelle. Le problème des connecteurs. Représentation et calcul.* Paris : Hermes.
LÖTSCHER, A. (1987) : *Text und Thema.* Tübingen : Niemeyer.
LUNDQUIST, L. (1983) : *L'analyse textuelle. Méthode, exercices.* Paris : Cedic.
MOESCHLER, J. (1985) : *Argumentation et conversation. Eléments pour une analyse pragmatique du discours.* Paris : Hatier-Credif.
MOTSCH, W./REIS, M./ROSENGREN, I. (1990) : Zum Verhältnis von Satz und Text. In : *Deutsche Sprache 18,* 97-125.
PETÖFI, J.S. (1975) : *Vers une théorie partielle du texte.* Hamburg : Buske.

REICHLER, C. (ed.) (1989) : *L'interprétation des textes.* Paris : Minuit.

REINHART, T. (1981) : Pragmatics and Linguistics : An Analysis of Sentence Topics. In : *Philosophica 27.*

ROULET, E. (ed.) (1981) : *L'analyse de conversations authentiques.* Paris : Didier Erudition (= Études de linguistique appliquée 44).

— (ed.) (1985) : *L'articulation du discours en français contemporain.* Bern : Lang.

SGALL, P./HAJICOVA, E./POANOVEVA, J. (1986) : *The Meaning of the Sentence in its Semantic and Pragmatic Aspects.* Reidel : Dordrecht.

VAN DIJCK, T. (1980) : *Macrostructures.* Hillsdaje, N.J.: Erlbaum.

WEINRICH, H. (1982) : *Textgrammatik der französischen Sprache.* Stuttgart : Klett.

WERLICH, E. (1975) : *Typologie der Texte.* Heidelberg : Quelle & Meyer.

6. Vocabulaire (sémantique lexicale)

BENDIX, E.M. (1970) : Analyse componentielle du vocabulaire général. In : *Langages 20,* 101-128 (anglais en 1966).

BIERWISCH, M. (1970) : On classifying semantic features. In : Bierwisch, M./Heidolph, K.E. (eds.) : *Progress in Linguistics.* The Hague, 27-50.

BOGURAEV, B./BRISSCOE, T. (eds.) (1989) : *Computational Lexicography for Natural Language Processing.* London : Longman.

BOUVEROT, D. (1969) : Comparaison et métaphore. In : *Le Français Moderne,* 132-147 et 224-238.

COSERIU, E. (1973) : *Einführung in die strukturelle Betrachtung des Wortschatzes.* Tübingen.

CRAMER, P. (1971) : *Word Association.* New York.

CRUSE, D.A. (1986) : *Lexical Semantics.* Cambridge : C.U.P.

DEESE, J. (1965) : *The Structure of Association in Language and Thought.* Baltimore.

DUBOIS, J./DUBOIS, Cl. (1971) : *Introduction à la lexicographie. Le dictionnaire.* Paris : Larousse.

ECKERT, H. (1977) : *Lexical field analysis and interpersonal terms in German.* Hamburg.

EIKMEYER, H.-J./RIESER, H. (eds.) (1981) : *Words, Worlds, and Contexts. New Approaches in Word Semantics.* Berlin : de Gruyter.

EVENS, M.W. (ed.) (1989) : *Relational Models of the Lexicon*. Cambridge : Cambridge University Press.

FILLENBAUM, S./RAPOPORT, A. (1971) : *Structures in the Subjective Lexikon*. New York.

FINDLER, N.V. (ed.) (1979) : *Associative Networks*. New York : Academic Press.

HOBERG, R. (1970) : *Die Lehre vom sprachlichen Feld*. Düsseldorf : Schwann.

HÖRMANN, H. (1972) : *Introduction à la psycholinguistique*. Paris : Larousse.

— (1976) : *Meinen und verstehen. Grundzüge einer psychologischen Semantik*. Frankfurt.

KOTSCHI, T. (1974) : *Probleme und Beschreibung lexikalischer Strukturen. Untersuchungen am Beispiel des französischen Verbs*. Tübingen : Niemeyer.

LEISI, E. (1981) : *Le contenu du mot. Sa structure en allemand et en anglais*. Paris : Les Belles Lettres.

LE GUERN, M. (1973) : *Sémantique de la métaphore et de la métonymie*. Paris : Larousse.

MEL'CUK, I. et al. (1984-) : *Dictionnaire explicatif et combinatoire du français contemporain*. Montréal : Presses de l'Université de Montréal.

MOLINO, J. (1971) : La connotation. In : *La linguistique* 1, 7.

PICOCHE, J. (1978) : *Précis de lexicologie française*. Paris : Nathan.

POTTIER, B. (1963) : *Recherches sur l'analyse sémantique en linguistique et en traduction mécanique*. Nancy : Publ. Fac. des Lettres et des sciences humaines.

— (1965) : La définition sémantique dans les dictionnaires. In : *TraLiLi* 3, 33-39.

— (1964) : Vers une sémantique moderne. In : *Travaux de Linguistique et de Littérature* 2, 107-136.

REY, A. (1977) : *Le lexique. Images et modèles*. Paris : Colin.

REY-DEBOVE, J. (1971) : *Etude linguistique et sémantique des dictionnaires français contemporains*. The Hague : Mouton.

SCHUMACHER, H. (ed.) (1986) : *Verben in Feldern*. Berlin : de Gruyter.

WIERZBICKA, A. (1985) : *Lexicography and Conceptual Analysis*. Ann Arbor : Karoma.

7. Concepts (sémantique conceptuelle)

BAR-HILLEL, Y. (1950) : On syntactical categories. In : *Journal of Symbolic Logic*, 1-16.

BÄUERLE, R./SCHWARZE, C./STECHOW, A. von (eds.) (1983) : *Meaning, Use and Interpretation of Language.* Berlin : de Gruyter.

BAYLON, C./FABRE, P. (1978) : *La sémantique.* Paris : Nathan.

BRAACHMAN, R.J. (1979) : On the Epistemological Status of Semantic Networks. In : Findler, N.V. (ed.) : *Associative Networks: Representation and Use of Knowledge by Computers.* New York : Academic Press, 3-50.

BRUNOT, F. (1927) : *La pensée et la langue.* Paris : Masson.

CARNAP, R. (1958) : *Introduction to Logic.* New York : Dover.

CHIERCHIA, G./PARTEE B./TURNER, R. (1989) : *Properties, Types and Meaning.* Dordrecht : Kluwer.

CHIERCHIA, G./McCONNEL-GINET, S. (1991) : *Meaning and Grammar.* Cambridge, Mass. : The MIT Press.

COHEN, D. (1989) : *L'aspect verbal.* Paris : Presses Universitaires de France.

COSERIU, E./GECKELER, H. (1974) : Linguistics and Semantics. In : Sebeok, T. : *Current Trends in Linguistics, vol 12.* The Hague : Mouton, 103-171.

CRESSWELL, M.J. (1973) : *Logics and Languages.* London : Methuen.

DAHLGREN, K. (1988) : *Naive Semantics for Natural Language Understanding.* Boston, etc. : Kluwer.

DAVIDSON, D./HARMAN, G. (eds.) (1972) : *Semantics of Natural Language.* Dordrecht : Reidel.

DAVIS, E. (1990) : *Representations of Commonsense Knowledge.* San Mateo, Calif. : Morgan Kaufmann.

DUBOIS-CHARLIER, F./GALMICHE, M. (1972) : *La sémantique générative.* Paris : Didier/Larousse (= Langages 27).

DUCROT, O. (1973) : *La preuve et le dire. Langage et logique.* Paris : Maison Mame.

DUPONT, P. (1990) : *Eléments logico-sémantiques pour l'analyse de la proposition.* Berne : Lang.

EIKMEYER, H.-J./RIESER, H. (eds.) (1981) : *Words, Worlds and Contexts. New Approaches in Word Semantics.* Berlin : de Gruyter.

FABRICIUS-HANSEN, C. (1975) : *Transformative, intransformative und kursive Verben.* Tübingen : Niemeyer.

FAUCONNIER, G. (1984) : *Espaces mentaux. Aspects de la construction du sens dans les langues naturelles.* Paris : Minuit.

FILLMORE, Ch. J. (1968) : The Case for Case. In : Bach, E./Harms, R.T. (eds.) : *Universals in Linguistic Theory.* London, 1-88.

FINDLER, N.V. (ed.) (1979) : *Associative Networks.* New York : Academic Press.

FREGE, G. (1892) : Über Sinn und Bedeutung. In : *Zeitschrift für Philosophie und philosophische Kritik 100*, 25-50.

— (1960) : On sense and reference. In : Geach, P./Black, M. (eds.) : *Translations from the Philosophical Writings of Gottlob Frege*. Oxford : Blackwell, 56-78.

— (1971) : *Ecrits logiques et philosophiques*. Paris : Seuil.

GALMICHE, M. (1975) : *Sémantique générative*. Paris : Larousse.

— (1991) : *Sémantique linguistique et logique. Un exemple: la théorie de R. Montague*. Paris : P.U.F.

GERMAIN, C. (1981) : *La sémantique fonctionnelle*. Paris : P.U.F.

GRIMSHAW, J. (1990) : *Argument Structure*. Cambridge, Mass. : The MIT Press.

HERWEG, M. (1990) : *Zeitaspekte. Die Bedeutung von Tempus, Aspekt und temporalen Konjunktionen*. Wiesbaden : Deutscher Universitätsverlag.

HURFORD, J.R./HEASLEY, B. (1988) : *Semantics. A coursebook*. Cambridge : C.U.P.

JACKENDOFF, R. (1988) : *Semantics and Cognition*. Cambridge, Mass. : The MIT Press.

— (1990) : *Semantic Structures*. Cambridge, Mass.: The MIT Press.

JACKSON, H. (1990) : *Grammar and Meaning. A Semantic Approach to English Grammar*. London : Longman.

JOHNSON-LAIRD, P.N. (1983) : *Mental Models*. Cambridge : C.U.P.

KATZ, J.J./FODOR, J.A. (1966-7) : Structure d'une théorie sémantique. In : *Cahiers de lexicologie*, 1966, II, 39-72 et 1967, I, 47-66. Original anglais (1963) : The structure of a semantic theory. In : *Language 39*, 170-210.

KEMPSON, R.M. (1977) : *Semantic Theory*. Cambridge : C.U.P.

KLEIBER, G. (1990) : *La sémantique du prototype*. Paris : P.U.F.

LERAT, P. (1983) : *Sémantique descriptive*. Paris : Hachette.

LEROT, J. (1980) : Zwei typen inhaltlicher Einheiten. In : Brettschneider, G./Lehmann, Chr. (eds.) : *Wege zur Universalienforschung*. Tübingen : Narr, 76-80.

LYONS, J. (1977) : *Semantics* (2 vols). Cambridge : C.U.P. Traduction française du premier volume (1978) : *Eléments de sémantique*. Paris : Larousse. Traduction française du second volume (1980) : *Sémantique linguistique*. Paris : Larousse.

MARCISZEWSKI, W. (ed.) (1981) : *Dictionary of Logic*. The Hague : Nijhoff.

MARTIN, R. (1983) : *Pour une logique du sens*. Paris : P.U.F.

MILLER, G.A. (1981) : Semantic relations among words. In : Halle, M./Bresnan, J./Miller, G.A. (eds.) : *Linguistic Theory and Psychological Reality*. Cambridge, Mass.: The MIT Press, 60-118.

NEF, F. (1989) : *La logique du langage naturel*. Paris : Hermes.

NOGIER, J.-F. (1991) : *Génération automatique du langage et graphes conceptuels*. Paris : Hermes.

PLATT, J.T. (1971) : *Grammatical Form and Grammatical Meaning*. Amsterdam/ North Holland.

POTTIER, B. (1962) : *Systématique des éléments de relation*. Paris : Klincksieck.

— (1992) : *Sémantique générale*. Paris : P.U.F.

PUSTEJOVSKY, J. (1991) : The Generative Lexicon. In : *Computational Linguistics 17*, 409-441.

QUILLIAN, M.R. (1967) : Word Concepts : A Theory and Simulation of Some Basic Semantic Capabilities. In : *Behavioral Science 12*, 410-430.

— (1968) : Semantic Memory. In : Minski, M. (ed.) : *Semantic Information Processing*. Cambridge, Mass.: The MIT Press.

RASTIER, F. (1987) : *Sémantique interprétative*. Paris : P.U.F.

REIS, M. (1985) : L'articulation du sémantique et du conceptuel. In : *DRLAV. Revue de linguistique 33*, 25-44.

SABAH, G. (1989) : *L'intelligence artificielle et le langage*. 2 vols. Paris : Hermes.

SEUREN, P.A.M. (1985) : *Discourse Semantics*. Oxford : Blackwell.

SOWA, J.F. (1984) : *Conceptual Structures: Information Processing in Mind and Machine*. Reading, Mass. : Addison-Westley.

— (1988) : Using a lexicon of canonical graphs in a semantic interpreter. In : Evens, M.W. (ed.) : *Relational Models of the Lexicon. Representing Knowledge in Semantic Networks*. Cambridge : Cambridge University Press.

STEINER, E. (1991) : *A Functional Perspective on Language. Action and Interpretation*. Berlin : Mouton/de Gruyter.

TAYLOR, J.R. (1989) : *Linguistic Categorization. Prototypes in Linguistic Theory*. Oxford : Clarendon.

THAYSE, A. et al. (1988) : *Approche logique de l'Intelligence Artificielle*. 3 vols. Paris : Dunod.

VANDELOISE, C. (1986) : *L'espace en français*. Paris: Seuil.

VENDLER, Z. (1967) : *Linguistics in Philosophy*. Ithaca : Cornell University Press.

VET, C. (1980) : *Temps, aspects et adverbes de temps en français contemporain*. Genève : Droz.

8. Les sons (phonétique, phonologie, prosodie)

CAELEN, G. (1981) : *Structures prosodiques de la phrase énonciative simple étendue*. Hamburg : Buske.

CATFORD, J.C. (1988) : *A Practical Introduction to Phonetics.* Oxford : Clarendon.

CASAGRANDE, J. (1984) : *The sound system of* French. Washington : Georgetown University Press.

CHOMSKY, N./HALE, M. (1968) : *The Sound pattern of English.* New York : Harper and Row. Traduction française (1973) : *Principes de phonologie générative.* Paris : Seuil.

DELL, F. (1973) : *Les règles et les sons.* Paris : Hermann.

EGGS, E./MORDELLET, I. (1990) : *Phonétique et phonologie du français. Théorie et pratique.* Tübingen : Niemeyer.

FOLEY, J. (1977) : *Foundations of theoretical phonology.* Cambridge : C.U.P.

GIMSON, A.C. (1980) : *An Introduction to the Pronunciation of English.* 3ᵉ éd. London : Arnold.

LEON, P.-R. (1966) : *Prononciation du français standard, aide-mémoire d'orthoépie.* Paris : Didier.

LEON, P./MARTIN, P. (1969) : *Prolégomènes à l'étude des structures intonatives.* Paris : Didier.

MALMBERG, B. (1972) : *Phonétique française.* Malmö : Hermods.

SHANE, S.A. (1967) : La phonologie générative. In : *Langages 8.* Paris : Larousse.

— (1968) : *French Phonology and Morphology.* Cambridge, Mass : The MIT Press.

STRAKA, G. (1965) : *Album phonétique.* Québec : Presses de l'Université Laval.

TROUBETZKOY, N.S. (1949) : *Principes de phonologie.* Paris : Klincksieck.

WALTER, H. (1977) : *La phonologie du français.* Paris : P.U.F.

WUNDERLI, P. et al. (1978) : *Französische Intonationsforschung. Kritische Bilanz und Versuch einer Synthese.* Tübingen : Narr.

9. *Forme des mots (morphologie)*

BERGENHOLZ, H./MUGDAN, J. (1979) : *Einführung in die Morphologie.* Stuttgart : Kohlhammer.

BYBEE, J. L. (1985) : *Morphology.* Amsterdam : Benjamins.

CHOMSKY, N./HALLE, M. (1968) : *The Sound pattern of English.* New York : Harper and Row. Traduction française (1973) : *Principes de phonologie générative.* Paris : Seuil.

DRESSLER, W. (1977) : *Grundfragen der Morphonologie.* Wien : Österreichische Akademie der Wissenschaften.

FEUILLET, J. (1988) : *Introduction à l'analyse morphosyntaxique.* Paris : P.U.F.

ISAAC, L. (1985) : *Calcul de la flexion verbale en français contemporain.* Genève/Paris : Droz.

KIEFER, F. (1973) : *Generative Morphologie des Neufranzösischen.* Tübingen : Niemeyer.

MARTINET, A. (1965) : De la morphonologie. In : *La linguistique 1,* 15-30.

PINCHON, J. (1986) : *Morphosyntaxe du français.* Etude de cas. Paris : Hachette.

TRUBETZKOY, N. (1931) : Gedanken über Morphophonologie. In : *TCLP 4.*

WANDRUSZKA, U. (1988) : Morphosyntax. In : *Lexikon der romanistischen Linguistik II.,* Tübingen.

WILMET, M. (1976) : *Etudes de morpho-syntaxe verbale.* Paris : Klincksieck.

10. Structure des mots (morphologie lexicale)

BERNARD, G. (1974) : Les locutions verbales françaises. In : *La Linguistique 10,* 2, 5-17.

CATACH, N. (1981) : *Orthographe et lexicographie. Les mots composés.* Paris : Nathan.

COLLIGNON, L./GLATIGNY, M. (1978) : *Les dictionnaires. Initiation à la lexicographie.* Paris : Cedic.

CORBIN, D. (1987) : *Morphologie dérivationnelle et structuration du lexique.* (2 vols.). Tübingen : Niemeyer.

DUBOIS, J. (1962) : *Etude sur la dérivation suffixale en français moderne et contemporain.* Paris : Larousse.

GAATONE, D. (1982) : Locutions et catégories linguistiques. In : *Grazer Linguistische Studien 16,* 44-51.

GREIMAS, A.J. (1960) : Idiotismes, proverbes, dictons. In : *Cahiers de Lexicologie 2,* 41-61.

GUILBERT, L. (1975) : *La créativité lexicale.* Paris : Larousse.

GUIRAUD, P. (1961) : *Les locutions françaises.* Paris : P.U.F.

HAENSCH, G./LALLEMAND-RIETKÖTER, A. (1971) : *Wortbildungslehre des modernen Französisch.* München : Hueber.

KURYLOWICZ, J. (1936) : Dérivation lexicale et dérivation syntaxique. In : *Bulletin de la Société de Linguistique de Paris 37,* 79-92.

LIPSHITZ, E. (1981) : La nature sémanto-structurelle des phraséologismes analytiques verbaux. In : *Cahiers de lexicologie 38,* 1, 35-44.

MARCHAND, H. (1969) : *The categories and types of present-day English word-formation.* München : Beck.

MAROUZEAU, J. (1957) : Procédés de composition en français moderne. In : *Le français moderne 25,* 241-247.

PEYTARD, J. (1975) : *Recherches sur la préfixation en français contemporain.* Paris : Champion.

PICHON, E. (1942) : *Les principes de la suffixation en français.* Paris : d'Artrey.

ROHRER, Chr. (1967) : Definition of 'Locutions Verbales'. In : *The French Review 41,* 357-367.

— (1977) : *Die Wortzusammensetzungen im modernen Französisch.* Tübingen : Narr.

SCHWARZE, C./WUNDERLICH, D. (eds.) (1985) : *Handbuch der Lexikologie.* Köningstein/Ts. : Athenäum.

SELKIRK, E. (1982) : *The Syntax of Words.* Cambridge, Mass. : The MIT Press.

WANDRUSZKA, U. (1976) : *Probleme der neufranzösischen Wortbildung.* Tübingen : Niemeyer.

11. La phrase (syntaxe)

ABRAHAM, W. (ed.) (1978) : *Valence, semantic case and grammatical relations.* Amsterdam : Benjamins.

— (1982) : *Satzglieder im Deutschen.* Tübingen : Narr.

ANDERSEN, P.K. (1983) : *Word order typology and comparative constructions.* Amsterdam : Benjamins.

BERENDONNER, A. (1983) : *Cours critique de grammaire générative.* Lyon : P.U.L.

BLOOMFIELD, L. (1933) : *Language.* London : Allen & Unwin.

CHEVALIER, J.-Cl./GROSS, M. (eds.) (1976) : *Méthodes en grammaire française.* Paris : Klincksieck.

CHOMSKY, N. (1970) : Remarks on Nominalization. In : Chomsky, N. (1972) : *Studies on Semantics in Generative Grammar.* The Hague : Mouton, 11-61.

— (1971) : *Aspects de la théorie syntaxique.* Paris : Seuil.

— (1981) : *Lectures on Government and Binding.* Dordrecht : Foris.

— (1986) : *Barriers.* Cambridge, Mass. : The MIT Press.

COLE, P./SADOCK, M. (eds.) (1977) : *Grammatical relations.* New York : Academic Press.

COOK, V.J. (1988) : *Chomsky's Universal Grammar. An Introduction.* Oxford : Blackwell.

DUCROT, O. et al. (1980) : *Les mots du discours*. Paris : Minuit.

EMONDS, J. (1985) : *A Unified Theory of Syntactic Categories*. Dordrecht : Foris.

FANSELOW, G./FELIX, S. (1987) : *Sprachtheorie. Eine Einführung in die Generative Grammatik*. 2 vols. Tübingen : Francke.

GARDES-TAMINE, J. (1988) : *La grammaire*. Paris : Colin.

GROSS, M. (1975) : *Méthodes en syntaxe*. Paris : Hermann.

GRÜNIG, B.-N. (1981) : *Structure sous-jacente: essai sur les fondements théoriques*. Paris : Champion.

HAWKINS, J.A. (1983) : *Word order universals*. New York : Academic Press.

HOCKETT, C.F. (1958) : *A Course in Modern Linguistics*. New York : Macmillan.

JACKENDOFF, R. (1977) : *X' Syntax. A Study of Phrase Structure*. Cambridge, Mass. : The MIT Press.

KAYNE, R. (1977) : *La syntaxe du français : le cycle transformationnel*. Paris : Seuil.

LAWRENZ, B. (1992) : *Zum syntaktischen Status der Apposition*. Tübingen : Narr.

LEROT, J. (1986) : *Analyse grammaticale*. Gembloux : Duculot.

LEVINE, R. (ed.) (1992) : *Formal Grammar*. Oxford : Oxford University Press.

MARTINET, A. et al. (1979) : *Grammaire fonctionnelle du français*. Paris : Credif/Didier.

MEL'CHUK, I.A. (1988) : *Dependency Syntax. Theory and Practice*. Albany, N.Y. : State University of New York Press.

MONTAGUE, R. (1970) : Universal Grammar. In : Thomason (ed.) : *Formal Philosophy: Selected Papers of Richard Montague*. New Haven : Yale University Press, 222-246 ; également : *Theoria 36*, 373-398.

NIQUE., C. (1974) : *Initiation méthodique à la grammaire générative*. Paris : Cedic.

— (1978) : *Grammaire générative : hypothèses et argumentations*. Paris : Colin.

PICABIA, L./ZRIBI A. (1981) : *Découvrir la grammaire française*. Paris : Cedic.

POSTAL, P.M. (1964) : *Constituent structure : A study of contemporary models of syntactic description*. Bloomington : Indiana University.

PULLUM, G.K. (1977) : Word order universals and grammatical relations. In : Cole, P./Sadock, J.M. (ed.) : *Grammatical relations*. New York : Academic Press, 249-278.

RADFORD, A. (1988) : *Transformational Grammar*. Cambridge : Cambridge University Press.

RIGAULT, A. et al. (1971) : *La grammaire du français parlé.* Paris : Hachette.

RONAT, M. (ed.) (1977) : *Langue. Théorie générative étendue.* Paris : Hermann.

RONAT, M./COUQUAUX D. (1986) : *La grammaire modulaire.* Paris : Minuit.

RUWET, N. (1972) : *Théorie syntaxique et syntaxe du français.* Paris : Seuil.

SCHIEBER, S.M. (1986) : *An Introduction to Unification Based Approaches to Grammar.* Chicago : Chicago University Press.

SERBAT, G. (1981) : *Cas et fonctions.* Paris : P.U.F.

SOUTET, O. (1989) : *La syntaxe du français.* Paris : P.U.F.

STECHOW, A. VON/STERNEFELD, W. (1988) : *Bausteine syntaktischen Wissens. Ein Lehrbuch der generativen Grammatik.* Opladen : Westdeutscher Verlag.

STEINITZ, R. (1969) : *Adverbialsyntax.* Berlin : Akademie Verlag.

TESNIERE L. (1969) : *Eléments de syntaxe structurale* (1ᵉ éd. 1959). Paris : Klincksieck.

12. Ecriture et orthographe

BLANCHE-BENVENISTE, C./CHERVEL, A. (1969) : *L'orthographe.* Paris : Maspéro.

CATACH, N. (1980) : *L'orthographe française.* Paris : Nathan.

— (1981) : *Orthographe et lexicographie. Les mots composés.* Paris : Nathan.

COHEN, M. (1958) : *La grande invention de l'écriture et son évolution.* (3 vols). Paris : Klincksieck.

DIRINGER, D. (1962) : *Writing.* London.

FÉVRIER, J. (1984) : *Histoire de l'écriture.* Paris : Payot.

THIMONNIER, R. (1967) : *Le système graphique du français.* Paris : Plon.

13. Méthode

BIERWISCH, M./KIEFER, M. (1969) : Remarks on definitions in natural languages. In : Kiefer, F. (ed.) : *Studies in syntax and semantics.* Dordrecht, 55-79.

HEMPEL, C.G. (1965) : *Aspects of Scientific Explanation.* New York/London.

— (1966) : *Eléments d'épistémologie.* Paris : Colin.

KAMLAH, W./LORENZEN, P. (1967) : *Logische PropÑdeutik.* Mannheim : Bibliographisches Institut.

REY-DEBOVE, J. (1978) : *Le métalangage. Etude linguistique du discours sur le langage.* Paris : Le Robert.

SAVIGNY, E. von (1980) : *Grundkurs im wissenschaftlichen Definieren.* (5ᵉ éd.). München.

STEGMÜLLER, W. (1974) : *Wissenschaftliche Erklärung und Begründung.* Berlin : Springer.

INDEX

Les chiffres renvoient aux pages.

TABLE DES MATIÈRES

« PROPOSITIONS »

CET OUVRAGE A ÉTÉ TRANSCODÉ ET ACHEVÉ
D'IMPRIMER LE TROIS SEPTEMBRE MIL NEUF CENT
QUATRE-VINGT-TREIZE DANS LES ATELIERS DE
NORMANDIE ROTO IMPRESSION S.A. À LONRAI (61250)
N° D'ÉDITEUR : 2830 – N° D'IMPRIMEUR : 13-1321

Dépôt légal : septembre 1993